Alle dromen van de we

Johan de Boose

Alle dromen
van de wereld

Een sentimentele reis

door Polen

J • M • MEULENHOFF

IMMER • MET • MOED

Dit boek kwam tot stand met de steun van het Fonds Pascal Decroos, het Fonds Bijzondere Journalistieke Projecten, het Poolse bureau voor toerisme in Brussel, de Poolse ambassade in België, de Poolse ministeries van Buitenlandse Zaken, Cultuur en Onderwijs, het Poolse agentschap voor informatie en buitenlandse investeringen en de Vlaamse Radio en Televisie.

Op pagina 219 staat een korte toelichting op de uitspraakregels van het Pools.

Meulenhoff Editie 2072
www.meulenhoff.nl
ISBN 90 290 7475 2 / NUR 686

Voor Gerard Rasch,
vol bewondering en dankbaarheid

In de verste hoek van deze oude kaart is het land waarnaar ik verlang. Het is het vaderland van de appels, heuveltjes, trage rivieren, zure wijn en liefde. Jammer genoeg heeft de grote spin er haar web over gesponnen en de grensbomen van de droom met kleverig secreet gesloten.

Zo is het altijd: de engel met het vlammend zwaard, de spin, het geweten.

Zbigniew Herbert
Het land, poëtisch proza

ZWEDEN

Baltische Zee

LITOUWEN

RUSLAND

Kaliningrad

Vilnius

Gdańsk

Olsztyn

Szczecin

Bydgoszcz

Białystok

Toruń

Białowieża

Warta

Berlijn

Poznań

Gniezno

Wisła

Bug

WIT-
RUSLAND

Warszawa

Oder

P O L E N

DUITS-
LAND

Zielona Góra

Łódź

Dresden

Neisse

Wleń

Wrocław

Lublin

Jelenia Góra

Opole

Kielce

Katowice

Rzeszów

Praag

Kraków

Przemyśl

Lviv

TSJECHISCHE REPUBLIEK

Zakopane

Drohobycz

SLOWAKIJE

OEKRAÏNE

Bratislava

Het huidige Polen

INHOUD

Land van rook

Ik bouwde op zand
En het ging ten onder,
Ik bouwde op rots
En het ging ten onder.
Nu begin ik te bouwen
Met de rook uit de schoorsteen.

Leopold Staff, *Grondvesten*

Op de avond van de tiende december 1896 liep het Parijse Théâtre de l'Œuvre vol voor een première die geschiedenis zou schrijven. Voor het stuk begon kwam een gedrongen man in een zakachtig zwart pak en met een kapsel à la Bonaparte aan een tafeltje voor het doek zitten. De drieëntwintigjarige auteur achtte het nodig zijn werk in te leiden: het had de acteurs aan tijd ontbroken en de scenografen, onder wie Pierre Bonnard en Henri de Toulouse-Lautrec, hadden de hele nacht doorgewerkt. Hij voegde eraan toe dat het stuk vatbaar was voor uiteenlopende interpretaties en besloot met de mededeling dat de plaats van handeling 'Nergens' was, 'dat wil zeggen: Polen'.

De schrijver was Alfred Jarry en het stuk heette *Ubu Roi*. Het was een uitgewerkte versie van *Les Polonais* uit 1888 en kende een vervolg in een hele reeks Ubu-drama's. Oorspronkelijk was het een satire op Jarry's scheikundeleraar, maar het groeide uit tot een drama over een vraatzuchtige, kleinburgerlijke potentaat, die aldoor 'merdre' zei in plaats van 'merde'. Ubu nam geen blad voor de mond. Hij schaarde zich op zijn burleske manier aanvankelijk aan de kant van de gewetenloze meesters, maar koos later voor de slaven. In een echte gevangenis voelde Ubu zich vrijer dan in die andere gevangenis – de maatschappij –, waarin vrijheid slechts een illusie was.

De première van de oer-*Ubu* werd een schandaal, een aanslag op de burgerlijke moraal en op de goede smaak. Sommige aanwezigen gebruikten een posthoorn om het oproerige publiek te bedaren. Het stuk haalde de kunstgeschiedenis als het voorspel van de twintigste-eeuwse avant-garde.

Nulle part, c'est-à-dire, la Pologne.

Ik las *Ubu* voor het eerst op de middelbare school. Die gelijkschakeling van een landnaam met nergens verontrustte me. Ik kende de weg van school naar huis en van ons huis naar een ander huis. Je kon die route in kaart brengen. Op het televisiejournaal verschenen ook kaarten van landen en continenten, allemaal zorgvuldig ingekleurd. De wereldbol vertoonde allang geen blinde vlekken meer. Hoe kon een land *Nergens* heten? Waar lag het? Niet bij benadering, niet bij schatting, maar in werkelijkheid. Zolang je niet precies kunt zeggen waar iets ligt, bestaat het niet.

Ik wilde toen al op reis naar dat Nergens. Naar een land dat nergens was en toch een naam had. Jarry zei niet *niemandsland*, want daar kon ik me wel iets bij voorstellen: een niemandsland was een land waar niemand woonde en dat aan niemand toebehoorde, een zone tussen grenspalen bijvoorbeeld, of het stukje grond tussen de West-Duitse en de Oost-Duitse grenswacht tijdens de Koude Oorlog – maar *Nergens?…*

Wat hoopte ik in dat Nergens te vinden? Iets wat niet bestond in het land waar ik woonde? Als ik erin slaagde om Nergens te vinden, zou het prompt Ergens worden. Van dat Ergens zou ik een kaart kunnen tekenen, een geografische en een andere, een innerlijke, een die er even avontuurlijk uitzag als de ingekleurde Terra Incognita van de ontdekkingsreizigers.

Waar ligt Polen? vroeg ik me af, en ik bedoelde: *Wat is Polen?*

Het klinkt als een sprookje: er was eens een land dat Nergens heette.

Het enige verschil met het sprookje is dat het echt bestaat. Ik heb het zelf gezien.

Er zijn inmiddels vele jaren verstreken sinds mijn kennismaking met Jarry, en dat Polen bestaat, kun je tegenwoordig in de krant lezen. De dag dat Johannes Paulus II zijn vijfentwintigjarig pontificaat viert, houdt een man me staande in een Poolse provinciestad. Hij stopt prentbriefkaartjes in mijn hand, foto's van de stokoude paus en kitscherige aquarellen van de Maagd Maria, die Polen door de duisternis van de geschiedenis moet leiden. Tegelijk houdt hij een hartstochtelijk betoog over de ellende die Polen te wachten staat na de toetreding tot de Europese Unie.

'Gisteren schreef Moskou ons de wet voor,' besluit hij, 'morgen zal het Brussel zijn.'

Ik geef de plaatjes terug, mompel dat ik niet geïnteresseerd ben en loop door. In mijn rug hoor ik verwensingen, vloeken die je niet in het woordenboek vindt. Ten eerste heeft hij gemerkt dat ik een buitenlander ben, hoewel ik al meer dan vijftien jaar train op die even onmogelijke als prachtige Poolse taal. Ten tweede associeert hij mijn gemompel met een vorm van Brusselse arrogantie, namelijk dat ik vóór alles ben waar hij tégen is en vice versa. Naar alle waarschijnlijkheid heeft hij althans op dit punt gelijk.

De avond van dezelfde dag praat ik hierover met de directeur van een stadstheater. Ik ben hem via via op het spoor gekomen. Zijn naam doet er niet toe, gemakshalve noem ik hem B. De 'B' van Bacchus.

In een donkere kelderclub drinken we een half litertje warm bier en wedijveren in gesnotter, want buiten is de winter plots in alle hevigheid ingetreden en wij dragen nog sandalen en lichte regenjassen. Hij lijkt waarachtig wat op de Bacchus van Rubens: hij is rijzig en rond en heeft uitstaande haren. Alleen vermoed ik dat de wijngod minder zenuwachtig was. Al bij het begin van het gesprek verneem ik dat hij een aperte homo is, die als theaterdirecteur niet vies is van schandalen en die bijklust als auteur van de culinaire rubriek in een van de grootste kranten.

'Interessante combinatie, allesbehalve typisch Pools,' verstout ik me te zeggen.

Vervolgens steekt meneer B. van wal met een beschrijving van wat volgens hem een typische Pool is, een die prentbriefkaartjes slijt bij de poort van de oude stad, een die ik vanmiddag een koude schouder heb toegekeerd.

Ik gruw van clichés, maar ik weet ook dat er in elk cliché een waarheidje schuilt. Daarom spits ik de oren.

'Die typische Pool,' oreert meneer B., 'daarmee bedoelen we de echte Pool, de oer-Pool, de Poolse burger die katholieker is dan Wojtyła, steevast een McDonald's-hamburger achter de kiezen heeft en werkelijk gelooft dat artsen na de uitbreiding van de Europese Unie in dichte drommen uit Brussel en Amsterdam naar Polen zullen afzakken om op goed geluk abortus- en euthanasiepillen uit te delen. Zo'n oer-Pool vindt de Texaanse Elektrische Stoel even noodzakelijk als de Romeinse Heilige Stoel, hij zou alle homo's en lesbiennes en biseksuele viezeriken het liefst levenslang achter het prikkeldraad van de gevangenis in Wołów in Silezië zien wegrotten. Een echte rechtse zak, met andere woorden, die Stalin een schoft vindt en Hitler slechts een straatboef. Die joden haat omdat het verdoken communisten zijn die Christus opnieuw zouden kruisigen als ze de kans kregen. Die zich niet kan voorstellen dat ook maar een piepklein percentage van zijn stad bevolkt zou zijn met – noem maar op – Chinezen, negers of moslims. Dát is de oer-Pool,' schalt meneer B., 'een klein lelijk straathondje, de vrucht van de meest uiteenlopende kruisingen, die in alle presidentiële stallen ter wereld naast een statig rasbeest gaat staan en denkt dat hij even mooi is.'

Hijzelf, mijn vriend Bacchus achter zijn kelk Okocim-bier, heeft een half Duitse, antisemitische vader en... een Poolse jodin als moeder! Hij is dus voor een kwart Duits, voor de helft joods en voor het overige Pools. Ik vermoed dat hij ook nog iets Grieks heeft, zo treffend is de gelijkenis met Bacchus op Rubens' schilderij. Misschien heeft hij zelfs Vlaamse roots en stond een verre voorzaat model voor Bacchus in Rubens' atelier in Antwerpen.

Ik duizel na zijn tirade en neem een slok, maar Bacchus barst meteen in een homerische lach uit.

'Het is een cliché, maar zo zijn ze gebakken, de oer-Polen.'

Vervolgens voeren we een beschaafd gesprek over de toestand van de hedendaagse Poolse cultuur. Wat hij van de cineast en oscarwinnaar Andrzej Wajda vindt, die ik enkele dagen tevoren heb ontmoet? 'Een kadaver.' En van Piesiewicz, nu senator maar in een vorig leven scenarist van Kieślowski's *Decaloog*, die ik eveneens heb ontmoet? 'Een katholiek fundamentalist, net zoals Kieślowski zelf overigens, die alleen uit snobisme zo geliefd is in het Westen.'

Het amuseert hem dat we het oneens zijn. Wajda is een van de

grote chroniqueurs van de Poolse geschiedenis, wiens films ik ette-
lijke keren heb gezien, en Kieślowski heeft als geen ander het ont-
leedmes in het Poolse katholicisme gezet, waardoor je als niet-Pool
zelfs begrip kunt opbrengen voor dat typisch Poolse geloof.

Mijn Bacchus is evenmin typisch Pools als boosaardig on-Pools.
Hij staart me met zijn grote bruine ogen aan alsof hij zeggen wil: natuurlijk zijn Wajda en Kieślowski en alle andere beroemde opa's en
oma's van Polen molochs, want wat zouden de Polen zonder hen betekenen? Achter hem licht het beeld op van een verkrampte naakte
mens die in de club is opgehangen alsof hij midden in de kosmos uit
een ruimteschip werd gekieperd.

'Weet je,' zegt hij na een tijdje, 'die oer-Pool over wie ik het had,
dat is de Pool die zichzelf graag zo definieert omdat het hem tenminste tot *iets* maakt, al is het een echo uit een ver verleden, uit een
andere tijd. Want voor de rest is er niets. Helemaal niets. Al wat in
Polen min of meer de moeite waard is, is nou net *niet* Pools, maar –
noem maar op – joods, of Litouws, Pruisisch, Oostenrijks.'

'Dat doet me denken,' breng ik voorzichtig in, 'aan de vraag:
waar ligt Polen?'

'Zal ik het je zeggen?' antwoordt hij met een sluw lachje. 'Zal ik
je zeggen waar Polen ligt?'

'Nou?'

'Vertrek bij de achterdeur van Eden, daar waar God de al te ijverigen een trap onder hun kont geeft, loop dan een paar eeuwen,
en onderweg kom je, als je een beetje mazzel hebt, Polen tegen,
als het intussen tenminste niet helemaal is opgegaan in zijn eigen
schaduw.'

'Het verhaal van Polen is dat van de verdrijving uit het paradijs,'
herhaal ik pedant. 'Dat is wat Czesław Miłosz zegt.'

'Nog zo'n opa. Maar zo één.' Hij steekt zijn duim op. 'Luister.
Dit is wat je moet doen. Daal af in de catacomben van de Poolse
cultuur, in de danteske cirkels van de Poolse onderwereld, en aan-
schouw de kadavers en de fundamentalisten en de trotse poedels die
aan de kont van hun afgoden snuffelen.'

'Is er geen enkele terugkeer naar het paradijs mogelijk?'

'Het enige paradijs met de p van Polen is een gedroomd paradijs,
een paradijs gemaakt van schoorsteenrook. En ook die moet je, mijn
beste makker, op gaan snuiven.'

'Waar vind ik die?'

Bacchus trekt zijn brede schouders op, en vervolgens ook zijn borstelige wenkbrauwen.

'Voorlopig hier,' zegt hij en wuift de sigarettenrook weg. 'Drinken we nog een half litertje?'

Polen, Nergensland, het paradijs van schoorsteenrook. Twintig jaar lang heb ik het land doorkruist. Ik sliep weleens in een hotelsuite, maar meestal belandde ik in een dichtbevolkte anderhalvekamerflat, in een koloniehuis van sovjetmakelij, in de linnenkamer van het Pools Toeristisch-Heemkundig Genootschap, kortweg PTTK, of gewoon in de schuur van een oude kolchoz.

In mijn zak zat steeds een map met kaarten, die ik eindeloos bestudeerde.

Het land is ontstaan uit een verzameling snippers, groeide in enkele eeuwen uit tot een van de machtigste naties van Europa, ook een van de tolerantste, en verdween toen integraal van de kaart. Geschiedenisboeken vertellen me hoe Polen in de loop der eeuwen de twistappel van rivaliserende legers is geworden. Een boek noemt Polen zelfs *Gods speeltuin*. Een ander *de dansvloer van de duivel*.

Op dit slagveld van God en de duivel ben ik op zoek gegaan naar de slachtoffers, de verhalen van enkelingen die vertellen hoe het achter de wereld van triomf en tragiek toeging, in het dagelijkse leven. Ik heb de zielen uit hun kist gehaald en ik heb mijn oor te luisteren gelegd tegen de hoofden van wie ik ontmoette.

Toen heb ik twee zaken geconstateerd.

Sprak ik met Nederlandstalige vrienden over Polen, dan stuitte ik op onwetendheid of op torenhoge clichés. Polen, dat is een kreupele paus, verstokte devotie, de dodenmars van Frédéric Chopin, het Warschaupact, en verder veel zwendel, smokkel en zwart werk…

Hiermee hield het doorgaans op. De recente berichtgeving over de Europese Unie heeft hieraan nog de typisch Poolse koppigheid toegevoegd. Polen, het Trojaanse paard dat een kritiekloos amerikanisme binnensmokkelt. Polen, de kampioen van de gemiste kans.

In het beste geval herinnert iemand zich de namen van Nobelprijswinnaars: Madame Curie, Lech Wałęsa, Czesław Miłosz, Wisława Szymborska, de ene nog meer onuitsprekelijk dan de andere.

Bovendien kleeft er aan Polen in het algemeen nog steeds een odium: dat het er grauw, koud en onveilig is.

Mijn tweede constatering deed ik in Polen zelf.

Vertelde ik sommige Polen dat ik een boek schreef over hun cultuur, dan kreeg ik vaak een smalend antwoord.

'Hoe noem je dat? Poolse cultuur?' lachte een Poolse Arte-medewerker terwijl hij van zijn Italiaanse koffie nipte, 'waar zie je die?'

Neem me niet kwalijk, maar ik lees Poolse boeken, ik kijk naar Poolse films, ik beluister Poolse muziek, noem maar op. Ik ken de namen van Poolse koningen, gebruiken, legenden, gerechten... En hij, een aimabele veertiger met de ogen van een havik, medewerker van een cultuurzender, zegt botweg: 'Polen bestaat niet.'

'Maar als Polen niet bestaat, waar zijn we dan nu?' vroeg ik.

We zaten op een terras in een Poolse provinciehoofdstad, waar ik evenveel Russisch als Duits hoorde, terwijl zigeuners uit de Balkan Weense walsen speelden.

De havik grijnsde.

Later zou ik zijn reportages zien. Ruïnes overwoekerd door platanen en varens. Tot leven gewekte schilderijen van Caspar David Friedrich.

Bij een andere gelegenheid voegde een Poolse televisieomroepster in Warschau me toe: 'Kom hier maar eens een tijdje wonen, dan zul je wel zien wat voor een wildernis het hier is.'

Nonsens. Ik heb hier genoeg gewoond. Ik woon hier nu, ik schrijf dit hier, in Polen.

Ik stond voor een dilemma. Bij ons hoorde ik dat Polen een blinde vlek is, en in Polen vertelde men mij dat de Poolse cultuur niet bestaat. Betekende dit dat ik al jaren een land bereisde dat geen eigenheid bezit, terwijl de kranten vol stonden met artikelen over de Poolse identiteit, de Poolse waarden en de Poolse traditie?

Het heeft lang geduurd voor ik die grimmige opmerkingen begreep. Voordat ook ik kon zeggen: *misschien bestaat Polen niet, misschien is de Poolse cultuur een illusie.*

Gaandeweg kwam ik erachter dat Polen een brandpunt van verschillende culturen is, het Poolse verhaal een verzameling getuigenissen uit grensgebieden en de Poolse geschiedenis dus evenzeer het relaas van Polens buurlanden.

Ik speur de kaart af. Daar ligt Polen. Is het een waanzinnig project met een triomfantelijk verleden en een tragische erfenis? Een gat in de wereld? Een misbruikte koningin, die zich verstopt? De oksel van Europa?

Hier begint mijn zoektocht, een sentimentele reis. Ik vertrek in een ver verleden, toen het woord Polen voor het eerst werd gebruikt. Vervolgens reis ik naar de opeenvolgende hoofdsteden: Gniezno, Kraków en Warschau. Halfweg maak ik een uitstap naar Gdańsk, waar ik het bloedspoor van een vrijheidsstrijd volg. Ten slotte bezoek ik de westelijke en de oostelijke grenzen, die in de loop van de tijd voortdurend werden verschoven.

Overal stel ik dezelfde vragen. Waar ben ik? Wat is dit? En hoe komt het toch dat zowel God als de duivel hier zo graag vertoeft?

HOOFDSTUK EEN

Het Nest

Een dal met naar boven toe bossen in herfstkleuren.
Een zwerver komt aan, geleid door de kaart,
misschien het geheugen.

Czesław Miłosz

Het Land van Lech

De jonge hertog wilde alleen zijn. Zijn gevolg van jagers bleef achter aan de voet van de heuvel. Hij gaf zijn paard de sporen en verdween uit het zicht.

Op de heuvel vond hij een witte arend in een nest vol eieren. Allang wilde hij geen valken maar arenden temmen – een hertogelijke gril. Als hij erin slaagde om een van deze eieren te stelen en thuis voorzichtig te laten uitbroeden, zou hij elke prins in Europa tot waanzinnige jaloezie drijven. Hij zwaaide met zijn armen, maar het moederbeest week niet. Het zette zich schrap en keek de hertog met uitpuilende ogen aan. Zodra de hertog zich verroerde, hapte de arend naar zijn hand. Hij probeerde de vogel met zijn sabel op een afstand te houden, maar zij bleef het nest verdedigen tot het bloed over haar witte borst gutste.

Hij was een machtig man, de hertog, die verschillende zwervers-stammen met elkaar had verzoend in een wereld die ten prooi was aan chaotische volksverhuizingen en strooptochten in naam van nijdige goden. Het beeld van de gevleugelde rover met bloedspatten op haar sneeuwwitte veren, die haar broedplaats voor niets ter wereld wilde prijsgeven, trof de hertog. Hij liet het nest met rust, keerde terug naar zijn gevolg aan de voet van de heuvel en besloot om de arend voortaan tot voorbeeld te nemen. Het dier dat hij eerst wilde beroven van zijn dierbaarste bezit werd zijn symbool van moed. In zijn wapen tekende hij een adelaar. De heuvel waarop hij met de vogel had gevochten, noemde hij Gniezno, Oudpools voor Het Nest.

Hertog Lech was in zijn tijd een buitengewoon verdienstelijk man. Zijn strijdkrachten stonden bekend als Lechieten, in Moskou heetten ze Lechi, de volgelingen van Lech. De Turken noemden zijn land Lechistan. Ook zijn twee broers waren beroemdheden. De ene heette Tsjech en stichtte een staat in het groenere zuiden, de andere, Roes, werd de leider van de Roethenen op de Oekraïense steppe. Lech had voor het noordelijke gebied gekozen, het land van de weidse, zanderige vlakten en de kleine meren, waarover 's winters de paardensleeën naar de Baltische kust snelden, het land dat de geschiedenis zou ingaan als *Polen*.

Zijn eigen naam zou een van de meest gebruikte Poolse voornamen worden. Vandaag is Lech een biertje en een voetbalploeg, of een herinnering aan de dokwerker-met-de-knevel uit Gdańsk die het tot president schopte, maar de eerste Lech was de hertog die de adelaar bewonderde.

Het is een warme, stormachtige herfstdag als ik het Land van Lech binnenrijd. Het heeft al maanden niet meer geregend, de aarde suddert en craqueleert. In de bomen langs de weg rotten de peren voor ze vallen. Aan de horizon wolkt okergeel stof op. Grijnzende fietsers vechten tegen de wind. Houten windmolens wieken op volle kracht. Kromme gestalten in de verte bewaken een rokende akker. Onderweg naar de stad die nog steeds Het Nest heet, Gniezno, in het noordwesten van het huidige Polen, in de provincie Groot-Polen, ongeveer halfweg tussen Berlijn en Warschau, lijkt het landschap soms een woestijn met achteloos neergeworpen oasen aan de kim.

Aan het begin van onze christelijke tijdrekening was ons continent, van grote hoogte bekeken, in voortdurende verandering. Volksverhuizingen waren aan de orde van de dag. In de loop van de zevende eeuw vestigde een West-Slavisch nomadenvolk zich op de vlakte waar ik nu doorheen rijd, op de oever van de rivier de Warta. Dit volk dankt zijn naam aan het landschap: de *Polanie*, de bewoners van de open vlakte. Het is in de verhalen van deze eerste Polen dat de beresterke Lech opduikt, de hertog die de sneeuwwitte arend verafgoodde. Diezelfde arend prijkt nog steeds in het Poolse wapenschild. Lechs erfgenamen hebben hem voorzien van een kroontje.

Ik probeer me het Europa van de zesde en de zevende eeuw voor te stellen: bij ons het rijk van de Franken en de Saksen, in het zuiden dat van de Visigoten en de Sueven, en dan het gigantische imperium van keizer Justinianus, dat zich uitstrekte van Córdoba en Tanger tot Alexandrië en Thebe. In de Germaanse en Slavische gebieden waren ingewikkelde landbouwnederzettingen. Overal zwaaiden de rapieren om zoveel mogelijk land en macht te veroveren. Reusachtige legers kamden de oude grensgebieden uit en trokken nieuwe grenzen. Daartussen woonden mensen, kleine stammen, die stierven in het wapengekletter of aan de pest.

Halverwege de negende eeuw zou een zekere Piast de aanvoerder zijn geweest van de Polanie, maar of hij echt heeft bestaan weet niemand. De luiers van Polen zijn, zoals de hele verdere geschiedenis, gedrenkt in wilde, sappige verhalen. De oudste zijn geduldig uitgeperst en opgetekend door de eerste Poolse kroniekschrijver Gallus Anonymus, een benedictijner monnik en componist aan het hof van koning Bolesław Scheefmond – duidelijk een mythomaan die mijn hart heeft gestolen. Ik zou hem maar al te graag ontmoeten, die gezette, goedige pater, die op blote voeten en met een ganzenveer achter zijn oor door een Kraków's kasteel voortijlt naar het refectorium voor een kom rodebietensoep met zure room. Zijn woorden, die ik nu enkel kan lezen, moeten uit zijn mond nog wreder en geestiger hebben geklonken. Maar niet getreurd, want de bron waaruit ik mijn verhaal put, is nog authentieker. Zij is de bejaarde bewaakster van de Muizentoren, op haar kin groeit een stoppelbaard en haar huid is van leer, zodat zij eruitziet alsof ze haar verhalen uit het schimmige verleden zelf heeft meegemaakt. Een tijdgenote van Gallus dus, maar van een onsterfelijke soort.

De Muizentoren, die zij bij wijze van spreken met de deegrol bewaakt, is een achthoekige donjon in Kruszwica bij het meer van Gopło, vlak bij Het Nest, waarnaar ik onderweg ben, en met genoegen aanhoor ik de legende van de knaap Mieszko, de latere vader van de allereerste Poolse koning. De tweeslachtige *babcia* praat met zoveel inlevingsvermogen en ontroering dat ik de knaap die de toekomst van Polen op zijn schouders torst bijna echt op haar schoot zie zitten, vanwaar hij me met zijn verzengende blik aanstaart.

'De arme jongen,' vertelt de bewaakster en krabt haar raspige wang, 'was blind. Tot zijn zevende jaar voedde zijn moeder hem op als een meisje, zoals het in die tijd betaamde voor alle kinderen, zowel van boeren als van koningen. Op zijn zevende verjaardag werd alles in gereedheid gebracht voor de inwijding in de grote wereld, de wereld van de volwassenheid en van de man.'

De bewaakster van de Muizentoren maakt met haar hand een sierlijke beweging van het hoofd naar de schouder.

'Zulke prachtige lokken,' vervolgt ze, 'stroomden van de schouders van de lieve Mieszko, als een waterval, maar de ritus van de overgang naar de grote wereld ging gepaard met het afscheren en verbranden van het haar. Voortaan werd de jongen door zijn vader onderwezen, boer Siemomysł Piast, ploeger aan het hof van prins Popiel. Tijdens het inwijdingsbanket voelde de boer zich bedroefder dan ooit over de blindheid van zijn zoon en hij sloot zich op in zichzelf.

Als uit het niets verschenen twee sjofele maar schrandere vreemdelingen, die zeiden dat de xenofobe prins Popiel hen van diefstal had beschuldigd en de stad had uit gegooid. Boer Piast, een brave borst die de streken van zijn baas kende, gaf de vreemdelingen een gastvrij onthaal. Toen zij de blinde zoon zagen, drukten zij hun leedwezen uit en overlegden met elkaar. Zij gaven de boer een balsem die hij op de ogen van de jongen moest smeren. Na het feest nam de boer zijn kaalgeschoren zoontje bij zich. "Baat het niet, dan schaadt het niet," mompelde hij en hij wreef de geurige zalf op de oogleden van het kind. De volgende ochtend bleek de zoon niet alleen zijn gezichtsvermogen te hebben teruggekregen, maar was de boerenfamilie gezegend met een onbeperkte rijkdom. Het volk kon overleven dankzij de gulheid van de familie Piast, want prins Popiel regeerde streng en onrechtvaardig. De twee vreemdelingen heeft niemand ooit teruggezien, niemand wist wie ze waren of waar ze vandaan kwamen. Zij zijn de mensengeschiedenis binnengestapt en er weer uit weggegaan als engelen.'

Mijn gids glimlacht en slaat haar ogen ten hemel, een oud meisje met vlammetjes in haar ogen.

Er schiet mij een zin te binnen van Andrzej Szczypiorski, een van de meest curieuze Poolse auteurs, die in de roman *De mooie mevrouw Seidenman* (de oorspronkelijke titel is *Het begin*) Polen vergelijkt met een gek die door een engel bij de hand wordt geleid. Een cynische Pool zag het ooit nog anders en vergeleek Polen met het schilderij *Pornocrates* van Félicien Rops, waarop een zwijn een geblinddoekte naakte snol aan een leiband voorttrekt.

Het oude mensje neemt me op haar beurt bij de hand en troont me mee naar het dak van de Muizentoren, waar ik de open vlakte, die in het woord Polen doorklinkt, kan overzien. De herfstwind slaat zijn lasso om ons hoofd.

'Hier,' roept mijn gids op onheilspellende toon tegen de wind in, 'hier heeft nog een ander wonder plaatsgegrepen.

Prins Popiel was een even onbekwaam als ongenadig vorst, die er niet in slaagde zijn rijk te beschermen tegen vijandelijke invallen. Toen zijn aartsvijand weer zijn rijk binnenviel, trok hij regelrecht naar de woning van de Piasten, die de reputatie hadden even machtig als de vorst te zijn. Het hele volk sprong in de bres om het huis van boer Piast te verdedigen. Na een urenlange strijd gaf de vijand zich gewonnen. Prins Popiel besefte dat hij nu ook een morele nederlaag leed en vluchtte voor de wraak van de menigte. De boerenzoon Mieszko, die op miraculeuze wijze was genezen door de tussenkomst van twee engelen, werd uitgeroepen tot nieuwe vorst. Naast zijn troon prijkte een ploeg.'

'En prins Popiel?' wil ik weten.

De duizendjarige bewaakster legt haar doorschijnende hand op de roestbruine steen en grinnikt.

'Dit was zijn toevluchtsoord,' zegt ze. 'Hier verschool hij zich uit angst dat het volk hem zou verscheuren nu een ploegerszoon bewezen had de ergste vijand de baas te kunnen. Hij kroop weg waar niemand hem kon vinden, in deze vesting, achter metersdikke muren, in de kelder van zijn burcht, waar de muizen hem 's nachts met huid en haar opvraten.'

Het stoppelige gezicht van de bewaakster van de Muizentoren trilt van opwinding en afkeer, alsof ze de hele geschiedenis nog maar kortgeleden heeft meegemaakt. Dat ze erbij was, tien eeuwen geleden, lijdt geen enkele twijfel. Als ik het haar zeg, vloekt ze binnensmonds, slaat een kruis en lacht haar ijzeren gebit bloot.

Met gemengde gevoelens speur ik het weidse land af, waar de herfstwind kleine hozen vormt. In het zuidoosten zie ik de contouren van Gniezno. Ik geniet nog even van het vrije spel van koude winden op het dak van de Muizentoren en van het uitzicht op de open vlakte, maar huiver bij het beeld van het duizendkoppige muizenleger dat hier ooit in de spouwen verstopt zat.

Met een bankbiljet beloon ik mijn gniffelende babcia en trek verder naar Het Nest, waar het verhaal van de ploegerszoon een glorieus vervolg zal krijgen.

Gniezno ligt aan mijn voeten, maar ik maak nog een omweg van enkele kilometers in noordwestelijke richting naar het Lednicki-eiland. Wat hier gebeurde, was beslissend voor het verloop van de Europese geschiedenis.

Prinses Eikenbosje

De blauwogige Mieszko werd verliefd, niet voor het eerst en niet voor het laatst – polygamie was even wettelijk als wenselijk in de heidense wereld van de *Polanie* –, op de Tsjechische prinses Dobrawa. De kroniekschrijvers melden niets dan goeds over haar. Alleen de Bohemer Kosmas betreurt dat Dobrawa haar vrouwelijke sluier verving door een meisjeskrans om te koketteren met de eeuwige jeugd. 'Een grote domheid van die vrouw,' vond Kosmas.

Maar Eikenbosje, zoals de prinses weleens liefkozend werd genoemd, was niet dom. Zij haalde Mieszko ertoe over om zijn heidense geloof af te zweren en christen te worden. Daardoor, beweerde zij, zouden hij, zijn gezin en zijn volk deel hebben aan een traditie waarvan de wieg niets minder dan de Liefde zelf was. Mieszko begreep dat Eikenbosjes bekeringsdrang een uitstekende kans was om zijn zo wonderlijk verworven rijk twee grote voordelen te verschaffen: land en vrede.

En zo gebeurde het dat Mieszko op paaszaterdag 14 april 966 hier, op het Lednicki-eiland, werd ondergedompeld in gewijd water en in de echt verbonden met de prinses met de meisjeskrans. Later zou men schrijven dat Mieszko's wonderbaarlijke genezing op zijn zevende een voorafschaduwing was geweest van zijn nieuwe bestaan als Europese christen. Niemand minder dan de Heer zelve had hem gezalfd.

Uit Mieszko's huwelijk met Eikenbosje werd Bolesław geboren, Bolesław *Chrobry*, de Dappere, de eerste volwaardige christelijke Poolse koning. En Gods plan bleef niet zonder gevolg: nauwelijks twintig jaar later telde het Poolse koninkrijk één miljoen inwoners en was Polen 250.000 vierkante kilometer groot, dat is bijna zo groot als het huidige Italië, of meer dan drie keer zo groot als het huidige Nederland en België samen.

Mieszko's bekering zorgde ervoor dat Polen in de gratie kwam van het even befaamde als beruchte Heilige Roomse Rijk, een politieke, militaire en religieuze constructie die bijna een millennium zou standhouden, van 962 tot het begin van de negentiende eeuw. Met een vorstelijke portie verbeelding stel ik me voor dat dit rijk in zijn beginfase een middeleeuwse voorloper van de Europese Unie was.

Op het laatste traject van mijn zoektocht naar Het Nest woedt de herfst in alle hevigheid. In de zeldzame bosjes worden de goudkleurige bladeren genadeloos afgerukt en rondgeblazen. Grillige zakvormige wolken scheren over het land en het is afwisselend ijskoud en bloedheet. Het heeft het effect van ijsgekoelde wodka. Ik heb het gevoel dat ik de matglazen kist van de geschiedenis openwrik. Tot nu toe kon ik alles van een veilige afstand onder een glazen stolp bekijken, het verleden was een prentenboek. Als ik het deksel van de glazen kist licht, slaat de wind van de geschiedenis me letterlijk in het gezicht. Merkwaardig detail: in die wind zit altijd een brandlucht. Hier, in de provincie Groot-Polen, waar de hedendaagse ongekroonde Mieszko's, boeren op hun gammele karren in het weidse landschap, de akkers afbranden om de aarde klaar te maken voor de lange ijstijd die al op de loer ligt, hier, bij de avondschemering, waar het eerste hout al in de kachels smeult, maar ook op alle volgende plaatsen waar ik zal stranden, waar de uitnodigende geur van gebakken spek zich zal vermengen met de stank van verschroeide huid.

Maar zover zijn we nog niet.

De Necropolis

Gniezno. Een provinciestadje op een lieflijke heuvel, aan de rand van Poznań. Aan de voet weerspiegelt een meer de schimmen van vissers en minnaars. Hooghartig tuurt de tweekoppige kathedraal in de verte. Zij rust op de ruïnes van oude gebedshuizen, die de eerste Slaven hier optrokken. Wie ook maar een druppel Pools bloed in zijn aderen heeft, komt hier op bedevaart. Gniezno, het Mekka van de Vlaktebewoners.

Ik beklim de steile trap naar de uitspanning, waar de najaarswind me bijna van mijn sokken blaast. Het pleintje onder aan de heuvel is nu zo goed als leeg, maar kan tijdens openluchtvieringen plaats bieden aan honderden gelovigen. Even later sta ik oog in oog met de bronzen kolos van Mieszko's zoon, Bolesław de Dappere, die bij elke scholier bekendstaat als Polens eerste vorst. De man was zo zwaar dat hij zijn paard niet kon bestijgen zonder een zetje. Hij slaagde erin met het nodige wapengekletter de vrede te verzekeren en maakte van Polen een land dat aanzien genoot op de Europese kaart. Een Warschaus echtpaar van gevorderde leeftijd hijst zich op de kathedraaltrap, de man posteert zich voor het standbeeld van de koning, waarbij hij zijn dappere blik in de onbestemde verte richt en zijn handen op zijn buik vouwt, en de vrouw drukt af. Zigeunermeisjes komen aan mijn mouw trekken en wensen me, als ik hun wat muntjes geef, de vervulling van mijn dromen toe.

Ook hier bewaren de muren hun verhalen. In de kerk hoor ik religieuze hymnen, in een bedwelmende cadans met veel rijmen en herhalingen, half recitatief, half smartlap, innig gescandeerd uit jonge en oude monden. Een uithangbord aan een kettinkje waarschuwt me: geen bezoek tijdens de diensten. Ik kom hier slechts één keer in mijn leven, het is woensdagmiddag en morgen moet ik alweer verder op mijn zoektocht naar het hart van Polen, dus kan dat bord onmogelijk voor mij bedoeld zijn.

Ik moet denken aan Zbigniew Uniłowski. Kerken zijn oasen in dit land, je moet de Poolse kerkjes op het platteland en in de steden bezocht hebben, bij voorkeur tijdens diensten, om iets van het Poolse religieuze bewustzijn te vatten. Uniłowski, een atheïstisch auteur van wie ik voor het eerst heb gehoord tijdens mijn vriendschap met de theatermaker Tadeusz Kantor, kon het niet over zich verkrijgen een openstaande kerkdeur voorbij te lopen. In de Mariakerk van Kraków is hij ooit, in de jaren dertig, op zijn blote knieën over de arduinen vloer naar het altaar gekropen. In een van zijn verhalen beschrijft hij hoe hij later stomverbaasd op dit gebeuren terugkeek. Hij, een atheïst, een kunstenaar die geen gebod verdroeg, op zijn knieën voor een altaar!

Het gaat niet goed met Polen. Het is nooit goed gegaan met Polen. Althans niet na de achttiende eeuw, na de tijd dat Polen het grootste land van Europa was. Op de gezichten van de jonge echtparen die de woensdagmiddagmis in Gniezno komen bijwonen, samen met hun kinderen en buren, speur ik naar de reden van hun aanwezigheid op deze plaats in de geschiedenis. Zij horen de verhalen van de muren en de schrijnen. Zij vertalen hun hoop in gebeden: dat de kleine Władzio geneest van zijn kinkhoest en de oude, gele Ludka van haar leukemie. Dat de schriele Pawełek werk vindt in de suikerraffinaderij. Dat de kale Bogdan zijn schamele vermogen niet verkwanselt aan de wodka en zijn krachten aan het afranselen van zijn vrouw. In *Der Himmel über Berlin*, een film van Wim Wenders, legt een gevallen, mens geworden engel zijn oor te luisteren aan de schedel van toevallige passanten. In gedachten speel ik een beetje engel, loop ik langs de houten banken in de kathedraal waar ooit de hovelingen van de Piastendynastie hun nieuwe koning toejuichten, en houd ik mijn oor aan de monden van geknielde kinderen. Bij Wenders kunnen volwassenen de engelen niet zien, alleen kinderen. In mijn verbeelding draaien de kinderen hun hoofd glimlachend naar mij toe.

Een kerk is ook een necropolis, een toevluchtsoord van doden die in opschriften en sculpturen verrijzen. De doden hun juiste plaats geven, dat is cultuur, schreef Heiner Müller, Brechts directe erfgenaam in Oost-Berlijn. Ik schend een verbod en sluip langs de zingende gezinnen naar de apsis. Op een theatrale verhoging achter de retabel richt een gemijterde, bronzen man zich op, liggend op het bed dat zijn graf verbeeldt. Hij kijkt het kerkschip in, waar mensen dromen van een geslaagde oogst en de genezing van hun oude moeder. De man die, hoewel al vele eeuwen dood en begraven, zich opricht van zijn doodsbed, is bisschop Wojciech, de eerste Poolse heilige, die helemaal geen Pool was maar een Bohemer uit het land dat dankzij het huwelijk van Mieszko met Eikenbosje in vrede leefde met het land van de Polanie. Wojciech heet officieel Adalbert van Praag, en hij fluistert me zijn gruwelijk verhaal in.

Wojciech leidde een turbulent leven, overeenkomstig de ontwikkelingen van zijn tijd. Hij stamde uit een adellijke familie uit Libice in Bohemen en werd op zijn dertigste al bisschop van Praag. Geestdriftig – een woord dat we in zijn geval letterlijk mogen nemen – bekeerde hij Hongarije en Tsjechië. Nationalistische opposanten pestten hem weg en hij belandde in Rome, het centrum van de christelijke wereld, waar hij monnik werd. De hertog van Bohemen riep hem echter snel terug, maar opnieuw raakte hij in de nesten toen voor de deur van zijn klooster een vrouw werd vermoord. Terwijl hij een tweede keer in Rome verbleef, werd zijn familie uitgemoord. Intussen had hij nauwe banden aangeknoopt met koningen, onder wie Bolesław de Dappere, de eerste Poolse koning. Opnieuw trok hij erop uit om mensen te bekeren: in Pommeren en langs de Baltische kust. In Königsberg, het huidige Kaliningrad in de Russische enclave ten noorden van Polen, werd hij vermoord als vermeende Poolse spion. Bolesław de Dappere kocht Adalberts lichaam voor diens gewicht in goud en begroef hem in Gniezno. Later werd zijn stoffelijk overschot overgebracht naar Praag. Nu heeft hij hier alleen nog zijn bronzen bed, vanwaar hij, zelf van brons, zich opricht en schamper over de hoofden van de verzamelde bezoekers van Het Nest uitkijkt.

Terwijl de gelovigen hun verzoek om vergeving uitzingen met een ritueel sentiment dat mij een ogenblik kippenvel bezorgt, verlaat ik de kathedraal via een zijdeurtje. Op het plein naast de kerk volg ik het pijltje naar de koninklijke schatkamer. Het okergele klooster waar de rijkdommen worden bewaard ligt er verlaten bij. Alle deuren zijn dicht, maar niet op slot. Het is al laat voor een museumbezoek, maar niemand houdt me tegen. In een land waar de economie al decennialang de ene crisis na de andere moet trotseren, steven ik als een schattenjager op de sporen van een oude welvaart af. In de toegangshal van het klooster wacht ik beleefd bij de balie op de komst van een suppoost. Er staat een halfvol theeglas op het houten tafeltje naast ansichten en boeken. De geur van boenwas en een vleugje wierook (in elk geval iets branderigs) stroomt uit de onverlichte zaaltjes. De suppoost verschijnt niet, zelfs niet als ik hem of haar roep, en ik neem het drieste besluit de schatten illegaal te gaan bekijken.

Een derde geur valt me op, het walmige van kazuifels, iets wat ik me herinner uit mijn lang vervlogen tijd als misdienaar, een soort stofdamp die in kasten vol ongewassen batist hangt. Buiten moet de herfstwind de zware wolken voor enkele ogenblikken hebben verdreven, zodat de zon met zijn laatste zomerse kracht kan doorbreken. De luiken van het klooster zijn gesloten, maar het plotselinge felle zonlicht dringt door tientallen kieren naar binnen. Ik loop het stoffige rijk binnen. Een betere belichting kan ik me niet indenken. Neon en halogeen zouden alle magie aan deze ruimte onttrekken. Dit is een duistere wereld, een zwijgende getuige van de duistere eeuwen, slechts verlicht door de spleet van licht die ik door het openmaken van de kist van de geschiedenis heb binnengelaten. Daar waar de lichtstrepen niet bij kunnen, kijk ik met mijn handen, zoals ik een oude blinde vriend vaak heb zien doen. Zo betast ik de twee meter hoge bronzen deur van de stad, die hier als in een toneelstuk is losgemaakt van haar oorspronkelijke plek, en waarop het leven van de onfortuinlijke Adalbert staat afgebeeld in achttien sculptuurtjes, als een stripverhaal. De geestdriftige Bohemer die zielen ronselt. De arme Wojciech die doodgeslagen wordt. De dikke koning die het lichaam van de zendeling op een weegschaal afweegt tegen goud. Kleine, naïeve beeldjes in het koude brons die onder mijn vingers tot leven komen. In vitrines hangen de kazuifels als lichamen waarvan het hoofd en de ledematen zijn afgehakt. Harnassen van schonkige ridders tikken op mijn schouder. Sommige hebben vorstelijke veren die griezelig wuiven. Uit gouden graven richten gouden schimmen zich op, ze leunen op hun elleboog en lijken elk moment te willen praten. Ik hoor een ver gezang, monniken repeteren in een verre eeuw. Op tentzeilen zitten sporen van geronnen bloed, dat in het gespleten licht blauwig lijkt. Verder: brieven, boeken, perkament vol onleesbare tekens. Schilderijen van stervende vrouwen, die door een poortje naar buiten gluren, waar het leven zonder hen verder gaat.

De voertaal van deze schimmen is het Latijn. Het Pools is ook oud, veel ouder dan Mieszko's verhaal, maar werd lange tijd niet opgetekend. Geletterde Polen communiceerden destijds in het Engels van de Middeleeuwen, het Latijn. Pas in de twaalfde eeuw duiken de eerste Poolse woordjes op, uitgerekend hier, in de bul van Gniezno. In de veertiende eeuw werd de eerste integrale Poolse tekst geschreven, een hymne over de verrijzenis. Als iemand in die tijd in het Pools schreef, waren het vooral vrouwen, die geen Latijn kenden. Pas in

de vijftiende eeuw werd het Pools ook een schrijftaal, waarin gods-
dienstige soldatenliederen, die al honderden jaren bestonden, werden genoteerd.

Treffend is dat de westelijke buren 'stommen' werden genoemd,
niemcy in het Pools, vreemdelingen die een taal brabbelden die niemand verstond maar met wie men wel handeldreef. *Niemcy* is nog
steeds het Poolse woord voor 'Duitsers'.

De suppoost met wie ik hierover wil praten, is er nog steeds niet.
Zijn balie vol wimpels en ansichten in accordeonvorm is onbemand.
Hij is ingedommeld tussen de zingende monniken in het aanpalen-
de klooster. Buiten staat Venus al aan de hemel, hoewel de zonne-
wagen, die met zijn ideale licht de wereld van de Middeleeuwen in
het museum had beschenen, nog niet is verdwenen.

Ik bestel thee, wodka en kippenlevertjes in een donkere kroeg. Na jaren door Polen te hebben gereisd, zowel in de communistische als in
de postcommunistische tijd, vraag ik me voor het eerst concreet af
wat dit volk betekent, wat de Poolse cultuur inhoudt en hoe je het
best een beeld kunt schetsen van een land dat bij ons nauwelijks bekend is en nu een deel wordt van een Europa waartoe het eigenlijk
allang behoort. Het Nest is het historische begin van een cultuur die
als een van de verdraagzaamste democratieën van Europa zou gelden en door de historicus Norman Davies 'het hart van Europa' werd
genoemd, maar die later een gruwelijk koekoeksnest werd, waarboven 'een vuile stroom van rook zich als een roestbruine doek samen-
pakte', zoals Szczypiorski schreef. De sporen van de opeenvolgende
koekoeken die hier langskwamen, zijn nog overal merkbaar.

Soms was de koekoek die het Poolse nest bevuilde ongelukkiger-
wijs een Poolse koekoek. Om dit te begrijpen, moet ik een nieuwe
ontdekkingsreis maken in een land, dat door de geschiedenis is veroordeeld om afwisselend de minnares en de voetveeg van rivaliserende naties te zijn.

Op de kaart van het huidige Polen teken ik later op de avond drie
stippen, die ik met lucifers verbind. De drie stippen zijn: Gniezno,
Kraków en Warschau – de drie opeenvolgende hoofdsteden. Binnen
die driehoek van lucifers speelt het waarachtige verhaal van de Poolse cultuur zich af. Ik wil erbij zijn. 'Het contact met het fysieke bestaan van wat ik zoek is noodzakelijk,' zoals Ryszard Kapuściński
me leerde.

Polen stormt uit de diepten van de geschiedenis op me af, trotseert allerlei variaties op de zondvloed, verdwijnt in de modder, kruipt steunend weer tevoorschijn, wordt door laarzen verrot geschopt en staart me bij het begin van de eenentwintigste eeuw hologig aan. Ik wil alles weten.

De eerste stip, die de geschiedenis is ingegaan als Het Nest, heb ik vandaag verkend. Om zes uur 's ochtends vertrekt mijn trein naar de tweede stip, die ik in de late middag zal bereiken: Kraków, de stad van papen, ketters en draken, de plek in Europa die me na mijn geboortestad het dierbaarst is.

1572. De Pools-Litouwse Unie tijdens de Gouden Eeuw

1797. Het 'onbestaande' Polen na de drie Delingen

1925. Het Polen van Pilsudski tijdens het interbellum

1949. Polen na de Tweede Wereldoorlog

HOOFDSTUK TWEE

Kraków

We gaan op de stenen rand van de vierkante vijver zitten. Bianca doopt haar witte tenen in het warme water vol gele bladeren en slaat haar ogen niet op. Aan de overkant zit een tengere vrouwengestalte, geheel versluierd. Ik vraag fluisterend naar haar, maar Bianca schudt haar hoofd en zegt zachtjes: 'Wees niet bang, ze luistert niet, dat is mijn gestorven moeder, ze woont hier.' Daarna zal ze me de zoetste, de stilste en de droevigste dingen vertellen. Er zal geen enkele troost over zijn. De schemer zal vallen...

Bruno Schulz, 'De lente' uit *Sanatorium Clepsydra*

De gestutte hemel

In mijn herinnering is hij nooit weggeweest. Bejaarde inwoners vertelden me dat hij er *altijd* al was. Hij is gesneden uit het taaiste hout dat in de Karpaten te vinden is. Toch wordt hij elk jaar een centimeter kleiner. Naargelang de jaarringen op zijn voorhoofd toenemen, krimpt hij. Ik stel me voor dat hij op een dag zo klein zal zijn geworden dat hij niet meer met het blote oog waar te nemen is, en dan zullen mijn juweliersvrienden, joodse tweelingbroers op de kleine markt van Kraków, zeggen dat hij in de aarde is opgenomen. Dat zal betekenen dat hij ofwel zo erg is gekrompen dat hij tussen de plavuizen is gesukkeld en verzwolgen door de kleigrond waarop de stad duizend jaar geleden werd gebouwd, of dat hij op een miezerige ochtend gestikt is in zijn laatste slok en met fles en al onder langoureus vioolspel ter aarde werd besteld.

Als ik in Kraków kom, het Midden-Europese Florence, ben ik pas gerust nadat ik hem heb gezien. Goddank, de koning is thuis, de koning van de goot. Hij draagt steeds dezelfde geruite rolkraag, zwarte ribfluwelen broek en flapschoenen, en hij speelt op een viool, die hij tegen zijn buik klemt. Een sippe clown. In de loop der jaren vervoeren zijn onafscheidelijke zigeunerkompanen, een accordeonist en een gitarist, hem in een rolstoeltje, dat ze van de vuilnisbelt buiten de stad hebben gelicht en opgelapt. Zo zit hij op zijn troon, de ongekroonde vorst van de clochards, en vedelt van zonsopgang tot zonsondergang, terwijl hij zijn blinde ogen op een punt in zijn gedachten gevestigd houdt, het hoofd een beetje schuin. De avonden brengt hij door in zijn bordkartonnen schuilplaats onder het vakkundig smeren van de keel met spiritus die meteen zou ontvlammen als je er een lucifer bij hield en onder het slobberen van *een kijker met een kwal*: god weet waar opgediepte kalfspootjes in gelei, of iets wat daar in het vale maanlicht op lijkt.

Ik heb hem gezien in alle seizoenen en onder divers politiek gesternte. In het begin van de jaren tachtig, toen de communistische dictatuur zwaar op de bewoners drukte, was hij veerkrachtig en levenslustig, hoewel hij van tijd tot tijd in de cel belandde als klaploper. Later, toen studenten, arbeiders en geestelijken arm in arm door de straat marcheerden met hun wit-en-rode vaandels, speelde hij voor het enige terras op de markt, dat bovendien leeg was. In de jaren negentig moest je hem soms lang zoeken, want zijn gestalte verdween in de menigte toeristen die met open mond naar de Mariakerk kwamen kijken. Het derde millennium heeft hem naar de rand van de stad verdreven, in de buurt van het station en een monumentaal kerkhof, waar hij zijn oude dag slijt, vedelend en slempend als vanouds. De droge hitte 's zomers noch de vijfentwintig graden vorst 's winters deren hem. Onderuitgezakt in zijn rolstoel staart hij naar een punt in zijn verbeelding, en de mensen gooien hem een muntstuk toe of kijken hem meewarig na. Als iemand hem treitert, laat hij zijn grijze tanden zien. Soms ook pulkt hij sardines uit een blik en gromt hij als een trol.

Als ik na Gniezno in Kraków arriveer, trek ik er meteen op uit en vind hem slapend bij de poort van de Mariakerk. Of misschien is hij aan het bidden. Hij reageert in elk geval niet als ik een sigaret in zijn bedelblikje werp. Tadeusz Kantor, de schilder en theatermaker die me deze stad jaren geleden heeft leren kennen en die nu zelf al geruime tijd onder de zoden ligt, vertelde me dat het hier ooit krioelde van de clochards. Je vond ze overal, erotomanen, dronkaards en ketellappers, scharrelend in vuilnisbakken en struinend onder kapotte lantaarns. Hun schaduwen woonden in de middeleeuwse stegen, als de dolende zielen van lang gestorven monniken. In de jaren vijftig plukte Kantor ze van de straat om hun een rol te geven in zijn stukken. Ze kregen de moeilijkste partij: het spelen van zichzelf. Later boetseerde Kantor al zijn personages naar deze verschoppelingen.

Kraków is een klein wonder, een nederzetting als een parel. Toen een deel van de nomaden, de Polanie, zich in de zevende eeuw op de open vlakte rond Gniezno en Poznań vestigde, streek een andere stam hier neer, vierhonderd kilometer verder, en zij werden de *Wislanie* genoemd, het volk van de Wisła-rivier. De Piastendynastie ontsproot in Gniezno, maar weldra was dit alleen nog de plaats van de kroningen en verhuisden de gekroonde hoofden naar de stad aan de Wisła, waar ze een burcht op een kalkrots bouwden, die ze Wawel noemden. Hun toren van Wawel.

Die burcht werd een kasteel met een kerk en een stadje, dat uitkeek over het heuvelland aan de voet van de Karpaten. Het stadje werd een stad en groeide uit tot een van de belangrijkste centra van Europa, een knooppunt van religieuze, politieke en economische macht, een paradijs voor joden, die er de handel introduceerden, en een hoeksteen van het rooms-katholicisme, dat zelfs een dichtende paus zou voortbrengen.

Kraków wekt mijn heimwee naar de winter, zoals Venetië. In de warme helft van het jaar landen hier hele populaties toeristen, die van een kerk naar een kroeg, van een museum naar een terras en van de Wawel naar een kelderrestaurant schuifelen. 's Winters is het hier evenwel op een bitterzoete manier eenzaam, de ideale plek om tot inkeer te komen, een stad als een oase, waar je op plaatsen kunt komen die eeuwenlang onveranderd zijn gebleven omdat toeval of list ze voor de ergste rampen behoedden. In zo'n weldadige kou kun je uren langs de Wisła wandelen, onder het oog van een bronzen draak, met aan de ene kant het oorspronkelijke stadsdeel, de joodse wijk Kazimierz, vernoemd naar de veertiende-eeuwse Piastenkoning Kazimierz de Grote, en aan de andere kant de oude markt, de koningsweg en het dambordpatroon van geelverlichte straatjes.

Vaak heb ik me na zo'n wandeling verwarmd in de koninklijke vertrekken van de Wawel, waar de muren bekleed zijn met wandtapijten, die zestiende- en zeventiende-eeuwse Poolse vorsten bestelden in Brussel, Brugge, Doornik en Delft. Het Poolse woord voor wand-tapijt, *arras*, verwijst naar Atrecht (Arras in het Frans), de naam van de middeleeuwse hoofdstad van de tapijtweefkunst.

In de Egyptische mythologie komt een godheid voor die met zijn schouders de hemel stut, zodat hij niet op de aarde valt en alle leven verplettert. Het is het verhaal van de wereld als een permanent ver-meden catastrofe. Kraków lijkt een dergelijke schutsgod te bezitten, want het heeft vaak maar een haar gescheeld of de stad werd com-pleet in de as gelegd. Bijna alle andere grote Poolse steden moesten het stellen zonder de sterke schouders van zo'n beschermgod.

De laatste keer dat er een catastrofe werd vermeden, was in de Tweede Wereldoorlog, een oorlog die het hele land zo ingrijpend heeft getekend, dat je de gevolgen ervan nog overal tegenkomt. De jaren van bezetting door de Duitsers en vervolgens door de Sovjets zijn als een graat in de keel van Polen blijven steken en doen het land nog steeds naar adem happen. Maar Kraków had dus geluk. Tijdens de Tweede Wereldoorlog was het plan om de stad van de kaart te ve-gen al gesmeed. De kunstschatten hadden een veilig onderkomen ge-kregen en de Duitse bommenwerpers stonden klaar om te vertrek-ken. Men wachtte enkel op een marsorder van het hoofdcommando. Die marsorder kwam er niet. De oorlog liep al ten einde, de sovjet-troepen hadden beslissende triomfen behaald op Hitler en de Duit-sers smeerden hem. Op die manier bleef dit stukje middeleeuws Eu-ropa gespaard.

Zo verliep de laatste keer.

De allereerste keer, zevenhonderd jaar eerder, ging het er minder fortuinlijk toe. De bewoners en bezoekers van Kraków worden te-genwoordig nog ieder uur herinnerd aan de Tataarse inval van 1241.

Tadzio, een gediplomeerd brandweerman en bugelspeler, trots op zijn uniform en zijn schitterende instrument, neemt me mee naar de toren van de Mariakerk op de oude markt, vanwaar je de hele stad, de rivier en de uiterwaarden kunt overzien. Het binnenwerk van het trappenhuis is geheel van hout, dat ik enkele keren uithij-gend kan bewonderen, want het is een hele klim naar de top.

'Je moet van goeden huize zijn om dit te mogen doen,' pocht Tadzio, 'je mag niet te dik zijn, want dan kom je de trap niet op, je moet je leven in de waagschaal hebben gesteld voor het redden van kinderen uit brandende huizen, en bovendien' – hij tikt aan zijn pet – 'moet je een examen afleggen.'

Het verhaal gaat dat de dertiende-eeuwse stadswachter hier het leger van Batoe-chan zag naderen. Hij blies de zogenaamde *hejnał* op zijn bugel om de bevolking te waarschuwen, maar werd door een Tataarse pijl gedood. Batoe-chan trok vervolgens plunderend door de straten van de jonge stad. De melodie die Tadzio en zijn collega-spuitgasten hier elk uur spelen na het tijdsein van de klokken en die 's middags ook live wordt uitgezonden op de landelijke radio, is diezelfde hejnał. De muzikant moet zijn spel in het midden afbreken – een herinnering aan de dodelijke pijl. Alleen wie het best kan blazen en afbreken, slaagt voor het hejnałexamen.

In de muffige torenkamer met niets anders dan een slaapbank, een transistor en een ingelijste partituur laat Tadzio me de vier windstreken zien. Kraków ligt letterlijk aan onze voeten. De koningsweg doorsnijdt de stadskern: van de poort, de *Barbakan*, wat Schietgat betekent, via de drukke Floriańska met zijn tientallen winkeltjes en het café van het vooroorlogse cabaret Het Groene Ballonnetje, over de markt met de lakenhal in renaissancestijl, waar ooit goederen uit de Nederlanden, Italië en Perzië werden verhandeld, naar de kalkrots met de gouden toren van Wawel.

Tadzio opent de torenraampjes. De tocht brengt de klok in het midden van de kamer aan het trillen. In mijn verbeelding zie ik de verte met de schimmen van de geschiedenis.

In het noorden strekt de republiek zich uit, met driehonderd kilometer verder de huidige hoofdstad Warschau, mijn volgende standplaats, en nog eens driehonderd kilometer verder de havens aan de Baltische Zee, vanwaar je naar maar liefst negen landen kunt varen.

In het westen wijst Tadzio Silezië aan, de oude Pruisische provincie die begint als een van de lelijkste en meest vervuilde industriegebieden van Europa, met kolenmijnen en staalfabrieken, en die vervolgens op een wonderlijke manier overgaat in haar volmaakte tegendeel: een arcadisch landschap op de grens van Duitsland en Tsjechië, het Reuzengebergte en de Sudeten, een streek die ik het Toscane van het Oosten noem en waar ik op mijn zwerftocht langdurig zal verblijven.

In het zuiden lichten andere bergketens op: de alpiene Beskiden en Tatry, vanwaar je te voet door de sneeuw naar Slowakije kunt en die de tenen vormen van het reusachtige lichaam van de Karpaten, dat tot diep in Roemenië reikt. In de plooien van dit gebergte bevinden zich nederzettingen waar de tijd ergens in een onduidelijk verleden is blijven stilstaan, plaatsen waar – zoals de Fransen zeggen – *le diable dit bonjour.*

In het oosten doemt het spookbeeld van Nowa Huta op, een staalstad die model stond voor de stalinistische industrialisatiepolitiek in de jaren vijftig. De bouw ervan werd magistraal verfilmd door Andrzej Wajda in *De man van marmer.* Belangrijk detail in het Poolse verhaal: Nowa Huta werd door de toenmalige nomenklatoera trots de enige stad zonder kerk genoemd. De bewoners hebben daar twintig jaar geijverd om een kerkje te bouwen, waar ze hun verzet tegen het verstikkende regime konden voeren. Nog verder ligt Oekraïne, het oude Roethenië, het land dat lang bij Polen heeft gehoord, tot de Sovjet-Russen het na de oorlog annexeerden.

Uit elke windstreek waaien evenveel zegerijke als tragische verhalen aan. Deze stad vormt het knooppunt van wisselende successen. Bijna zeshonderd jaar lang, van de elfde tot het eind van de zestiende eeuw, was Kraków Polens hoofdstad, en het heeft in die periode zo'n spirituele faam verworven dat het ook daarna bleef gelden als het culturele hart van het land. Onder het bewind van de Krakówse koningen breidde Polen zich uit tot de grootste natie van Europa, aan de ene kant begrensd door de Baltische, aan de andere door de Zwarte Zee. Dit Polen grensde bijna aan het Midden-Oosten. Nostalgische patriotten spreken nog steeds van een rijk *od morza do morza*, van zee tot zee – overigens een staande uitdrukking in het Pools. Na de bloeitijd kwam Kraków onder Oostenrijks bewind en heette het Krakau.

Het relaas van Krakóws grootsheid is begonnen in de slaapkamer van een kindkoningin, die de inzet werd van megalomaan imperialisme. Haar verhaal, een van de grootste mythen van het land, een waar gebeurd sprookje, kan ik pas later vertellen, als ik weer op de begane grond sta, met beide voeten op de enorme begraafplaats die deze stad ook is.

Tadzio zet zijn pet recht, wrijft zijn uniformknopen op en blaast zijn wangen bol. De stokkende hejnał waaiert uit naar de vier windstreken en wordt beneden op gejuich onthaald.

'Zo,' zucht Tadzio en bergt zijn bugel op, 'plicht volbracht.' Hij lijkt werkelijk uitgeput.

Ik maak me klaar voor de afdaling en zeg met wie ik binnenkort een afspraak heb. Hij fluit bewonderend tussen zijn tanden, draait de transistor harder en strekt zich uit op de slaapbank.

De romancier Bolesław Prus schreef ironisch: 'Ik zou lekker kunnen slapen in een huis op de markt, maar een of andere gek bestaat het er ieder uur op zijn trompet te blazen...'

Mijn ontmoeting met de levenden staat pas later op het program. Eerst wil ik de doden groeten.

Ik verlaat het trappenhuis en sta bij de ingang van de Mariakerk. De koning is verdwenen. In het portaal zitten bedelaars te murmelen, hoofdzakelijk mannen zonder benen, die hun hand naar elke voorbijganger uitsteken.

In gedachten hoor ik hun eeuwige monoloog: 'Iedereen zit zo te rekenen, waar zou die sukkel zijn benen zijn kwijtgeraakt? Misschien onder de tram, misschien is hij ooit eens van de derde verdieping omlaaggesprongen of toen hij dronken was. Maar met mij ligt de zaak eenvoudig, meneer. In negentien vierenveertig. Destijds was ik een heel belangrijk man, heel mooi, bijna een heilige. Poëtische meisjes kusten mijn stompjes. Ik steeg in aanzien door mijn vernedering. Het ontbreken van benen stond toen als het ware gelijk aan vier benen. Een mooie tijd.'

Zijn gelispel zindert na. Het werd opgetekend door Tadeusz Konwicki in zijn roman *Het Poolse complex*.

Ik loop de kerk binnen. Hier schoof een andere auteur, Zbigniew Uniłowski, op zijn knieën naar het altaar, hoewel hij niet katholiek was. Een vreemd soort adoratie had hem in haar greep. Iets sloeg hem met ontzetting. Over de arduinen tegels nader ik het altaarstuk, een opengeklapt drieluik van meer dan honderd vierkante meter, een houten poppenkast met kleurrijke bijbelse figuurtjes, onder wie een stervende, bijna sensuele Maria, die haar handen vooruitsteekt, zo fijn gesneden dat je de blauwe aderen kunt zien lopen. De mooiste handen uit de gotische tijd.

Wie ze ziet, wil ze aanraken. Hiervoor ging Uniłowski door de knieën. Als schrijver bewonderde hij de zinnelijke precisie van de houtsnijder. Die houtsnijder, eigenlijk een beeldhouwer, was een Duitser voor de Duitsers, een Pool voor de Polen, vandaar zijn dubbele naam: Veit Stoss of Wit Stwosz. Hij kwam uit Neurenberg en werkte hier twaalf jaar, van 1477 tot 1489, aan zijn magnum opus. Enkele jaren later kwam hij in zijn geboortestad in moeilijkheden. Tijdens een van zijn financiële transacties leende hij duizend florijnen aan Johann Baner, een koopman die hij volkomen vertrouwde. Op aanraden van Baner leende hij vervolgens 1365 florijnen, ongeveer de helft van wat hij in twaalf jaar tijd in Kraków had verdiend, aan ene Hans Starzedel, die hem zou helpen bij verdere geldzaken. Maar Starzedels zaak ging failliet. Voor hij uit Neurenberg wegvluchtte, betaalde hij Meester Wit terug: 244 florijnen, niet meer dan een vijfde van het geleende bedrag. In zijn wanhoop maakte Wit met zijn legendarisch perfectionisme in naam van Baner een kwitantie voor het volledige bedrag na met alles erop en eraan, inclusief Baners handtekening. De vervalsing werd ontdekt, hoewel op het proces zelfs Baner verbaasd stond over de volmaaktheid van het handschrift.

Het vonnis was genadeloos: de brandstapel. Wit Stwosz verschool zich een tijdlang in het karmelietenklooster waar ook zijn zoon Andreas verbleef. Op voorspraak van de bisschop van Würzburg slaagde hij er daarna in het doodvonnis om te laten zetten in openbare brandmerking.

Sindsdien ging Meester Wit door het leven met schandmerken op zijn wang en op zijn voorhoofd, die hem jarenlang parten speelden. Hij verloor zijn rechten, zijn opdrachten en zijn leerlingen. Pas in 1506 schonk keizer Maximiliaan hem vergiffenis, zodat hij nog enkele sculpturen kon maken. De stad kwam echter onder de invloed van de Reformatie en Meester Wit stierf onopgemerkt op vijfennegentigjarige leeftijd.

Wit Stwosz' treurige verhaal inspireerde Tadeusz Kantor tot een toneelstuk met de uitdagende titel *Artiesten kunnen stikken!* In het slottafereel van dit stuk verschijnt Meester Wit, uitgedost als dandy. Hij bouwt een tableau vivant rond de stervende Maria met de vooruitgestoken handen. Het stuk werd bedacht en gerepeteerd in de Kanoniczastraat, hier vlakbij, en begon aan zijn wereldtournee op 2 juni 1985 in Wit Stwosz' Neurenberg.

Wie de beeldhouwwerken van Meester Wit ziet, wil ze betasten, maar dat is ten strengste verboden, en dat wist ook Unilowski. De triptiek in de Mariakerk van Kraków is een chef-d'œuvre, 'brandend van het goud', zoals Konstanty Gałczyński dichtte, waarop je zelfs na dagenlang toekijken telkens nieuwe personages in nieuwe situaties ontdekt, borelingen, demonen en engelen, met veel gevoel voor humor en met fotografische details gesneden en geverfd. Even ben ik jaloers op mijn blinde vriend, die het na lang zeuren bij de bisschop wel voor elkaar zou krijgen dat hij op een herfstavond na sluitingstijd, terwijl Tadzio hoog boven onze hoofden de hejnał blaast, met zijn vingers de houten lichaampjes mag beroeren.

Als ik bij het verlaten van de Mariakerk op het drukke marktplein terechtkom, schiet me een uitspraak te binnen van Stanisław Kozmian, de negentiende-eeuwse directeur van het op een na grootste theater van de stad, het *Stary* of *Oud Theater*: 'Elke Krakauer ziet eruit alsof op zijn schouders de lotgevallen van Europa rusten.'

In de kelder van zijn theater bevindt zich nu een uitstekend café, waar de plaatselijke intellectuelen komen discussiëren, want Polen discussiëren graag. Ik bestel er een *szarlotka*, letterlijk een appeltaart maar hier een glas champagne met appelsap. Ik verheug me op mijn ontmoeting met Wisława Szymborska morgenochtend, de dichteres die in 1996 tot ieders verbazing de Nobelprijs voor de literatuur kreeg. Ook zij verwijlde vaak in dit café, maar sinds haar onverhoopte wereldfaam gaat ze nog maar zelden de deur uit. Drie jaar lang heb ik geprobeerd om met haar in contact te komen. Een andere beroemde bezoeker van dit etablissement is Andrzej Wajda, de man die de geschiedenis van Polen meeslepend verfilmde en er in 2000 een oscar voor in de wacht sleepte. En natuurlijk komen hier verder alle landelijke vedetten, acteurs, zangers, auteurs en regisseurs.

Je zou het verhaal van het moderne Europa integraal kunnen vertellen vanuit Kraków's perspectief, bedenk ik in de kelderkroeg. Alle belangrijke episoden van de Europese geschiedenis, vanaf de late Middeleeuwen tot nu, hebben in deze stad trillingen teweeggebracht. Soms was de stad zelf het middelpunt van het Europese spinneweb. Doordat het land van de vijftiende tot de achttiende eeuw zo groot was dat het aan alle andere grootmachten grensde, bleef geen enkele gebeurtenis, van Moskou tot Granada en van Stockholm tot Istanboel, onopgemerkt voor de Poolse machthebbers. Op de schouders van een Krakauer rust daarom, zoals de theaterdirecteur zei, het fantoom van een historische grootsheid, maar tegelijk het lood van de leegte, die ontstond toen deze grootsheid volledig inklapte.

De draad van de Poolse geschiedenis werd doorgeknipt op het eind van de achttiende eeuw, toen het land tijdens de zogenaamde Delingen gesplitst werd in drie stukken: een Russisch, een Pruisisch en een Oostenrijks-Hongaars stuk. De oude grandeur kwam nooit meer terug, niet in de negentiende eeuw, toen de strijd met bajonetten in het slijk werd gevoerd, niet na de Eerste Wereldoorlog, toen er een nieuwe natie ontstond met totalitaire allures, en niet na de Twee-de Wereldoorlog, toen de Sovjet-Unie Polen tot vazalstaat degradeerde.

In het laatste decennium van de twintigste eeuw, na de instorting van het sovjetimperium, die zonder de vastberadenheid van de Polen niet of pas later zou hebben plaatsgegrepen, is het land in een nieuw, paradoxaal vacuüm terechtgekomen: het vacuüm van de volgestouwde winkels en de fastfoodrestaurants. De leegte zit nu in de portemonnee van miljoenen mensen, die de uitgestrekte gebieden rond de grote steden in blokkenwijken en boerendorpen bewonen en huiverachtig kijken naar de opmars van de Europese Unie.

De hemel boven Kraków is niet ingestort. De hemel boven heel Polen overigens evenmin. Althans niet letterlijk. Op mijn zwerftocht door dit land en zijn literatuur blijkt het idee van de catastrofe een leidmotief: hoe ze plaats had *kunnen* vinden, hoe ze als een zwaard van Damocles boven de hoofden van de mensen hangt, maar ook: hoe ze misschien allang op een *andere* manier heeft toegeslagen, in het geniep, op het morele vlak, of in de delicate voetnoten van een ophanden zijnde Europese grondwet.

Wisława Szymborska of Het geschiktste ogenblik om een ramp af te wenden

Ik sliep in
als jongeman
's nachts had het gesneeuwd
ik ontwaakte als oude
dichter
tussen ons lag een groene weide
bedekt met as.

De woorden van Tadeusz Różewicz spoken door mijn hoofd. Ik loop door het park, dat als een kraag om het oude Kraków ligt, naar mijn gastvrouw in de voorstad.

Het gazon is verdord, op de lindestammen groeien honingzwammen en elfenbankjes. Dichte drommen studenten haasten zich naar de campus aan de andere kant van de stad. Ik denk aan de oorlog. Ik kan niet ophouden met aan de oorlog te denken.

De oorlog, die in Polen al begon in 1939 en pas afliep in 1947, heeft diepe krassen getrokken in de Poolse ziel. Helaas hield de tragedie in Polen niet op met de oorlog, daarna ving een nieuwe rampspoedige episode aan. Ruïnes kun je heropbouwen, vertelde een Poolse vriend me in Silezië, maar geruïneerde zielen niet, die hebben generaties nodig om te genezen. Ik vrees dat de fase van opoffering nog lang niet is afgelopen.

Twee titanen gingen elkaar in 1939 te lijf op Poolse bodem: Hitlers fascisme, dat opgang maakte sinds zijn boek *Mein Kampf* in 1924 verscheen, en Stalins communisme, dat onder zijn voorganger Lenin was ingezet met de bolsjewistische machtsgreep, de zogenaamde Oktoberrevolutie van 1917. Beide grootmachten scheurden het land, dat sinds het eind van de Eerste Wereldoorlog aan een delicate heropbouw bezig was, opnieuw uiteen en zaaiden dood en verderf op een grotere schaal dan waar ook in Europa. De Britse historicus Norman Davies heeft berekend dat er in tweeduizend oorlogsdagen (tot 1945) zes miljoen doden zijn gevallen in Polen, of achttien procent van de bevolking. In Duitsland vielen in dezelfde periode 'slechts' 7,4, in Joegoslavië 11,1 en in de Sovjet-Unie 11,2 procent dodelijke slachtoffers.

Een Pool heeft een vechtersinstinct. Hij houdt van het directe, krachtige optreden. Een bundeling van moed en een grote slagkracht. Het spectaculairste voorbeeld is de overwinning op de Turken tijdens de Slag bij Wenen in 1683. De Poolse huzaren redden Europa op dat moment van de Ottomaanse dreiging met hun kogelronde houwdegens en het krankzinnig makende gefluit van zijden veren op hun helmen.

En tijdens de Tweede Wereldoorlog hebben ze zich tegen de Duitse bezetting niet onbetuigd gelaten, maar hun verzet is een delicate aangelegenheid waarover het laatste woord nog niet is gesproken.

In grote lijnen waren er twee legers: de Volksgarde, die met de hulp van de Sovjets tegen het nationaal-socialisme streed, en het Binnenlands Leger, dat de steun kreeg van de regering in ballingschap in Londen en dat zowel tegen de Duitse nazi-bezetting als tegen het Sovjetrussische communisme vocht. Omdat Polen na de oorlog in de Russische invloedssfeer viel – een regeling die al tijdens de oorlog was getroffen –, werden de soldaten van het Binnenlands Leger na 1945 als landverraders beschouwd. En berecht. En vaak ook terechtgesteld.

Een typisch Pools communisme bestond niet, en daarom werd

het door een marionettenregime vanuit Moskou opgelegd. In de herwonnen gebieden, zoals Silezië in het westen, en in de verloren bezittingen in het oosten werden hele dorpen vernield en bevolkingsgroepen gedeporteerd. De haat jegens de Russen laaide zo mogelijk nog hoger op dan daarvóór de schrik voor de Duitsers. Vadertje Stalin noemde de Poolse maatschappij een paard, een dier dat bestegen en bereden moest worden, met de Partij als ruiter. Om de bezetting te legitimeren, vervalsten zijn slippendragers de uitslagen van referenda of werden kiezers gedwongen om *tak!* – ja! – te stemmen. *Ja tegen de Volksrepubliek! Ja tegen de Vriendschap met de Sovjet-Unie!*

Economisch was Polen na de oorlog volkomen afhankelijk van de Russen. Het Amerikaanse Marshallplan, dat de heropbouw van Europa moest financieren, was niet voor de satellietstaten van de Sovjet-Unie bestemd. Polen was zestig procent van zijn industriële capaciteit kwijt. In enkele tientallen jaren tijd zou de buitenlandse schuld oplopen tot twintig miljard dollar.

In de eerste naoorlogse jaren deed zich een merkwaardig fenomeen voor, dat me vooral nu, op mijn wandeling naar Wisława Szymborska, interesseert.

Na elke oorlog
moet iemand opruimen.
Min of meer netjes
wordt het tenslotte niet vanzelf.

Iemand moet het puin
aan de kant schuiven
zodat de vrachtwagens met lijken
over de weg kunnen rijden.

Dat schreef zij. Ze was zestien toen de oorlog in Polen uitbrak en vierentwintig toen de burgeroorlog afgelopen was. Een mooie jonge vrouw met krassen op haar ziel. Een generatiegenoot van haar, de toneelschrijver en dichter Tadeusz Różewicz, die de oorlog als soldaat in het Binnenlands Leger meemaakte, zou zelfs schrijven dat met de oorlog het leven überhaupt ophield, dat er voorgoed iets was geëindigd, iets wat godsdienst noch wetenschap noch kunst had kunnen verhoeden. Zijn ziel was niet gekrast, maar verwoest. Zijn verdere bestaan deed hij niets anders dan het oorlogsverleden verbeten herkauwen.

Terwijl ik de voorstad van Kraków nader, waar je bij dit weer de hoogovens in Nowa Huta kunt ruiken, tracht ik me de late jaren veertig voor te stellen. In het Westen flirtte de intelligentsia met het communisme, de meest verdienstelijke overwinnaar van het fascisme. Ook in Polen sloten de gehavende zielen de rijen. Zij lieten zich leiden door het verlokkelijke wereldbeeld dat rood het enige alternatief bood voor bruin. Eind jaren veertig en begin jaren vijftig traden veel kunstenaars toe tot de Communistische Partij in de hoop dat hun verwoeste land zo nog enigszins kon worden gered.

Het bleek een tragische illusie.

Op de partijlijst prijkte ook de naam van Szymborska, de beloftevolle dichteres. Zij voegde zich, zoals zovelen, bij de schare idealisten die Stalin verheerlijkten en vast geloofden in een betere wereldorde, een vredig Europa en een nieuw Polen onder communistische vlag. Zij bleef partijlid tot 1966, dat is heel lang als je bedenkt dat veel van haar geloofsgenoten al een stuk eerder van hun overtuiging waren afgevallen. Maar de censoren vertrouwden haar niet. Volgens de Sovjetrussische canon moesten auteurs, die Stalin 'de ingenieurs van de ziel' had genoemd, in hun werk de loftrompet steken over de verworvenheden van de Dictatuur van het Proletariaat. Szymborska schreef bescheiden en had meer oog voor de situatie van het individu dan voor de bouw van staalfabrieken, stuwdammen en woonkazernes.

Toen duidelijk werd dat de sovjetisering van Polen een bodemloze put was, moet de ontgoocheling enorm zijn geweest. Opportunisten probeerden hun pact met de duivel te verzilveren, anderen keerden de politiek en het land de rug toe en vluchtten naar West-Europa en Amerika. Enkelingen bleven. Later op mijn reis zou ik een beroemde vluchteling ontmoeten, maar nu, op deze herfstochtend in Kraków, op nauwelijks vijftig kilometer van Auschwitz, ben ik onderweg naar mijn dichteres, inmiddels een oude dame met de hoogste literaire onderscheiding op zak, die sinds vier decennia elk politiek engagement heeft afgezworen.

De rand van het middeleeuwse Kraków gaat geleidelijk over in blokkenwijken. Hoe verder je komt, hoe hoger de flatgebouwen. Ze staan opgesteld in een soort slagorde, schuin ten opzichte van de straat, en in groten getale. Je vindt ze in alle voormalige satellietsteden: van Warschau tot Wladiwostok en van Sint-Petersburg tot

Tirana. In Kraków met zijn achthonderdduizend inwoners is de lelijkheid van de voorsteden kleinschaliger, maar niet minder aangrijpend. Achter elk balkonnetje dat ik zie – er zijn er duizenden –, speelt uur na uur in krappe appartementen het leven van gezinnen, eenzaten, kreupelen met hondjes en ravottende kinderen zich af. Het ene blok bespiedt het tegenoverliggende, als in een film van Krzysztof Kieślowski. Tussen de betonnen dozen spelen kleuters en geven minnaars elkaar hun eerste kus, terwijl dronken werkloze mannen in de vuilnisbakken scharrelen.

In de parlofoon hoor ik haar kwieke stem. Zoemend klikt de deur open. Als ik de trap op loop, staat mevrouw Szymborska me al op te wachten in de deur van haar appartement op de tweede etage. Ik moet denken aan hoe ze zichzelf ironisch portretteerde in een grafschrift, dat ze schreef toen ze half zo oud was als nu: 'Schrijfster van enkele versjes, ouderwets als een komma, op wier graf niets beters past dan een knittelrijm, een klitwortel en een uil.'

Ik geef haar naar aloud Pools gebruik een handkus. Op haar gezicht heeft de tijd, de oorlog of de politiek geen spoor van bitterheid achtergelaten. Ze neemt me op met een deels nieuwsgierige, deels schuwe blik en gaat me voor in de lichte kamer. Een tafel, een bankstel, een abstract schilderij, een boekenkast, meer niet. De geur van bloemen valt me op, een vleugje tabaksrook erdoorheen. Zon op de tafel, vruchten in een schaal. De open balkondeur. Beneden voetballende kinderen.

'Dat is alles wat een mens als ik nodig heeft,' lacht ze en ze biedt me koffie, Griekse likeur en sigaretten aan.

Hoe meer ik me afvraag wat de belangrijkste kenmerken van Polen zijn, des te meer kom ik terecht bij mensen die zich niet in een vakje laten dringen. Szymborska is hiervan een uitstekend voorbeeld, en haar werk is ervan doordrongen. Zij vormt een uitzondering op de massa, een individu dat hoog in het vaandel de leus draagt dat de mensheid in haar geheel een verzameling uitzonderingen op de massa is, en dat wat we gemakshalve of in statistieken massa noemen niet bestaat. Maar tegelijkertijd is ze de meest bescheiden en teruggetrokken persoon die ik ken.

Als ze spreekt, speelt er een lach om haar lippen. Eigenlijk lacht ze ononderbroken. Het is een lach die ze van kindsbeen af heeft gehad, en ik vergewis me ervan dat haar lach jong is gebleven. Ik kan me niet voorstellen dat deze bekoorlijke verschijning in haar wit-grijze truitje, die suiker in haar koffie doet, van een bel metaxa nipt en zondig aan haar sigaret zuigt, een politiek geëngageerd schrijfster zou zijn, de strijdster voor een of ander ideaal of de woordvoerster van een verdrukte of verdrukkende macht.

'De beginjaren waren moeilijk,' vertrouwt ze me toe nadat we uitvoerig kennis hebben gemaakt. 'In 1948 had ik al een dichtbundel klaar, geheel in de geest van het socialistisch realisme uiteraard, want dat was de enig toegestane kunstvorm, maar het boek kon pas vier jaar later verschijnen.'

Terwijl ze praat, zie ik haar glimlach verschillende betekenissen aannemen. Behalve schuwheid en luchthartigheid kan hij ook relativering aanduiden, en soms spot, zelfspot. Vermoedelijk waren de censoren van de jonge communistische natie, waar het bloed nog niet van de muren was gewassen, bang voor die glimlach. Een glimlach als een gifpijl, trefzeker en vol weerhaken. Een Voltairiaanse glimlach ook, maar dan uiterst vrouwelijk.

Ik vraag haar hoe ze uiteindelijk afstand heeft gedaan van haar communistisch engagement.

'Als je echt iets wilt geloven,' zegt ze, 'als je zekerheden zoekt, vind je altijd argumenten om dat geloof en die zekerheden te rechtvaardigen. Het doet er niet toe wat voor geloof dat is. Als je wilt dat het geloof wit is, dan zul je na lang zoeken voldoende bewijzen vinden voor wit. Wil je morgen dat het blauw is, dan vind je wel een argument voor blauw. Het kan om het even wat zijn, geel of zwart of wat dan ook.'

Ze kijkt me aan met porseleinen ogen.

'Het communisme is ondanks alles een dankbare ervaring geweest,' vervolgt ze, 'waarvoor ik me niet schaam en waarvan ik veel heb opgestoken: in de eerste plaats dat het *niet* mijn geloof was. Dat geloof wendde voor alles te weten, op elke vraag te antwoorden met een zekerheid. Maar ik heb genoeg gezien waartoe die zekerheden leiden en waartoe al wie voortdurend zegt dat hij het weet in staat is.'

Ze lacht, net iets te luid, en komt met haar beweeglijke hoofd heel dicht bij me.

'*Ik weet het niet,*' zegt ze nadrukkelijk, in het Pools zijn dat slechts twee woorden: *nie wiem*, woordjes die elkaars echo vormen. 'Dat is mijn antwoord op alle vragen, zowel over politiek als over godsdienst. Het is ontstellend hoeveel deuren er opengaan als je oprecht *ik weet het niet* durft te zeggen.' Ze benadrukt het woord 'niet' en lacht weer.

Het bestaan, zou ze kort na deze ontmoeting schrijven, is:

een uitzonderlijke kans
om je even te herinneren
waarover werd gesproken
toen de lamp niet brandde

en om ten minste eenmaal
over een steen te struikelen,
in een of andere regen nat te worden,
je sleutels kwijt te raken in het gras;

en een vonkje in de wind na te kijken;

en zonder ophouden iets belangrijks
niet te weten.

Ik zoek naar haar geheim en vraag me af hoe ze in dit land, waar de zekerheden vaak diametraal tegenover elkaar stonden, heeft kunnen overleven, en waarom ze er niet uit weg is gevlucht. Ze streek niemand tegen de haren in, schreef geen onwelvoeglijke zaken over de heilige Partij en maakte geen amok op het marktplein, zoals veel van haar collega's, die een klem op hun lippen of hun vingers kregen. Ze lacht, in haar hele werk zit een lach, en het is die lach die haar hielp om de totalitaire maatschappij het hoofd te bieden. Het is dezelfde lach die haar behoedde voor zelfoverschatting.

'Kun je je het leven voorstellen zonder humor, zonder dat jongere broertje van de ernst?' vraagt ze opeens op een ontwapenende manier. 'Dan zou de wereld toch niet te verdragen zijn!'

De meeste Polen die ik ontmoet heb, kunnen zich het leven niet voorstellen zonder lach, een relativerende, vaak ondergravende lach, maar bij velen, vooral mannen, is hij verwrongen tot een grimas met een verwoestende kracht, die zich na het drinken van wodka hult in de onzichtbare mantel van de heldhaftigheid.

Het is alsof mevrouw Szymborska met haar hele persoon het tegenwicht vormt van de gekwelde soort waartoe ze behoort. Wordt zij dan niet gekweld?

Het antwoord staat in haar boeken. 'Arme wij. We komen leven te kort om de zaak te doorgronden, onze talenten zijn helaas onherroepelijk in een andere richting vertrokken, maar de nieuwsgierigheid en nostalgie zijn gebleven en kwellen ons.'

Het zijn woorden die ze schreef in een van haar recensies van vergeten boeken. En in een gedicht zegt ze:

Ik eet hemel, scheid hemel uit.
Ik ben een val in een val,
een bewoonde bewoner,
een omhelsde omhelzing,
een vraag in antwoord op een vraag.

Het gedicht besluit met de onthutsende bekentenis:

Mijn bijzondere kenmerken zijn
geestdrift en vertwijfeling.

Geestdrift schemert door in al haar teksten.

'Ze komt voort uit nieuwsgierigheid en verwondering,' licht Szymborska toe, 'alleen wie het leven als een wonder ziet, als een uitzondering op de waanzin, kan overleven. Het is de open blik van wie nooit het ultieme antwoord geeft.'

En de vertwijfeling. In de Poolse versie staat een woord dat ook *wanhoop* kan betekenen. 'Waarom staat het woord *wanhoop* in één vers met *geestdrift*?' vraag ik.

'Wanhoop is onmacht,' zegt ze, waarna ze een boek uit de kast pakt en voorleest: 'Tussen het ogenblik wanneer het luiden van de alarmklok nog voorbarig en belachelijk is, en het ogenblik wanneer het voor alles al te laat is, moet ergens één ogenblik zijn, het juiste, het geschiktste om een ramp af te wenden. Bij zoveel kabaal gaat het doorgaans onopgemerkt voorbij. Maar welk ogenblik is dat? En hoe herkennen we het? Dat is waarschijnlijk de pijnlijkste vraag die de mens door zijn eigen geschiedenis gesteld krijgt.'

Ik vraag haar naar een voorbeeld, en ze vertelt me met een glimlach, die dit keer weerloosheid uitdrukt, hoe ze op een lentedag met een vriendin over een zonnige weide liep, waar een prehistorische rust heerste, alsof alle kruipende en lopende wezens nog moesten worden uitgevonden. Haar vriendin vertelde dat zich hier tijdens de oorlog een kamp bevond waar de gevangenen volkomen aan hun lot werden overgelaten en uitgehongerd. Ontsnappen was onmogelijk.

'Het was werkelijk een stralende dag,' zegt ze, 'in geen duizend jaar kon je vermoeden welke tragedie zich daar heeft afgespeeld.' Ze zwijgt even en zucht. 'Ook de natuur herinnert het zich niet.'

Later heeft ze er 'Hongerkamp' aan gewijd, een gedicht met dezelfde bezwerende kracht als de 'Dodenfuga' van Paul Celan, de Roemeense Duitstalige dichter die het werkkamp overleefde en zich in 1970 in de Seine wierp. In zo'n bezwering is zingen een variant van huilen. Bij Szymborska zingen de woorden: 'Schrijf dit op. Schrijf' en: 'Schrijf op hoe stil het hier is.' In het gedicht zet ze zich af tegen elke vorm van statistiek:

> De geschiedenis rondt skeletten af naar nul.
> Duizend en één is nog altijd duizend.
> Het is alsof dat ene nooit heeft geleefd.
> Een denkbeeldige vrucht, een lege wieg,
> voor niemand opengeslagen abc,
> lucht die lacht, die schreeuwt en groeit,
> treden voor een leegte die de tuin in rent,
> niemands plaats in het gelid.

Het beeld van de lege wieg, van de absolute verlatenheid, draag ik al jaren met me mee. Samen met de beelden van de drie concentratiekampen die ik in Polen bezocht: Majdanek in het oosten, Oświęcim of Auschwitz in het zuiden, en Płaszów vlak bij Kraków. Terwijl ik bij Szymborska op de sofa zit, bezoek ik opnieuw in gedachten deze hellen, die me vanaf de bodem van de tijd aangapen.

Het kamp van Majdanek, het eerste dat ik zag, ligt in een uitgestrekte vlakte, die ik met de bus overstak op weg van de universiteitsstad Lublin naar het helikopterstadje Świdnik, waar een vriend van me woonde.

Majdanek is een tussen prikkeldraad gevangen stuk aarde met enkele tientallen houten barakken. 's Zomers ruikt het er naar carbolineum, 's winters naar houtskool. Op elke hoek een lege wachtpost. Rijen lege schuren vol lege britsen. Kamers vol kampplunjes, gescheurd, verweerd. Foto's. Namenlijsten. De verlatenheid van de vlakte, waarover altijd de noordenwind snerpte, trof me het meest.

De verlatenheid als lot. De ultieme vorm van eenzaamheid, het tegendeel van de zelfgekozen eenzaamheid waarin iemand door een bos loopt, een boek leest, zich wentelt in het genot van de slaap. Wie uit deze hel ontsnapte naar de weidse vlakte, was ten dode opgeschreven. Overlevenden getuigden dat de vluchters in een minimum van tijd terugkeerden naar het paradeplein, waar ze weldra 'hingen als slappe lullen', zoals iemand schreef.

De verlatenheid van Auschwitz is van een andere orde. Oświęcim is nog steeds een stadje waar je een brood kunt kopen, waar 's middags uit de kleuterschool gejoel opstijgt, waar je op een bank kunt zitten zonnen in de decembersneeuw. Het kamp met het onbevattelijke motto dat *arbeid vrij maakt*, begint bij de treinsporen waar *Häftlinge* uit alle windstreken werden aangevoerd. Achter de slagbomen rijst een soort fantasieloze vakantiekolonie op met straten en bakstenen huizen. Wellicht hebben veel onbevangen zielen bij deze aanblik gedacht dat de wereld zo kwaad nog niet was, dat ze echt zouden douchen en dat het niet waanzinnig geworden deel van de mensheid er wel in zou slagen om orde op zaken te stellen en al die ontheemde enkelingen terug te brengen naar hun huis, ergens in het grote, mooie Europa.

Een van hen was Marian Pankowski, auteur en later hoogleraar slavistiek in Brussel. Zijn beroemdste werk heet *Matuga komt*, maar in het boekje *De planeet Auschwitz* beschrijft hij zijn lotgevallen in drie verschillende concentratiekampen. Over zijn aankomst in Auschwitz schrijft hij: 'Opeens verbazing. Aan de andere kant van de poort lag een *stad*. Huizen van rode baksteen, het ene na het andere. Er kwamen mensen uit in blauw-witte pakken. Anderen op straat duwden karretjes. Hier en daar een soldaat. Na de begrensde sfeer van de gevangeniscel, waar we de afstand tussen het raam en de ton vulden met redeneringen die de werkelijkheid ontkenden en waar we ons om de honger te stillen overgaven aan fantasieën rond het paasfeest, bevond ik me in een wereld van ruime afmetingen. De rijen strakke gebouwen hadden elk hun straat, de straat had zijn voorbijgangers. En alles badend in een weldadige lucht.'

Andere gevangenen dachten bij de schuifdeur naar de douchezaal misschien aan de profetische woorden van Zygmunt Krasiński in zijn boek *De ongoddelijke komedie*, een variant op Dantes hellevaart, geschreven in 1835, maar tevens pijnlijk twintigste-eeuws: 'De werelden wentelen alle nu eens naar beneden, dan weer naar boven.

Elk menselijk wezen, elke worm roept "ik ben God". En aan één stuk door sterven ze, de een na de ander. De kometen en de zonnen doven uit. Christus zal ons niet meer redden, hij heeft zijn kruis met beide handen opgepakt en in de afgrond gegooid. Hoor je dat kruis, de hoop van miljoenen mensen, tegen de sterren slaan, kapotbreken, versplinteren en in stukken wegvliegen, steeds dieper vallend, totdat er uit zijn resten een grote stofwolk opstijgt?...'

De verlatenheid in Auschwitz komt voort uit de opeenhoping. Na de slaapzalen met banken die doen denken aan dierenhokken, en de ovenkamers waar aan de lopende band mensenvlees brandde, kom je in de barak waar objecten liggen uitgestald: brillen, schoenen, koffers. Even verder de resten van mensen: bergen vol haar en tanden. Het gevoel van verlatenheid wordt hier veroorzaakt door de stapel details. Als je één detail eruit zou plukken – een nicotinegele tand, een matrode haar, een kinderschoen –, hangt daar een heel verhaal aan vast. Enkele van die verhalen zijn opgetekend, maar de meeste zijn samen met de lichamen opgegaan in rook, in wat Celan noemde 'het graf in de lucht'.

Ten slotte Płaszów, waar ik de verlatenheid op nog een heel andere wijze heb gevoeld. Płaszów is een wijk van Kraków en ligt dus veel dichter bij de stad dan Auschwitz.

Ik maakte een tocht door het voormalige gettogebied, waar ik Stella Müller ontmoette, een joodse vrouw die tijdens de oorlog in Płaszów en vervolgens Auschwitz terechtgekomen was, maar die door bemiddeling van Oskar Schindler werd gered. Schindler was de directeur van de Emalienfabrik, waar hij joodse gevangenen de hand boven het hoofd hield. Die fabriek staat er nog steeds. Stella Müller is door sommigen geïdentificeerd als het enige ingekleurde meisje in de zwartwitfilm *Schindler's List* die Steven Spielberg in 1993 in Kraków draaide. Zij was het niet, vertelde ze me, maar ze had het kunnen zijn. In werkelijkheid waren het er velen geweest, en zij was een van hen.

Ik beklom de heuvel die Müller had beschreven in haar boek *Een meisje van Schindlers lijst*, op zoek naar een kerkhofhek en de resten van een joodse begraafplaats. Het was zoals in Szymborska's gedicht: de weide was 'zonnig en groen', de stilte was voorhistorisch, het zoogdier moest nog worden uitgevonden. Natuurlijk was er noch een hek noch een kerkhof, er was eerlijk gezegd helemaal niets, net als in het gedicht, en de natuur 'zweeg als een betaalde getuige'.

Even later kwam ik op een wagenbreed grindpad dat omhoog-kronkelde tussen een dennenbos en de richels van een spoorweg, met verderop een seinhuisje. Daar lag Płaszów. Het station is nog steeds in gebruik. Wie naar Warschau moet en de drukte in het Centraal Station van Kraków wil vermijden, stapt hier in. Er rijdt nog steeds een trein naar Oświęcim.

Boven op de heuvel sneed een ijzige wind me de adem af. In de verte zag ik Kraków, de gouden koepel van de Wawel en de punt-daken. Voor me, op enkele centimeters van mijn voeten, viel een rotswand meer dan tien verdiepingen loodrecht naar beneden: het ravijn van een steengroeve, met hier en daar de uitstekende planken van een barak en opgekruld prikkeldraad. Er konden vijfentwintig-duizend Häftlinge in opgesloten worden. Veel was er van het kamp niet over. In het midden dobberden eenden op grijze plassen. Het prikkeldraad dicht tegen de rotswand sprak voor zichzelf: mocht er al iemand uit het kamp hebben kunnen ontsnappen, dan stond hij prompt voor een muur die tien keer hoger dan hijzelf was.

Het gevoel van verlatenheid had hier te maken met de ligging van de groeve: Kraków was vlakbij, op loopafstand. 's Winters kon je hier het roet uit de schoorstenen op de markt of het brood in de bak-ovens van Kazimierz ruiken.

Met Szymborska heb ik het over de wanhoop die in elk van haar ver-zen doorschemert. We praten over de oorlog en de hongerkampen, over de verwoesting van anonieme enkelingen en over de wreedheid van statistieken die al het menselijke herleiden tot afgeronde cijfers. Maar in de eerste plaats hebben we het over hoe die rampen om de hoek van elke waarneming loeren.

In *Onverplichte lectuur* bijvoorbeeld schrijft ze haar bedenkin-gen neer bij schijnbaar onbelangrijke thema's. Het zijn besprekin-gen van boeken die niemand nog kent of die ergens in antiquariaten of op rommelmarkten zijn beland en waarover zij een verrassend nieuw licht laat schijnen. De titels van de boeken luiden *Kleine vlin-deratlas, Hoe word ik sterk en lenig, Alles over het huishouden, De geschiedenis van het oude papier, Leef gelukkig zonder zorgen.*

Szymborska haalt een voorbeeld uit het boek aan.

'Wat je uit een boek als *Wanneer de appelbomen bloeien*, ge-schreven door een connaisseur van de fruitkweekkunst, niet allemaal kunt leren,' zegt ze. 'Neem nou het wevertje,' ze lacht en spreekt half citerend, half vertellend: 'Ik had een verwerpelijke voorkeur voor dat wevertje. Een schijnbaar onschuldig creatuur. Niets meer dan een purperrood spinnetje... Ik beschouwde het als een van de leukste grillen van de natuur. Ik plaatste het aan de top wat levenscharme en -nonchalance betrof. Maar intussen blijkt hij de beste sappen uit de appels en pruimen te zuigen! Mag ik dat verzwijgen? Of hoef ik hem niet te verraden? Kan ik van hem blijven houden?' Ze houdt even halt en vervolgt: 'Van hem houden... terwijl ik tegelijkertijd in een gezonde appel bijt die alleen gezond is omdat al zijn broertjes en zusjes bijtijds werden vergast?' Weer wacht ze even. 'Dus schijnheilig en pervers van hem houden? Als het niet anders kan... Als heel onze menselijke liefde voor de natuur toch al is doordrenkt van schijnheiligheid en perversie...'

Zo schrijft de dichteres van het detail. Door elk voorbeeld geeft ze zich steeds meer bloot. Het spinnetje is het hoofdpersonage van een gedicht, het centrale beeld, maar stilaan wordt het de protagonist van een donkere tragedie.

'Het doet me denken,' zeg ik, 'aan wat u over dat babyboek schreef.'

'Dat klopt,' lacht Szymborska, 'hoe ging het ook weer...?'

'Ik kan absoluut niet meer zeker weten,' begin ik, 'of er nu niet net een boek van de drukpersen rolt dat de verzorging van zuigelingen behandelt...'

'... Met als verrassende pointe de ondergang van de wereld,' besluit Szymborska.

Als ik later door de straten van Kraków loop, blijven Szymborska's zinnen door mijn hoofd malen. Kraków getuigt van de net vermeden catastrofe. Ik ben de stad binnengekomen met de gedachte aan de Egyptische luchtgod Schu, die als taak had de hemel hoog boven de aarde te heffen en met wie de mens omzichtig moet omspringen, anders zou alles instorten. Zonder erop aan te sturen ben ik tijdens mijn gesprek met Szymborska weer bij deze gedachte uitgekomen.

Na de reuzenstandbeelden, de ruiters met hun heilige paarden en de wakkere torenwachters verschijnt Wisława Szymborska op mijn pad als een wezen met menselijke proporties. De manier waarop ze met de pathetiek van de Poolse geschiedenis omgaat is vrij jong. Zij staat loodrecht op de houding van de romantiek, waarin taal, vaderland en godsdienst een driekoppige engel vormden in een land dat niet bestond. De taal was het vaderland, de godsdienst was het houvast.

Uit de romantiek haalt Szymborska graag dit vers van Cyprian Kamil Norwid aan: 'Jong mag de kunstenaar zeggen: de aarde is rond als een bol, maar als hij oud wordt moet hij zeggen dat ze afgeplat is aan de polen.'

Ze voegt eraan toe: 'Vergeef me, taal, als ik pathetische woorden aan je ontleen en me inspan om ze lichtvoetig te doen lijken.'

Taal, vaderland en godsdienst: Szymborska heeft er lak aan. Ze heeft gezien waartoe patriottisme en ideologie kunnen leiden. Haar taal is voor haar allesbehalve een wapen, maar 'iets waarvan je gewoon houdt, zoals van een oude sjaal, een hond over de kop te aaien of je eigen weg te gaan'.

Ze schenkt de glazen vol en brengt een laatste toost uit.

Haar verzen hebben me bij haar gebracht, al lang geleden, lang voor de Nobelprijs, maar nu heb ik ook de veelkantige lach, die tussen haar regels klinkt, gezien, gehoord. Ik druk een kus op haar wang, die ruikt naar verse bloemen met een vleugje tabaksrook. In het trappenhuis wuift ze me even na en ze verdwijnt ten slotte weer, achter het slot van haar taal.

Czesław Miłosz of De hut van Chaplin

De wind zong in het houten gebinte van de Michaëlskerk. In de woonvertrekken op de Wawel flakkerde kaarslicht. De toegangspoort viel met een klap dicht. Stemmen vluchtten weg. Schimmen gleden over de muur van de Dieventoren. Aan de voet van de heuvel bereidde de stad zich voor op de nacht. Kinderen prevelden het joodse avondgebed.

Kraków. Herfst van het jaar des Heren 1385.

Opeens maakte een bleke gestalte zich uit de schemer los. Zij rende de trap van het slaapvertrek af, kletsend met haar blote voetjes op vermolmde treden. In de vlucht greep ze een bijl, wierp zich op de poort en beukte er met alle kracht op in. Het gejammer van het meisje echode tegen de kerkmuur. In het dal sloegen honden aan. Het joodse gebed verstomde.

Ridders rukten uit. Zij grepen het meisje met een mengeling van schroom en kracht, ontwapenden haar en leidden haar terug naar het slaapvertrek.

'Stil maar, Hoogheid, niet huilen. Alles komt goed, Hoogheid,' suste een jonker.

Wellicht had zij liever gehad dat men haar met Jadwiga aansprak: kleine Jadwiga, ongelukkige Jadwiga, Jadwiga die niet volwassen wilde worden, Jadwiga die verliefd was als alle meisjes van elf. Zij speelde in haar bed met houten poppen, maar de jonkers noemden haar Hoogheid, want zij was de koningin van Polen.

Hare Majesteit wierp zich op de sponde en weende klaaglijk. Zopas was haar geliefde, Wilhelm van Habsburg, door de koninklijke garde met harde hand verwijderd. Ze had hem achterna willen rennen, de poort openbreken, het garen waaraan ze als een marionet vast hing doorknippen, maar haar persoonlijke gevoelens telden niet. Boven haar hoofd had men anders beschikt.

Enkele maanden eerder was er op de Wawel een Litouwse vorst verschenen, een oudere heer met bizarre manieren. Jogaila heette hij in zijn land, in Polen noemde men hem Jagiełło. Hij had bij de voogden naar de hand van de koningin gedongen, zeer tegen de wil van het amechtige meisje. Als Jagiełło met Jadwiga trouwde, dan zou hij zich niet enkel laten dopen, maar ook al zijn krachten aanwenden om de kruisridders van de Teutoonse Orde, die Polen in hun greep hielden, te verslaan. Bovendien zou zijn rijk bij de Poolse natie worden gevoegd. Jagiełło's rijk was gigantisch, het strekte zich uit van Vilnius in het noorden tot aan de Kaukasus, het venster op het Midden-Oosten. Jadwiga had geen keus. In februari 1386 werd Jagiełło in de echt verbonden met de kindvorstin en tot koning van Polen gekroond, waarbij hij de nieuwe naam Władysław II kreeg. Door deze verbintenis werd Polen het grootste land van Europa.

Hoe verging het Jadwiga? Zij stierf op haar vierentwintigste en werd vrijwel meteen heilig verklaard. Haar naam is nog steeds geliefd in Poolse doopkapellen.

En Jagiełło? Onder zijn bewind werd de Teutoonse Orde inderdaad verslagen in de belangrijkste veldslag uit de Poolse geschiedenis, de Slag bij Grunwald (Tannenberg) op 15 juli 1410. Na deze nederlaag trok de geestelijke ridderorde zich terug in haar vesting in Malbork (Mariënburg), in het noorden van het huidige Polen.

Ik kijk op mijn horloge. In het licht van de grote geschiedenis oogt de kleine geschiedenis, die van het verstrijkende moment, op een banale manier melancholiek. Er resten mij nog enkele uren voor een van de belangrijkste ontmoetingen in mijn leven, met een man die het levenslicht zag in Litouwen en bijna de hele twintigste eeuw heeft meegemaakt. Hij heet Czesław Miłosz en geldt als een van de grootste dichters van de twintigste eeuw. De Russische auteur Joseph Brodsky, een van Miłosz' boezemvrienden en ook Nobelprijswinnaar, noemde hem de allergrootste. Miłosz behoort al tijdens zijn leven tot de boegbeelden van de geschiedenis met zijn verzen over het eeuwige nu en de nostalgie naar het paradijs van de kindertijd.

In afwachting zwerf ik door de stad. De Wawelheuvel torent boven het oude centrum uit. In de loop der eeuwen zijn op dit kruispunt van godsdienst en politiek allerlei paleizen en torens verrezen. Van de middeleeuwse vesting is niet veel overgebleven, maar Jadwiga's schim waart er nog steeds rond. Vooral in het vroege najaar, als de eerste bladeren vallen, herinnert de Wawel zich het tandenknarsen van de elfjarige vorstin.

Terwijl ik de vesting verlaat door de hoge poort, die Jadwiga ooit met haar bijl wilde stukslaan, blijven haar lot en geschiedenis me bezighouden. Haar huwelijk met de Litouwse vorst, dat de dynastie van de Jagiełłonen inluidde, volgde op die van de Piasten, waarvan ik het nest in Gniezno heb gezien. De laatste grote Piastenkoning was Kazimierz, bijgenaamd de Grote. Van hem werd beweerd dat hij een houten Polen aantrof en een stenen Polen achterliet. Hij was er als eerste in geslaagd diplomatieke betrekkingen aan te knopen met de kruisridders van de Teutoonse Orde en hij had een hele schare joodse kooplieden uitgenodigd om van Kraków een handelsstad te maken die mee kon tellen op de Europese kaart. Zijn naam is trouwens vereeuwigd in het oudste stadsdeel, de wijk Kazimierz, met zijn synagogen, joodse kerkhoven en kroegen, al zijn de meeste joden er in de loop der jaren, vooral tijdens de Tweede Wereldoorlog, verdreven of vermoord.

Kazimierz ligt me na aan het hart. Het is de rustigste wijk van de stad, weliswaar sterk verpauperd, maar sinds enkele jaren spannen jonge handelaars en kunstenaars zich in om er een van de mooiste plekken van Europa van te maken. Hier werden enkele scènes uit *Schindler's List* gedraaid, omdat het er nog steeds zo uitziet als voor de oorlog.

Met mijn bezoek aan Gniezno nog vers in het geheugen vraag ik me af hoe de roemrijke Piasten aan hun einde konden komen. De Piastendynastie stierf uit omdat Kazimierz de Grote geen wettige erfgenaam had verwekt. Na zijn dood brandde een strijd los over de opvolging. Uiteindelijk beklom Kazimierz' neef, Louis de Hongaar, een telg uit de Anjou-dynastie, de troon. Jadwiga, die haar passie moest opofferen voor een verstandshuwelijk met de Litouwse vorst Jagiełło, was de jongste dochter van deze Hongaar.

Op het marktplein van Kraków kijkt het stenen lichaam van een romantisch auteur over de stad uit. Hij schreef een werk dat in Polen het aanzien van nationaal epos geniet. Het is de negentiende-eeuwse dichter Adam Mickiewicz, auteur van het epos *Pan Tadeusz,* 'Heer Tadeusz', in 1999 verfilmd door Andrzej Wajda.

Ik heb een stil vermoeden dat de schooljeugd deze film vandaag de dag verkiest boven het boek. Dat is niet sneu voor de geestelijke ontwikkeling van de Poolse jeugd: secundo omdat Wajda's film een parel is, maar primo omdat de personages op het witte doek in dezelfde verzen tot elkaar spreken als in het boek. Voor ik bij Miłosz op visite ga, moet ik even stilstaan bij deze *Pan Tadeusz,* al was het maar omdat het zich afspeelt in Litouwen, waar Miłosz bijna een eeuw geleden werd geboren.

Pan Tadeusz beschrijft een dramatische episode. Na de climax van de Poolse cultuur werd het land op het eind van de achttiende eeuw verdeeld onder de buurstaten. Litouwen, het grootste, oostelijke deel van Polen, viel onder Russische heerschappij. Mickiewicz beschrijft de voorbereidingen voor een opstand tegen de Russen. Alle hoop werd gevestigd op Napoleon, die in 1811 oprukte naar het Russische tsarenrijk. Het is een van de hoofdstukken van de strijd die de Polen sinds mensenheugenis tegen de Russen voeren. *Pan Tadeusz* is een romantisch werk, met vaderlandsliefde en erotische liefde als leidraad, maar tegelijk levert het kritiek op het geëxalteerde patriottisme dat men van een profeet-dichter verwachtte. Men heeft het de grafzerk van het adellijke Polen genoemd, maar het is ook de grafzerk van de Poolse romantiek zelf. Het verhaal eindigt in een feestelijke stemming, hoewel de geschiedenis een tragisch vervolg kende, dat Lev Tolstoj beschreef in *Oorlog en vrede.*

Het tragische vervolg van de Litouwse geschiedenis is dat het land nooit meer aan Polen zou toevallen – dat is frustrerend voor de Polen – en dat het het Russische juk ook nooit meer zou kunnen afwerpen, tot diep in de twintigste eeuw – en dat is traumatisch voor de Litouwers.

Dit is de context van Miłosz' afkomst. Hij kwam in 1911 ter wereld met drie nationaliteiten, waarvan er twee louter fantoom waren: zijn wieg stond op Russische bodem, op een deel van Europa dat door de Russische tsaren met harde hand werd geregeerd, maar het land heette van oudsher Litouwen en de inwoners waren sinds Jadwiga's verstandshuwelijk overwegend Polen of tenminste voormalige onderdanen van de Poolse kroon. Er woonde ook een aanzienlijke hoeveelheid joden. Miłosz is bij zijn geboorte dus een Rus, die Pools als moedertaal heeft en een Litouwse opvoeding krijgt. Om hem heen worden vijf talen gesproken: Pools, Litouws, Wit-Russisch, Russisch en Jiddisch. 'Van alle talen die ik als kind om me heen hoorde,' schrijft hij, 'was Pools de belangrijkste. Pools was natuurlijk in ons huis. In die taal galmde de bekoring van een ver en legendarisch Polen, met Kraków als hoofdstad. Tegelijk hoorde ik mijn familieleden soms zeggen: "Wij Litouwers..." Ik placht te zeggen: "Ik ben Pools, maar een beetje anders."'

'Een scheefgegroeide boom' noemt hij zichzelf. In de loop van zijn lange leven zou de boom nog schever groeien. Miłosz belichaamt in zijn eentje de hele problematiek van opeenvolgende generaties op de vertrapte grensgebieden van Europa. Zijn leven is een verzameling van talloze levens. Hij had tientallen keren dood kunnen zijn. In zijn omvangrijke werk geeft hij een stem aan al wie het onderweg, op de kronkelige wegen van de geschiedenis, niet heeft gehaald.

Nadat ik in een portiek heb geschuild voor een wolkbreuk, druk ik in een statige straat vlak bij het Krakóẇse Centraal Station op de bel van Miłosz' woning. Zijn Amerikaanse echtgenote Carol, een opgewekte vrouw van middelbare leeftijd en met een nobele uitstraling, opent de deur. Ze hangt mijn drijfnatte jas aan de haak in de vestibule en loodst me de huiskamer binnen. Onderweg werp ik een steelse blik in Miłosz' werkkamer, waar tot mijn verbazing een laptop op het bureau staat. Ongetwijfeld bewaart hij zijn gouden pennen in een vergrendelde lade. Carol is allerliefst, haalt koffie en water en herschikt de boeken op het salontafeltje: nieuwe vertalingen van Miłosz' gedichten, die van overal ter wereld zijn toegezonden, onder andere uit Nederland.

Uit het halfduister van de gang treedt de gestalte van de dichter op me toe, steunend op een wandelstok met een houten greep. De scheve boom is een bedrieglijke metafoor: hij loopt kaarsrecht als een eik. Hij maakt een lichte buiging, drukt me stevig de hand en richt zijn nieuwsgierige blik op mij. Het is een plechtig moment: deze man is bijna een eeuw oud en zijn allervroegste herinnering is, zoals ik heb gelezen, de Russische Revolutie, diep in de plooien van de twintigste eeuw, toen de ergste rampen nog moesten beginnen.

Miłosz is een levende legende, die de grootste geesten van de eeuw de hand heeft gedrukt en die evenveel haat als bewondering heeft gewekt bij de wereldleiders. Stalin en zijn Poolse evenknie Bierut lustten hem wellicht rauw. Als hij zijn diplomatieke talenten ten volle zou hebben benut, had hij een wijs staatshoofd kunnen worden, maar van welke staat en in dienst van welke kleur? Anderzijds: als hij geen geluk zou hebben gehad, was hij in de goot beland, zoals sommige van zijn generatiegenoten. Zijn levensloop valt samen met een bewogen periode in de Europese geschiedenis, waarbij hij als een slinger van de ene kant van de wereld naar de andere bewoog, en terug. Het begon in Szetejnie, in de buurt van Vilnius, via Warschau en Kraków naar Parijs, vervolgens naar de Amerikaanse kusten, en ten slotte terug naar Oost-Europa, niet Vilnius, maar Kraków. Hier.

'Hoe komt het toch dat ik zoveel geluk heb gehad?' vraagt hij zich hardop af terwijl hij zich langzaam in de sofa laat zakken. 'Ik ben talloze grenzen illegaal overgestoken. Ze hadden mij kunnen neerschieten of laten verdwijnen in Duitse of Russische kampen. Daar hadden ze genoeg redenen voor. Door een speling van het lot is dat niet gebeurd, terwijl iedereen om me heen sneuvelde. Als ik iets ben, is het een overlevende. Alle rampen van de twintigste eeuw heb ik overleefd.'

Ik moet denken aan wat hij in *Alfabet*, zijn alfabetisch geordende herinneringen, schreef over de angst, 'die gloeiende kogel in mijn buik': 'Ik voerde – krankzinnig – op mezelf een bijzondere ingreep uit, die ik nog altijd niet snap, maar die erop neerkwam dat ik de angst min of meer tussen haakjes zette.'

Hij nipt van zijn koffie en laat vervolgens zijn grote handen in zijn schoot rusten.

Ik heb foto's van hem gezien als knaap op de schoot van zijn moeder voor het ouderlijk huis. De rust die van de foto's afstraalt, moet in de alledaagse werkelijkheid zeldzaam zijn geweest, want Miłosz' vader was ingenieur en werd tijdens de Eerste Wereldoorlog samen met zijn gezin door de tsaar op de trans-Siberische spoorlijn gezet om bruggen te gaan bouwen. Als zesjarige was Miłosz ooggetuige van de bolsjewistische Oktoberrevolutie, die zijn hele verdere leven zou bepalen. Die herinnering beschreef hij ooit als volgt: 'Ik was zes jaar, een vluchteling. Elke morgen vroeg reed bij het paleis van de Jermolovs een koets met een lakei op de bok voor en de twaalfjarige Lena stapte in om naar school te rijden in Rzjev, één werst hiervandaan. Ik keek naar haar hals. Die scène is in mijn ouderdom heel scherp, verrijkt met een kennis die ik op dat tijdstip evenmin had als Lena. Immers, amper een paar dagen daarna zou het afgelopen zijn met de koetsen, lakeien en paleizen, en Lena zou in een ander Rusland volwassen worden, dat voor haar ouders en oma's onvoorstelbaar was.'

Veel later zou hij toegeven dat de verdrijving uit het paradijs een van de belangrijkste thema's van zijn werk vormde. Dat paradijs was in de eerste plaats de kindertijd.

Miłosz was geen schrijvend kind, hij interesseerde zich meer voor de natuur, en na zijn woelige jeugdjaren studeerde hij rechten aan de universiteit van Vilnius, zodat hij uiteindelijk in de wereld van de diplomatie terechtkwam. Het baantje bij de radio verloor hij omwille van zijn linkse sympathieën.

Op zijn twintigste reisde hij voor het eerst naar Parijs, waar hij zijn oom Oscar de Milos ontmoette, een emigré uit de negentiende eeuw, die als Frans dichter furore maakte. Als ik Czesław Miłosz vraag wie de grootste invloed op zijn ontwikkeling heeft gehad, noemt hij zonder aarzelen deze oom.

Toen de Tweede Wereldoorlog uitbrak, begon zijn vluchtroute. Hij verliet Litouwen, dat door de Sovjets was bezet, voor Warschau, waar de Duitsers de scepter zwaaiden. De linksgeoriënteerde Miłosz, die al van zich had doen spreken als dichter, sloot zich aan bij het verzet. Hij was er getuige van de tragische manier waarop de Warschause opstand werd neergeslagen.

De overwinnaar (in het geval van Polen was dat de Sovjet-Unie) kon hem na de oorlog goed gebruiken als uithangbord van het nieuwe systeem, van wat hijzelf later 'De Methode' zou noemen. Na een kort verblijf in Kraków werd hij aangesteld als diplomaat op de Poolse ambassade in New York en twee jaar later als cultureel attaché in Washington, een van de belangrijkste buitenlandse posities in dienst van de Warschause regering. Niemand binnen de nomenklatoera twijfelde eraan dat deze diplomaat een trouwe dienaar was, die weliswaar niet tot de partij behoorde, maar wel tot de Schrijversunie. Zijn boek *De redding* was een van de eerste publicaties onder het nieuwe regime. Het boek bevatte weinig socialistisch-realistisch aandoende gedichten, eerder erotisch-filosofische gedachten in versvorm, zoals deze:

> Is een eikel hetzelfde als een bedauwde eik?
> Is een varen hetzelfde als steenkool?
> Is metaal hetzelfde als een kostbare ring,
> Een druppel als wallen van golven?
>
> Waarom vraag je me dan over gedichten van vroeger
> En de vreemde namen van voorbije meisjes?
> Laat mijn verzen hun eigen wegen maar gaan,
> Laat mijn meisjes voor anderen kinderen baren,
> Mij blijven steenkool, eik en ring, en schuimende golven.

'Weet u,' vertrouwt hij me met zijn donkere stem toe, 'ik had stevig carrière kunnen maken onder het communistische bewind. Veel mensen geloofden in de heropbouw van het land. Het communisme was het Nieuwe Geloof, dat in intellectuele kringen in Warschau letterlijk vergeleken werd met de beginvorm van het christendom, hoewel niemand in Polen geloofde dat de Russen ons compleet zouden kunnen sovjetiseren.'

Ik herinner me de woorden van Kazimierz Brandys in zijn *Warschause dagboek*: 'Het socialisme betekende voor mij niet de belijdenis van een dogmatisch geloof – ik ben toegetreden omdat het tegen de mij vijandig gezinde, barbaarse kerk vocht, tegen het fascisme. Zijn tot in de negentiende eeuw terugreikende verleden boezemde me respect in; wat me aantrok, was zijn legende, de levenswegen van zijn helden, zijn ethische spanning, maar ook zijn bescheiden liturgie en zijn eenvoudige vormen: tafel, stoelen, katheder, discussie. Zonder aan dogma's te geloven had ik al een evangelie.'

Een donderslag bij heldere hemel. Zo moet Miłosz de terugkeer naar zijn thuisland hebben ervaren in de zomer van 1949. De sovjetisering was op dat moment compleet. In Moskou hield Stalin het roer stevig in handen. Een jaar later werd Miłosz nog benoemd tot eerste secretaris op de Poolse ambassade in Parijs, maar de ontgoocheling over de Methode was groot. Hij kon er zich niet langer mee verzoenen dat 'de politiek in de chaotische twintigste eeuw steeds weer in het diensthuis van de ideologie gevangen werd'. Nog een jaar later, op 1 februari 1951, het jaar waarin hij veertig werd en twee jaar voor Stalins dood, nam hij de meest ingrijpende beslissing van zijn leven. Als een van de gezaghebbende vertegenwoordigers van Warschau vroeg hij politiek asiel aan in Parijs.

In de ogen van het sovjetimperium brandmerkte hij zichzelf hierdoor onherroepelijk als volksvijand nummer één. 'Ze dachten,' vertelt hij me smakelijk lachend, 'dat ze een vedette van me konden maken. En ik dacht echt,' hij buigt zijn hoofd naar voren en onderdrukt een nieuwe lach, 'dat ik niet in staat zou zijn om daaraan het hoofd te bieden!'

De ijdele Miłosz. De Miłosz die zijn eigen ijdelheid tot satire maakt. Een tijdlang komt hij niet bij van het lachen.

Het doet me denken aan zijn zelfanalyse in *Alfabet*: 'Tegen mijn vermeende kracht spreekt mijn neiging om op alle slakken zout te leggen en mijn *delectatio morosa*, met welke naam bij kloosterbroeders het masochistische plezier werd omschreven dat ze uit het steeds weer overdenken van hun zonden putten. Dat is dus niet precies ijdelheid, en wat de arrogantie betreft, daarvan weet men dat zij gewoonlijk de verlegenheid camoufleert.'

Ik stel me de jonge Miłosz voor op een koude Parijse ochtend, die in plaats van de vertrouwde weg naar zijn kantoor op de ambassade plots een andere route neemt. Een route die hem met iets nieuws vertrouwd zou maken: jarenlange zelfgekozen ballingschap, armoede, de vijandschap van zijn oversten en de haat van de toonaangevende Parijse intelligentsia, Sartre en De Beauvoir op kop, die zwoeren bij het toen nog politiek correcte stalinisme.

'De volgende negen jaren waren de moeilijkste in mijn hele bestaan,' vertelt hij, 'omdat ik overal op muren stuitte.' De boeken die hij in deze periode schreef, onder andere *De geknechte geest*, een analyse van de positie van de intellectueel onder het stalinisme, maakten van hem definitief een luis in de pels van de linkse intelligentsia. En Amerika deed hem in de ban omdat hij connecties had gehad met een communistisch bewind.

Op dit punt had het in Miłosz' leven fataal kunnen aflopen, maar hij geloofde in de theorie van zijn vriend Jerzy Andrzejewski, de auteur van *As en diamant* (verfilmd door Wajda). Andrzejewski's 'theorie van de laatste złoty luidde zo: als je zakken leeg zijn, *moet* er iets gebeuren'.

Uiteindelijk sloeg de Amerikaanse aversie zelfs om in idolatrie. Miłosz' boeken hadden bewezen dat hij definitief afstand deed van zijn communistische verleden. In 1960 nodigde de universiteit van Berkeley in Californië hem uit als gastdocent en korte tijd later werd hij er als hoogleraar aangesteld. Twintig jaar lang zou hij er met een duizelingwekkende snelheid gedichten, essays, verhalende artikelen en studies publiceren, die in 1980 bekroond werden met de Nobelprijs.

De hele wereld interpreteerde die beloning als een politiek signaal, maar Miłosz ontkent dit in alle toonaarden. Kort na de toekenning brak in Polen een van de grootste politieke crises uit. De vrije vakbond Solidariteit nam het onder leiding van de elektromonteur Lech Wałęsa op tegen de communistische regering. In die korte periode van vrijheidsstrijd werd Miłosz in Polen binnengehaald als 'het geweten van het volk'. Hij werd overladen met eredoctoraten, kon lezingen houden en werd op grote schaal gepubliceerd.

Het nachtelijke machtsbetoon van generaal Jaruzelski op 8 december 1981 en de daaropvolgende staat van beleg maakten in één klap een eind aan de droom. Miłosz, inmiddels zeventig, keerde terug naar Berkeley en vernam daar acht jaar later, tot zijn grote verbazing, dat de ondergrondse beweging van Solidariteit het uiteindelijk toch had gehaald en dat zelfs het sovjetimperium op zijn grondvesten wankelde. Heimwee naar de stad die hem het meest aan Vilnius deed denken, bracht hem in de jaren negentig terug naar Kraków.

'Dat het nog tijdens mijn leven zo'n vaart zou lopen,' vertelt hij met een ironische glimlach, 'had ik nooit durven dromen. Niemand overigens.'

De oude wijze is in alle opzichten het tegendeel van mevrouw Szymborska. Het enige wat hen bindt is de Zweedse medaille, en toch zijn ze allebei kind van hun tijd en van de Poolse cultuur. Als tegenpolen vullen ze elkaar aan. Maar wellicht is er nog iets wat hen met elkaar verbindt: een totaal gebrek aan fatalisme en fanatisme, eigenschappen die in de Poolse huiskamers ruim vertegenwoordigd zijn. Fatalisme en fanatisme, die schijnbare tegenstellingen: tot op het bot van de waarheid willen gaan, desnoods ten koste van het eigen leven of de eigen vrijheid, maar tegelijkertijd de diepe overtuiging zijn toegedaan dat elke stap de onvermijdelijke ondergang kan betekenen. In de film *Gold Rush* loopt Charlie Chaplin onbekommerd rond in een hut boven een afgrond. Misschien bevinden de Polen zich in zo'n hut; alleen hebben zij af en toe door het raam in het ravijn gestaard en blijven zij desondanks verwoed in de hut rondbanjeren.

Miłosz lacht smakelijk. De oude bard houdt van moppen met een tragische toon. Het beeld van Chaplin gebruikte hij trouwens zelf in *De geknechte geest*. Dat beeld is komisch, omdat alleen de toeschouwer weet aan welk gevaar de clown is blootgesteld. Zodra de clown door het raam in de afgrond kijkt, beseft wat er kan gebeuren en toch op zijn post blijft, wordt hij een tragische held. Of een antiheld.

Helden behoren tot de voltooid verleden tijd. 'Toch heeft men geprobeerd van mij een held te maken,' zegt Miłosz, 'meteen nadat ik de Nobelprijs had gekregen.'

Ik herinner me het vers waarin hij zich portretteert als 'een vroom jongetje, dat in vermomming de verloren Werkelijkheid najaagt'. Opnieuw zie ik het knaapje voor me dat met zijn ouders in de trans-Siberische exprestrein naar een ver front reist en langzaam het paradijs verlaat. Ik zie de jonge diplomaat in dienst van de volksdemocratie voor me, die in Parijs een groezelig kantoor binnenstapt en 'nee' zegt tegen het verleden – een woord dat hem en zijn gezin het leven kon kosten. Een woord waardoor hij andermaal een paradijs verliest, het paradijs van de makkelijke roem.

Heeft het woord van de dichter toch niet steeds een politieke betekenis?

Miłosz zucht diep en herhaalt het woord 'politiek' op een toon die evenzeer spot als eerbied uitdrukt. Een ogenblik zie ik in zijn blik de jonge diplomaat, die een zo ruim mogelijke verklaring zoekt voor een besmuikt begrip. Dezelfde soort blik zag ik bij sommige huidige diplomaten, die tegen beter weten in probeerden uit te leggen dat de situatie misschien nog zo erg niet is – de blik van de clown die in de afgrond heeft gekeken.

Maar Miłosz is geen jonge diplomaat meer, het Oost-Europese communisme is uitgespeeld en er is geen enkele reden om te zwijgen. 'Natuurlijk is mijn schrijven verbonden met politiek,' besluit hij, 'omdat het geworteld is in het menselijke drama. Maar als literatuur aan politiek doet, is ze verloren.'

Het is Miłosz' scherpzinnigheid die hem tot een geëngageerd schrijver maakt, en voor veel lezers tot ziener. Ik moet denken aan de droom waarmee hij *De geknechte geest* besluit, in een typische mengeling van ernst en ironie: 'Wanneer ik voor Zeus zal staan, dan zal ik dit min of meer kunnen aanvoeren tot mijn rechtvaardiging.

Vele mensen hebben hun leven doorgebracht met het verzamelen van postzegels of antieke munten, of met het kweken van zeldzame soorten tulpen. Ik ben er zeker van dat Zeus, ook al zijn dat vermakelijke en nutteloze eigenaardigheden, zich jegens hen genadig zal tonen, wanneer zij al hun hartstocht in deze bezigheden hebben gelegd. Ik zal hem zeggen: "Het is niet mijn schuld, dat je mij als dichter hebt geschapen en me hebt begiftigd met de gave, gelijktijdig te zien wat er in Nebraska en in Praag, in de Baltische landen en aan de oevers van de Noordelijke IJszee gebeurt. Ik had het gevoel dat, als ik niets zou doen met deze gave, mijn gedichten voor mij kleurloos zouden zijn en de roem mijn weerzin zou wekken. Vergeef mij." En wellicht zal Zeus, die immers de muntenverzamelaars en tulpenkwekers geen idioten noemt, mij vergeven.'

Carol brengt verse koffie, citroenwater en gebak. De balkondeur staat open. Buiten is het afwisselend herfst en zomer. De geur van warm, nat hout, afkomstig van de linden in de straat, vermengt zich met de cafeïne.

'Als je de geschiedenis van de twintigste eeuw vanuit Pools perspectief bekijkt,' zeg ik, 'lijkt die wel een opeenstapeling van drama's. Zijn die drama's niet allemaal voortgekomen uit het nationalistische streven?'

'Ik zal u wat vertellen,' zegt Miłosz na een lange stilte. 'Polen heeft een plaats op de wereldkaart. Een plaats waar je de vinger op kunt leggen. Een plaats waarvan je kunt zeggen: kijk, hier ligt het, dit is het land en hier lopen de grenzen.' Hij slurpt van zijn koffie en vervolgt: 'Maar dat is niet altijd zo geweest, zelfs niet in de twintigste eeuw, die ik *mijn* eeuw noem. De noordelijke en oostelijke buren van het huidige Polen, vooral Litouwen, Wit-Rusland en Oekraïne, dat zijn de zogenaamde *grensgebieden*. Het woord "Oekraïne" betekent trouwens letterlijk "Het land aan de rand". Weet u, in die grensgebieden was de romantische nostalgie naar het oude Polen diep geworteld. Waarom, vraagt u? Nou, die landen waren in 1921 manu militari ingelijfd bij de Sovjet-Unie. In 1921, dat wil zeggen drie jaar na de Eerste Wereldoorlog en de Russische Revolutie. Al wie op dat moment de Poolse nationaliteit had in de grensgebieden, was een doorn in het oog van de Sovjets. Polen werden massaal gedeporteerd, naar Siberië en zelfs naar Aziatisch Rusland, zo ver mogelijk weg. Duizenden families hebben dat lot ondergaan. Van etnische zuivering gesproken...'

'Hoe ging dat in Litouwen, het land waar u geboren bent?' wil ik weten.

'Precies zo,' zucht Miłosz, 'alleen wat minder gewelddadig. Na de Eerste Wereldoorlog was er een onafhankelijk Litouwen ontstaan. In die nieuwe staat, waar veel Polen woonden, voerden de nationalisten ook een politiek van "depolonisering". Weg met de Polen. Ook dat was etnische zuivering. Later zouden de Duitsers er *hun* etnische zuivering houden, toen waren de joden aan de beurt.'

'Die zuivering was een soort exodus,' zeg ik.

'Exact. De exodus van Polen uit Oekraïne, Wit-Rusland en Litouwen is een van de meest cruciale gebeurtenissen van de moderne Poolse geschiedenis. Het begon in 1918 en bereikte zijn hoogtepunt na 1945. Als we al die mensen zouden kunnen optellen die hun wortels in het Oosten hebben, en dat kán, maar het is bijzonder moeilijk, dan pas zouden we beseffen op welke grote schaal die exodus heeft plaatsgevonden.'

Dat tellen lijkt me bijna onmogelijk. Ik neem me in elk geval voor om op mijn zwerftocht door Polen, op zoek naar *wat* en *waar* Polen is, die zogeheten grensgebieden te bezoeken.

'Dat deel van de Europese geschiedenis is nauwelijks bekend bij de meeste Europeanen,' zeg ik. 'Wij gruwden bij de beelden van de Joegoslavische burgeroorlog in de jaren negentig, kort na de val van het sovjetregime. We vroegen ons af hoe zoiets mogelijk was, hoe voormalige buren elkaar konden afslachten. Maar wat u vertelt is hiermee vergelijkbaar. Het was al eens eerder gebeurd in Europa.'

'De pijn van de burgeroorlog in Joegoslavië begrijpen wij maar al te goed,' zegt Miłosz. 'Het is de situatie van mensen, hele bevolkingsgroepen, die vaak tegen hun wil werden ingedeeld bij een zekere "nationaliteit". Die nationaliteit werd niet bepaald door taal, nee, zij werd bepaald door godsdienst. Op de Balkan heb je zoveel families die gemengd zijn: half katholiek, half orthodox, half moslim. De nationalisten predikten haat in naam van etnische zuiverheid. En die etnische zuiveringen, die kennen de Polen maar al te goed. Gezinnen die massaal uit het Litouwse Vilnius of het Oekraïense Lviv werden weggestuurd, weggepest of gedeporteerd, verloren letterlijk alles, elke band met hun oorsprong. Een mens wil ergens zijn huis hebben en er zich thuis voelen. Er zijn ontzettend veel Poolse gezinnen vandaag de dag, die Oekraïense, Litouwse of Wit-Russische roots hebben. Misschien zijn ze er zich zelf niet altijd van bewust, of ze hebben andere zorgen aan hun hoofd. Streken die eeuwenlang gemengd waren, zowel wat taal als wat godsdienst betreft, zijn vanuit nationalistisch standpunt eigenlijk "onzuiver". Wie de macht in handen krijgt wil daar een "zuivere" streek van maken, en zelfs de geschiedenis wordt herschreven, vervalst ter wille van de nieuwe situatie. In zo'n geval ontstaat ook een hele mythologie.'

'En in het westen van Polen, daar zijn ook grensgebieden,' vul ik aan.

'Precies, in Silezië en het oude Pruisen gebeurde hetzelfde, alleen met een ander volk, de Duitsers. Ook zij werden na de oorlog door de politieke omstandigheden uit bijvoorbeeld Gdańsk (Danzig in het Duits) en Wrocław (Breslau) verdreven. Of gewoon vermoord. Ga maar eens kijken in die grensgebieden, zowel in het oosten als in het westen, daar zult u met eigen ogen kunnen zien hoe talen, godsdiensten en identiteiten met elkaar vermengd zijn, binnen dezelfde families, vaak binnen dezelfde gezinnen.'

Dat is genoteerd. Nog één vraag: de toekomst.

'Dat het communisme in 1917 de macht zou grijpen, was te voorspellen, maar dat het in 1989 in één klap zou verdwijnen, had niemand voorzien. Nu we daar tenminste vanaf zijn, blijken er genoeg smeulende vuurtjes te zijn waar wel weer eens de vlam in zou kunnen komen, aangeblazen door nationalistische individuen of groeperingen. Ik woon nu in Kraków omdat het in Vilnius te complex is, er wordt trouwens nauwelijks nog Pools gesproken.' Hij glimlacht en drinkt zijn koude koffie. 'Ik kan alleen maar hopen dat het geweld in Joegoslavië ons een les heeft geleerd.'

Ik herinner me *Mijn twintigste eeuw*, het boek waarin Miłosz het levensverhaal van zijn vriend de dichter Aleksander Wat heeft opgetekend. Het is een van de meest gedetailleerde verslagen van het communisme in Polen tot de jaren zeventig, tot aan de dood van Wat. Aleksander Wat leed als gevolg van een herseninfarct aan een verschrikkelijke ziekte. Hij zag geen enkel onderscheid tussen zijn ziekte en het communisme, zoals het na de oorlog in Polen tot nieuwe godsdienst was verheven.

In huize Miłosz rinkelt de telefoon. Carol komt enkele ogenblikken later verschrikt de kamer binnen en fluistert enkele woorden in het oor van haar man. Miłosz komt moeizaam overeind, verontschuldigt zich en loopt de vestibule in.

Zijn stem, sonoor en streng, galmt door de kamers.

'Bonjour, monsieur,' klinkt het in feilloos, langzaam, duidelijk gearticuleerd Frans, 'mon nom est Miłosz, Czesław Miłosz.' Het blijft even stil. Dan, nog wat strenger: 'Mi-los, M-i-l-o-s, Milos, oui!'

In een flits vraag ik me af hoe het mogelijk is dat iemand, waar dan ook ter wereld, zijn naam niet kent.

'Zo gaat het in het leven,' verzucht hij als hij enkele minuten later weer in de huiskamer staat. 'Ik vernam zopas dat onze auto, die in Frankrijk stond, gestolen is. We zouden binnenkort naar een plaats rijden waar ik een lezing moet houden.' Op de achtergrond banjert Carol van de ene kamer naar de andere.

Ik heb het gevoel dat mijn aanwezigheid wat hinderlijk wordt en neem bedremmeld afscheid.

Miłosz, de negentigjarige hoogleraar, de grootste dichter van de twintigste eeuw, blijft op een hoffelijke manier stoïcijns. Hij maakt een lichte buiging, drukt me de hand en bedankt me voor mijn komst. Ik geef Carol een Poolse handkus, wens haar het allerbeste in deze vervelende situatie en verlaat de woning.

Enkele maanden na deze ontmoeting zal Carol sterven. Het is Miłosz' tweede zware afscheid in zijn leven. Zijn eerste vrouw, Janina, stierf in 1986. 'Ik denk dat ik een overlevende ben, ik overleef alles en iedereen.' Zijn woorden blijven een pijnlijke waarheid. Ter ere van zijn overleden Carol zal hij zijn versie van *Orpheus en Eurydice* schrijven. Hij, die zo vaak over grenzen is gegaan, wordt andermaal geconfronteerd met de ultieme grens, die onherroepelijk door *anderen* wordt overgestoken.

Maar die middag in een druilerig Kraków kan niemand de toekomst voorspellen, en zijn er slechts de geringere besognes. De diefstal van een auto bijvoorbeeld.

Tadeusz Kantor of Het leven is elders

Op een avond in 1942 zocht het publiek in de vijandige straten van Kraków zijn weg naar twee verschillende voorstellingen. Een groep trok naar het *Rapsodisch theater* van Karol Wojtyła, een jeugdig, katholiek dichter, een andere naar het *Onafhankelijk theater* van de joodse schilder Tadeusz Kantor. De beide nieuwlichters waren waanzinnig geliefd, maar om tegengestelde redenen. De dichter wilde de wereld redden met lyrische stukken over de Liefde. De schilder daarentegen verzamelde objecten van gesneuvelde soldaten en verplaatste de Griekse mythe van de zwervende Odysseus naar de dagelijkse realiteit.

Het moeten twee onvergetelijke gebeurtenissen zijn geweest, die alleen de tachtigplussers van deze stad zich nu nog herinneren. In beide gevallen zocht het door de oorlog uitgeputte publiek troost in het theater van de achterhuizen.

Jaren later zouden de kunstenaars elkaars buren worden. Kantor vestigde zijn theater in dezelfde straat waar Wojtyła priester en bisschop werd. Uiteindelijk verwierf Kantor in 1975 wereldfaam als theatermaker en beeldend kunstenaar. Wojtyła verhuisde in 1978 naar Vaticaanstad, waar hij een nieuwe naam kreeg: Johannes Paulus II.

De straat heet Kanonicza. Ze loopt uit op de toegang tot de Wawelheuvel en is een van de fraaiste plekken van Kraków: een kruispunt van gotiek, Renaissance en barok, van joodse en christelijke traditie, van geloof en ketterij, van traditie en revolutie. Er is een Literair Café, waar ik vaak appelgebak en koffie met cognac ga nuttigen en waar je de sleutel moet vragen om naar de wc te mogen. 's Zomers is hier een van de rustigste terrassen van de stad, 's winters druk ik me op de hoge houten banken tegen de kachel aan. Ik hoor er het gejank van de kindkoningin Jadwiga, het hoefgetrappel van de vorstelijke paarden na de kroning in Gniezno, de disputen van studenten op weg naar de universiteit, de regelmatige slag van Wit Stwosz' beitel, het getokkel op een balalaika, de stap van Goethe en Heine, de kreten van Napoleon en Hitler, de ijselijke stilte van het getto.

Voor Kantor beroemd was, kwam hij hier tekenen.

In de chronologie staat hij tussen Szymborska en Miłosz in, maar hij stierf als eerste, op 8 december 1990, op vijfenzeventigjarige leeftijd.

Kantors bestaan kende een grillig en woelig verloop. Op het hoogtepunt van zijn kunnen, toen hij al zestig jaar oud was, schiep hij een geheel eigen theaterstijl, die hij het Theater van de Dood noemde.

Tijdens de oorlog droomde hij al van een theatervorm die radicaal verschilde van het klassieke toneel. Onder het stalinisme was het hem niet vergund die droom te realiseren en kwam hij alleen maar aan de bak als scenograaf in een honderdtal verschillende theaters. Maar in 1955 slaagde hij erin Cricot^2 op te richten, een ensemble dat bestond uit schilders, muzikanten en acteurs en dat voortbouwde op het vooroorlogse cabaret Cricot. De naam van het gezelschap was volgens Kantor een anagram van *to cyrk*, wat zoveel betekent als: 'Daar komt het circus.' Gedurende de daaropvolgende twintig jaar putte dit gezelschap inspiratie uit één auteur, Stanisław Ignacy Witkiewicz, kortweg Witkacy. Voor Cricot^2 vormde Witkacy een mascotte. Boven de deur van het kantoor aan de Ulica Kanonicza hing permanent een portret van deze auteur, in wiens voetsporen Kantor zijn eigen artistieke taal ontwikkelde.

Witkacy is een verhaal apart in de Poolse galerie van vermaarde gekken. Hij was afkomstig uit het bergstadje Zakopane, tachtig kilometer ten zuiden van Kraków, waar hij zijn leven lang woonde. Zijn belangrijkste werk ontstond tijdens het interbellum. Witkacy was van alle markten thuis: hij schreef toneelstukken en romans, voerde filosofische disputen met beroemde tijdgenoten in het buitenland, richtte zijn eigen theater op, experimenteerde met de fotografie, legde een indrukwekkende verzameling curiosa aan, waaronder Japanse erotische prenten, en schilderde doeken die verwantschap vertonen met het werk van de dadaïsten en de surrealisten. Voor het establishment was hij een doorn in het oog, een dandy die een loopje nam met elke vorm van burgerlijk fatsoen en openlijk experimenteerde met narcotica en seksuele verhoudingen. Voor sensatiebeluste tijdgenoten en latere generaties gold hij als een goeroe, die het aandurfde zich te distantiëren van het romantische patriottisme.

Kantor greep Witkacy's stukken aan om zich op zijn beurt af te zetten tegen elke vorm van gezag, op politiek en artistiek vlak. Merkwaardig genoeg hebben ze elkaar nooit ontmoet. Witkacy pleegde zelfmoord in 1939, toen bleek dat Polen door de twee vijandige buren, Rusland en Duitsland, onder de voet zou worden gelopen. Het uitbreken van de Tweede Wereldoorlog beschouwde Witkacy als de aankondiging van de algehele catastrofe, waar hij zijn leven lang voor had gevreesd.

De stukken die Kantor aanpakte waren ook allesbehalve traditioneel, behalve in de compositie. Witkacy schreef het liefst over geniale, criminele psychoten, die leden aan allerlei vormen van melancholie. Zeventiende-eeuwse pausen en pokerende chassidische joden figureren naast twintigste-eeuwse miskende genieën. Moord en zelf-moord zijn in Witkacy's stukken aan de orde van de dag, maar wie uit het raam springt, komt in het volgende bedrijf door de voordeur weer naar binnen. Witkacy's drama's wekken de indruk dat de auteur in zijn eigen onderbewustzijn wilde graven en dat de complexe personages afsplitsingen waren van zijn eigen persoon.

Dat zinde Kantor het meest. Toen hij in 1975 het spektakel creëerde waarmee hij de wereld zou veroveren, de dramatische seance *Dodenklas*, bleek hij definitief uit de schaduw van zijn voorbeeld te treden. *Dodenklas* maakte nog wel gebruik van Witkacy's teksten, maar was voor het eerst voluit Kantoriaans. In een hoek van de Krzysztofory-galerie in Kraków zette Kantor een reeks houten schoolbanken neer, waarin poppen van kinderen en oud geschminkte acteurs naast elkaar zaten voor een merkwaardig ritueel: de reconstructie van een klaslokaal anno 1914. In expressionistische scènes en meeslepende stoeten vertelde Kantor zijn visie op de twintigste eeuw, de eeuw van de falende dromen.

Kantor bood de toeschouwer een inkijk in zijn hoofd. Door zelf aanwezig te zijn bij elke voorstelling, als een soort dirigent, maakte hij alle personages op zijn beurt, zoals Witkacy, tot afsplitsingen van zichzelf. Tegelijk maakte hij de toeschouwer duidelijk dat het slechts om een voorstelling ging. Hij haatte de trucage van het medium film als schepper van de perfecte illusie.

Vijftienhonderd keer werd *Dodenklas* opgevoerd, in nagenoeg alle grote theaters ter wereld. Een triomftocht. Op het moment dat zijn vroegere buur Karol Wojtyła middels een witte rookpluim in Rome tot paus werd uitgeroepen, in 1978, was Kantor al een van de beroemdste Polen ter wereld.

Dodenklas kreeg de status van bijbel. Kantors naam prijkte prompt in de geschiedenisboeken naast die van Antonin Artaud, Peter Brook en zijn landgenoot Jerzy Grotowski, die zijn eerste stappen bij Kantor had gezet maar vooral weerklank vond in de hippiecultuur van de jaren zestig. Op dit moment zijn er in de westerse wereld nog steeds kunstenaars die Kantors oeuvre openlijk als grootste inspiratiebron noemen.

Het Theater van de Dood was een vorm van poëzie. Kantor wilde zijn toeschouwers confronteren met personages die zich op de grens van leven en dood bevonden. De halfdode figuren traden letterlijk tevoorschijn uit het kader van een schilderij of een foto, om nog één keer, de laatste keer, een boodschap aan de wereld te brengen.

In 1975 schreef hij:

Wij moeten de verhouding tussen TOESCHOUWER en ACTEUR haar wezenlijke betekenis teruggeven.

Wij moeten de oorspronkelijke kracht doen herleven van het ogenblik waarop tegenover een mens (de toeschouwer) voor de eerste keer een ander mens (de acteur) verscheen, die bedrieglijk lijkt op elk van ons en tegelijkertijd eindeloos vreemd is, zich aan de andere kant van een barrière bevindt, die niet kan worden overschreden.

Na *Dodenklas* maakte Kantor nog vier grote stukken, waarmee hij als een van de laatste avant-gardisten de wereld veroverde. Zijn voorstellingen verenigden de oerkracht van het circus, de lichtheid van de *commedia dell' arte* en de metafysische diepgang van Witkacy. Hij boog zich radicaal over zichzelf, maar creëerde tegelijk een beeldentaal die voor verschillende culturen en in verschillende tijden toegankelijk was. Zijn theater noemde hij *het waarachtige theater van de emoties*, waarin de eenzame Pierrot en de onbereikbare Colombine de hoofdrol speelden in een vijandige wereld.

Op mijn zwerftocht door Kraków ga ik als een pelgrim naar de plaatsen waar Kantor tussen zijn vele reizen door verbleef.

Vijf jaar voor zijn dood, in 1985, ontmoette ik hem voor het eerst. Ik schuimde Europa af op zoek naar avontuur. Dat ik in Polen terechtkwam, was grotendeels toeval. Het had net zo goed Bulgarije, Rusland, Oekraïne of Joegoslavië kunnen zijn, in ieder geval ergens achter het IJzeren Gordijn. Mijn hoogleraar in de slavistiek, een man die sprekend leek op de koning van de handpoppen waarmee ik als kind had gespeeld, merkte mijn zwak voor het theater op en beweerde dat het grootste theater ter wereld in Polen werd geproduceerd. Ongeveer tegelijkertijd liep ik Franz Marijnen tegen het lijf, een spraakmakend regisseur die in de jaren zestig bij Grotowski had gewerkt. Met een aanbevelingsbrief van mijn beide mentoren en een studentenvisum op zak belandde ik in Polen, een grauw communistisch land dat zijn wonden likte na mislukte opstanden. De bloeitijd van het Poolse theater behoorde toen al tot het verleden: de studententheaters van de jaren zestig waren of geïnstitutionaliseerd of verdwenen, Grotowski was naar Italië vertrokken en de nationale schouwburgen speelden uitsluitend romantische tragedies met een politieke inslag. Mijn reis door het land was eerder een les in ontbering, en van de grootste theatercultuur ter wereld was niet veel te merken, enkele uitzonderingen daargelaten.

Mijn ontmoeting met Kantor betekende een ommekeer. De eerste keer sprak ik hem aan in zijn archief, Kanonicza 5. Als ik door de smeedijzeren deur naar binnen ga, waait een hele reeks herinneringen me meteen toe. In de kleine archiefkamer, waar ik ooit ijverig vertalingen maakte en oorspronkelijke handschriften bestudeerde, wordt zijn nalatenschap nog steeds bewaard. Het archief was Kantors eigen initiatief. Ik zie hem nog steeds zitten op een klapstoel onder het portret van Witkacy, met sterke, zoete koffie met cognac en sigaretten die alleen in buitenlandse winkels te koop waren, voortdurend in de weer om zijn werk te inventariseren. Aan strakke touwen, die de ruimte dwars doorsneden, hingen affiches van voorstellingen, in hoge eikenhouten kasten lagen de scenario's, manifesten en tekeningen, en in een hoek van de kamer stond permanent een monitor, waarop bezoekers video-opnamen konden bekijken. Kantor bedacht zelfs een naam voor zijn archief, afgeleid van Cricot: de Cricotheek. De organisatie kreeg te maken met eindeloze bureaucratische chicanes, maar Kantor had een buitengewoon strijdbare natuur. Hij vertelde me vaak dat hij muren nodig had waartegen hij zijn hoofd kon stoten, telkens opnieuw, om zijn droom te realiseren. Het communistische bewind in zijn land was zo'n muur, waartegen hij tot zijn laatste dag heeft gevochten. De censuur beschouwde hem als een ongevaarlijke gek en liet hem met rust, maar tegelijkertijd werd hij gebruikt als uithangbord: waar zo'n waanzin wordt gedoogd, heerst geen dictatuur.

Op de plaats waar Kantor zo vaak zat, verdiept in een tekst of fulminerend tegen echte of ingebeelde vijanden, praat ik met de jonge directeur van de Cricotheek en met Janusz Jarecki, die tegelijk technicus en acteur bij Kantor was en momenteel de public relations van het stadstheater voor zijn rekening neemt.

'Van het gezelschap is niets overgebleven,' vertelt Janusz. 'Kantor was de spil die ons allemaal bijeenhield. Na zijn dood hebben we pogingen gedaan om de traditie voort te zetten, maar die zijn op een pijnlijke manier mislukt. Daarna is iedereen uitgezwermd.'

'Geen Cricot[3] dus,' zeg ik.

'Hoe zou dat kunnen, zolang er geen persoonlijkheid is die zich met die van Kantor kan meten?'

Even later verschijnen de Janicki's, de tweelingbroers die sterren waren in Kantors stukken. Momenteel hebben ze een diamantzaak op de kleine markt en treden ze af en toe op in Duitse en Poolse gezelschappen. Voor Kantor waren ze *ready-made*, omdat hij dol was op verdubbelde rollen. In talrijke stukken plaatste hij naast levende acteurs identieke wassen beelden. De tweeling hoefde niet meer te worden verdubbeld. Kantor hulde ze in een zwart pak met een bolhoed en gaf hun rollen die aan Jansen en Janssen uit Kuifje deden denken.

Met hen converseren is een feest. Ze zijn allebei verzot op anekdoten, die ze met groot enthousiasme vertellen. Toen ze die enkele jaren geleden ook te boek stelden, is er een pijnlijke commotie ontstaan. Critici vonden dat de anekdotische kant van Kantors wereldreizen het imago van de meester onderuithaalde en dat het boek koren op de molen was van de conservatieve romantici, die Kantor een *cabotin* vonden, een potsenmaker.

In de kelder van het archief worden Kantors poppen bewaard, vooral die van de kinderen uit *Dodenklas*. Kantor maakte ze met zijn eigen handen. Als ik de keldertrap afdaal en in de gotische ruimte terechtkom, kijken ze me met een beangstigende blik aan. Hun levensechtheid is zo groot dat ze je aantrekken als een driedimensionale icoon, waarvan ook gezegd wordt dat die naar je *terugkijkt*. In deze kelder heb ik de allereerste repetities van een nieuw stuk bijgewoond, dat pas twee of drie jaar later in een buitenlands theater in première zou gaan. Hier zag ik Kantor afwisselend wanhopig en euforisch worstelen met zijn eigen ideeën en met de inbreng van zijn acteurs. Zijn woedeaanvallen waren legendarisch. Al wie zich in zijn buurt begaf, kwam vroeg of laat met hem in aanvaring. Ook in zijn scheppingsdrang had hij muren nodig.

Ik heb het aan den lijve ondervonden. Mijn grootste schermutseling speelde zich uitgerekend in deze kelder af. Er ontstond een hoogoplopende discussie met de acteurs over een tafel die Kantor tijdens de repetitie zou gebruiken. De oplossing lag volgens mij voor de hand. Ik dook het belendende atelier in en kwam trots aandragen met een klaptafel, die volgens alle aanwezigen voldeed aan de gestelde eisen, maar ik had buiten de waard gerekend. Kantor stormde op me af en schreeuwde dat het hem niet om een tafel te doen was.

Ik begreep toen nog niet dat het conflict met zijn naaste medewerkers bij zijn dagelijkse rituelen hoorde. Met een onvermoede kracht rukte hij het gewraakte object uit mijn handen en gooide het de kelder in.

Hij was toen net drieënzeventig, en het is pas veel later tot me doorgedrongen waar het hem dan wél om te doen was.

Janusz Jarecki en de Janicki-broers vermaken zich kostelijk bij de herinnering aan deze anekdote, maar toen, in het heetst van de strijd, was het Kantor menens. Zoals hij geen enkele vorm van gezag verdroeg, stond hij evenmin hulp toe, om vervolgens in heftige tiraden te klagen dat niemand hem, 'de grootste artiest ter wereld', naar waarde schatte. De Polen hebben een woord voor dit gedrag: *awantura*. Theaterdirecteuren uit alle wereldsteden werden gedetailleerd gewaarschuwd voor het 'avontuur' dat hun te wachten stond.

Was ikzelf ook niet op zoek naar 'avontuur'?

Voor ik het pand aan de Ulica Kanonicza verlaat, wil ik een laatste keer de archiefkamer zien. Op 14 december 1990 heb ik hier afscheid genomen van Kantor, zes dagen na zijn plotselinge dood. Men had de wanden en vensters behangen met zwarte doeken en de doodkist omringd met kaarsen. Buiten begon het te sneeuwen. Vier acteurs laadden de kist in een glazen koets. In alle kerken luidden klokken. De hele ochtend lang rouwde de stad om het verlies van een van haar meest flamboyante bewoners. Sinds die dag ligt Kantor naast zijn moeder begraven op het Rakowicki-kerkhof, even buiten de oude stad. (Zijn vader was op 1 april 1942 vermoord in Auschwitz.) Op Kantors zerk staat een bronzen beeld van een jongen in een schoolbank: Kantors icoon van de weerloosheid, zoals hij die in *Dodenklas* voor het eerst had opgevoerd.

Ik herinner me zijn tekst over *De arme man* uit 1978:

'Het is niet waar dat de moderne mens een ziel is die de ANGST heeft overwonnen... Dat is niet waar... de ANGST bestaat! De angst voor de uiterlijke wereld, de angst voor onze bestemming, voor de dood, voor het onbekende, de angst voor het niets, voor de leegte...

Het is niet waar dat de kunstenaar een held is of een overmoedige, onverschrokken veroveraar, zoals een conventionele LEGENDE het wil...

Gelooft u mij, hij is een ARME MENS zonder wapens, zonder verdediging die zijn PLAATS gekozen heeft oog in oog met de ANGST. In volle bewustzijn! In het bewustzijn wordt de ANGST geboren!'

Naast Kanonicza was de Krzysztofory-galerie Kantors tweede bio-toop. Ik loop het archief uit, steek de markt over en daal de trap af naar de gotische kelder van de galerie, waar *Dodenklas* op 15 no-vember 1975 in première ging.

Jaromir Jedliński, voorzitter van de *Grupa Krakówska,* de Kra-kówse Groep, een schilderscollectief dat Kantor zelf had opgericht, staat me te woord. Hij was een intimus van Kantor en schreef de in-teressantste biografie over hem, maar zelf staat hij niet graag in de schijnwerpers. Hij heeft net een tentoonstelling opgebouwd met Kantors objecten. In de belendende zaal vindt een festival plaats met belangrijke Japanse performancekunstenaars. De galerie is nog steeds een van de meest vooruitstrevende kunstencentra van Polen.

Kantors objecten blijven fascineren. In het midden staat de ver-nietigingsmachine, een manshoge verzameling klapstoelen die door elektrische aandrijving vervaarlijk op en neer begint te klapperen. Ernaast de machine van het Laatste Oordeel, een reusachtige stof-zuiger met een tuit als een trompet van Jericho uit de Apocalyps. Verder staan er ook schilderijen van een naakte man – duidelijk Kan-tor – die uit de begrenzing van het doek wil ontsnappen. In een hoek: de geboortemachine, een vrije versie van een gynaecologische stoel, waarvan de benen open en dicht kunnen. Daarnaast de mannelijke variant: een zinken teil waarin twee houten ballen liggen, die elek-trisch heen en weer bewegen. In een andere hoek: militaire unifor-men, een zinken buis, meterslange planken.

'Dit was Kantors wereld,' vertelt Jedliński, '*arme* voorwerpen, die geen enkel nut meer hadden, maar die hij in zijn stukken een nieuwe betekenis gaf. Objecten, zoals hij zelf zei, *tussen vuilnisbak en eeuwigheid.* En met de absurde machines schiep hij een parodie op de gemechaniseerde maatschappij. Het was zijn interpretatie van Witkacy's angst voor een samenleving waarin het individu verdron-gen zou worden door geavanceerde apparaten. Die apparaten wer-den in Kantors stukken gemanipuleerd door genadeloze machtheb-bers, tirannen van allerlei gezindheden, fascistisch, communistisch of kapitalistisch.'

Ik heb me vaak afgevraagd hoe Kantor kon overleven onder het repressieve regime. Toen ik hem op een rustig moment hierover aan-sprak, vertelde hij de volgende merkwaardige anekdote: 'Daags voor de première van een voorstelling maakten de censoren hun opwach-ting. Die censoren waren geen kleerkasten met een zonnebril, zoals

Hollywood hen voorstelde, maar bevallige jongedames, belast met de compromitterende taak het fiat of veto uit te spreken. Toen een van die juffrouwen op de generale repetitie aanwezig was, zat ze met een wit gezicht en uitpuilende ogen naar het stuk te gapen. Ik dacht dat ze me zouden kapittelen en het land uit gooien, maar het oordeel luidde simpelweg: ik was geschift en mijn stukken waren klinkklare nonsens. *Panem et circenses*, brood en spelen. Niemand die daar aanstoot aan kon nemen. Mij censureren was even onbenullig als de waarde van mijn werk. Ik was officieel tot cabotin verklaard.'

Opnieuw die cabotin. Die *cabotinage* beviel hem uitstekend, want hij wilde niet ondergebracht worden in rigide categorieën; het klassieke theater was de laatste plaats waar hij wilde optreden, en het woord regisseur beschouwde hij als een scheldwoord.

'Mijn theater is geen instituut,' herhaalde hij overal ter wereld, 'maar een arme kermiskraam, het enige waarachtige theater van de emoties.'

Mijn derde halte is de Siennastraat, in de schaduw van de Mariakerk. Een klein marktplein, renaissancegevels, een galerij langs de antiekzaken, elk uur de hejnał uit het torenraam tussen de puntdaken. Op een van de hoeken staat het huis waarin Kantor tijdens de laatste jaren van zijn leven een zolderappartement en een atelier betrok.

'Mijn Donker Hol' noemde Kantor deze plek, 'mijn Arme Kamer van de Verbeelding'.

Deze kamer was de bron van zijn stukken. De kamer waarin hij die situeerde, was het verlengstuk van deze Arme Kamer. Zijn hele leven was hij geobsedeerd geweest door de rekbaarheid van de ruimte. Hij herschiep de kamer tot de wereld van de kindertijd, die voorgoed was verdwenen maar op het toneel nog eenmaal kon herrijzen. In die kamer bevonden zich personages die zijn kindertijd hadden bevolkt maar intussen in oorlogen en kampen waren omgekomen. Telkens als er in Kantors Kamer een deur openging, gebeurde er iets spectaculairs: het betekende de inval van *le vent de l'histoire*. Tinnen soldaten, terugkerende schimmen uit Auschwitz, een maarschalk op het geraamte van een paard… In Kantors stukken bleef de oorlog achter het raam onophoudelijk voortduren.

Het appartement ligt er nog steeds zo bij dat je werkelijk gelooft dat Kantor slechts even de deur uit is gegaan om sigaretten te halen.

Een bureau met de onafscheidelijke objecten: een asbak, een boek, schetsen voor tekeningen, familieportretten, een walkman met cassettes vol repetitieve marsen en tango's. Aan een kapstok hangt zijn lange zwarte jas met zijn deukhoed en zijn sjaal. Op de vloer: zijn reiskoffer. Naast het hoge bed een nachtkastje met Kantors laatste lectuur: *Het leven is elders* van Milan Kundera in een Franse vertaling.

In zijn tekst *De uitdagingen van de kunst* uit 1989, een jaar voor zijn dood, beschreef hij de innerlijke strijd die hij hier leverde:

'In mijn Donker Hol – zoals ik mijn atelier noem –, in mijn Arme Kamer van de Verbeelding doe ik onophoudelijk bekentenissen. Schaamteloos. Wat een Theater!

Ik ijsbeer door mijn ruimte van de ene naar de andere muur, ik schreeuw, ik val op mijn knieën, ik sleep mezelf voort, en de vloeken, en de beschuldigingen, en de smeekbeden erna, en de tranen, en het lachen, en de trots, en de roem. Ik strek me naar het plafond en ik val, breek bijna mijn nek. Waarna de spijt, het heimwee, en dat alles op het doek, alles op het papier, op het toneel! In de wetenschap noemt men dit scheppingsproces. Mooi proces!

Na bespiegelingen, bijna gebeden, is de tijd van zonden en "vergrijpen" aangebroken, de tijd van het onweer, van de orkanen van de opstanden en de protesten, van de spotternijen, van de uitzinnige godslasteringen. De WOEDE. En na het heimwee en de dromen die nooit doven, is het de beurt aan de WANHOOP en de UITDAGING AAN DE DOOD.

Laten we deze HEL verlaten en "frisse lucht" opzoeken en proberen te ordenen en te schikken, en op een meer "rechtlijnige" manier dit PORTRET te voltooien. Met de tijd en de ervaring van het LOT groeit diep in mij een soort "begeerte" naar OPSTANDIGHEID en naar PROTEST. Misschien is het een verdediging tegen een wereld waarmee ik niet uit de voeten kan. De Geest van de ketterij en van de Woede, afkomstig uit het Oude Testament, en onmiddellijk erna, om niet te verzinken in een vervelende orthodoxie, de TEDERHEID en de LIEFDE. En ten slotte de LACH, erfenis van de DADAÏSTEN en van onze Witkacy. Het schijnt me toe dat ik in deze korte opeenvolging van woorden die weinig "geleerd" aandoen, het kenmerk van mijn handelwijze besloten heb. Maar men moet werkelijk die WOEDE in zich dragen, men moet weten hoe zich WOEDEND TE MAKEN, IN OPSTAND TE KOMEN en daarna TE BEMINNEN en ten slotte TE LACHEN, maar op zo'n manier dat de Lach vervuld is van TRANEN.'

De tekeningen in het atelier vormen variaties op één thema: een zesjarig kind zweeft hoog boven een huis, soms wordt het zweven vallen. *Vervloekt, ik val!* staat eronder. Een variatie op Icarus. De onmogelijke terugkeer naar de kindertijd. Het heimwee, de onmacht, de woede, de tranen, maar op zo'n manier getekend dat het tegelijk ontwapenend eenvoudig en soms zelfs humoristisch is.

In een hoek twee grote doeken. Op het ene stapt een man uit de schilderijlijst. Het opschrift luidt: *Ik wil hier weg.* Op het tweede schilderij ligt dezelfde man met gevouwen handen en gesloten ogen op een tafel: *Hieruit kan ik nooit meer ontsnappen.*

Kantors verbeelding had ongetwijfeld een macabere kant. Het laatste stuk dat hij voltooide heette *Nooit kom ik hier terug!* Ik zag het in Parijs, Milaan en New York. Op de gevel van de theaters prijkte de titel met koeienletters. Ironisch genoeg heeft Kantor woord gehouden. Zijn allerlaatste stuk, *Vandaag is mijn verjaardag*, is nog wel op wereldtournee gegaan, maar in het midden van het toneel stond een lege klapstoel. Een maand voor de première was de meester overleden.

Als ik veertien jaar na zijn dood terugkijk op Kantors werk en leven en hem een plaats probeer te geven in het nieuwe Polen en het nieuwe Europa, zie ik in hem een renaissancefiguur, die naar de twintigste eeuw werd gekatapulteerd. Hij was een genie dat achter en voorbij de dingen kon kijken. Iemand die nooit genoeg had aan het hier en nu, maar bliksemsnel reuzensprongen kon maken in de geest en in de geschiedenis, zoals de renaissancisten. Ironisch genoeg kwam hij vanuit de Renaissance in de twee meest afschuwelijke en vernederende onder de moderne dictaturen terecht: het fascisme en het communisme. Hij was dus voorbestemd om tegen muren op te lopen. Als renaissancegeest wilde hij het over zijn geliefde Europa hebben, over het continent waar jodendom, christendom en scepticisme in vrede naast elkaar leefden, zoals nergens anders ter wereld, over het continent dat juist door zijn waanzinnige verscheidenheid zo uniek was. De droom die hij koesterde kon hij uitsluitend realiseren door met zijn blote hoofd die muren te lijf te gaan: de muur om de joodse getto's, de muur in Berlijn, de muur van onbegrip en provincialisme. Hij verafschuwde elke vorm van begrenzing, die zowel de kunst als – wat hij noemde – *het kleine individuele leven* in haar greep hield. Merkwaardig genoeg deed hij dit niet in grootschalige spektakels over de geschiedenis van Europa. Dat deden volgens hem de traditionele kunstenaars, die uit louter nationalistisch of patriottistisch belang handelden en daardoor alleen maar nieuwe muren optrokken. Je kon het pas echt over de betekenis van dat logge, verscheiden Europa hebben – vond Kantor – door je blik te richten op het allerkleinste. Daarom maakte hij stukken, op een bepaald moment zelfs letterlijk, over zijn geboortedorp Wielopole. Doordat het een van de plaatsen in het vooroorlogse Polen was waar de katholieke en de joodse gemeenschap probleemloos naast elkaar leefden, zelfs zonder hun eigenheid op te geven, zonder zogenaamde wederzijdse integratie, werd het zijn metafoor van een gedroomd Europa.

Zo zijn er twee plaatsen waar Kantor intensiever leeft dan waar ook ter wereld: in Wielopole heeft hij als kind zijn eerste indrukken opgedaan, en in Hucisko heeft hij in de jaren tachtig zijn droomhuis gebouwd. Naar het Wielopole van zijn kindertijd kon hij nooit meer terug, omdat het voorgoed tot het verleden behoorde, en in Hucisko heeft hij nooit kunnen wonen, omdat hij stierf toen zijn huis klaar was.

De beide dorpen symboliseren Kantors dromen, het eerste een verloren droom, het tweede een onvoltooide. Zijn hele werk en leven stonden in het teken van het verlangen naar die plaatsen, van nostalgie naar het onmogelijke.

Ik bestudeer de kaart en plan de volgende etappe van mijn zoektocht. Terwijl ik een laatste keer door Kraków loop, merk ik dat de drie kunstenaars die ik hier heb ontmoet een gemeenschappelijke droom bezitten: de hunkering naar het land van de kindertijd, of poëtisch gezegd: naar het landschap van de jeugd. Szymborska heeft in haar werk de kinderlijke verwondering tot hoogste goed verheven, Miłosz putte zijn inspiratie een leven lang uit de melancholie om het verloren paradijs, en Kantor koesterde zijn heimwee naar het onmogelijke. Zo hebben ze elk op hun eigen manier vormgegeven aan eenzelfde soort droom.

HOOFDSTUK DRIE

Warschau

En brandend vraag je
of as slechts blijft
of stof, die door de wind vergaat?
Of op de bodem van de as
een fonkelende diamant opdoemt?

Kamil Cyprian Norwid

De lieflijkste kers op een zure taart

Als Lisa belt, weet ik dat het tijd is om naar Warschau te gaan. Ze is niet jong meer en evenmin rijk, al wil ze dat zelf niet geloven, maar ze is de beste informante die ik ken. Als ze belt, staat er iets te gebeuren.

Op naar Warschau, zoals ik het blijf noemen, maar *Warszawa* klinkt sonoorder. De Duitse versie van het woord echoot lang in de hal van de twintigste-eeuwse geschiedenis. Het herinnert aan het Pact, het zogenaamde *Warschaupact*. Dat pact had iets faustiaans: de Sovjet-Unie had Polen in 1955 beloond voor bewezen diensten door haar militair bondgenootschap, dat tijdens de Koude Oorlog de tegenhanger vormde van de NAVO, naar Warschau te vernoemen. Warschau was voor de westerse wereld, van Washington tot West-Berlijn, decennialang hét synoniem van dreiging. Hoewel Moskou de touwtjes in werkelijkheid natuurlijk stevig in handen had, stond de symbolische troon van Mefistofeles in Warschau.

De commandopost is nog steeds in gebruik, maar de geschiedenis heeft de kaarten grondig geschud. In de afgelopen jaren rees zelfs het idee om het hoofdkwartier van de NAVO naar Warschau te verhuizen, voor het geval Brussel zich ondankbaar gedroeg tegenover Washington. Ironie van de geschiedenis. Vijftien jaar geleden, tijdens mijn eerste bezoeken aan dit land, zou je voor zo'n uitspraak ontoerekeningsvatbaar zijn verklaard.

De trein stopt in het Centraal Station, midden in het eeuwige spitsverkeer, in een doolhof van bazaars tussen glazen wolkenkrabbers. Tijdens de Koude Oorlog had je bij het verlaten van de trein het gevoel ergens in Siberië te zijn aanbeland. Nu zijn er New Yorkse lichtreclames, Amsterdamse seksshops, Japanse elektronicabedrijven, Duitse banken en Zweedse hotels. Je kunt er hamburgers eten, shoppen in de supermarkt en naar de bioscoop gaan, zoals iedere westerse burger.

Ik loop naar de oude stad, hoewel niks er oud is. Warschau is een imitatiestad, de metropool met een hart van klatergoud.

Elke Poolse scholier kent de geschiedenis uit zijn hoofd. Warschau is sinds 1596 de derde hoofdstad van Polen. Drie jaar eerder was in Zuidoost-Polen de Unie van Lublin ondertekend, waardoor Polen en Litouwen een politieke eenheid vormden. Die eenheid bestond in feite al meer dan twee eeuwen, sinds het huwelijk van de kindkoningin Jadwiga met vorst Jagiełło.

De stijl van Warschau vormt een weerspiegeling van de reusachtige lappendeken die deze unie betekende. In de geest van de Renaissance liet koning Zygmund III Italiaanse architecten overkomen voor de bouw van zijn paleizen, waaronder *Łazienka*, de Badkamer, dat zo heet omdat het als een soort badkuip op een meertje drijft. Uit Nederland kwam Tilman van Gameren, een leerling van Jacob van Campen, de architect van het Koninklijk Paleis op de Dam, om in dienst te treden van de Poolse koning.

Tot het eind van de achttiende eeuw wist Warschau deze machtspositie te handhaven. Maar onder de laatste koning, Poniatowski, werd Polen in drie fasen opgesplitst. De drie buurstaten, Rusland, Pruisen en Oostenrijk-Hongarije, zouden het land annexeren en er de baas zijn gedurende meer dan een eeuw, hoewel er voortdurend opstanden waren, die vaak bloedig eindigden. Overal in

Warschau turen bronzen koppen van negentiende-eeuwse veldheren in het onbestemde om de herinnering aan deze periode levendig te houden.

Na de Eerste Wereldoorlog verscheen Polen opnieuw op de kaart, dankzij de maarschalk met de borstelsnor, Józef Piłsudski, die een gigantisch standbeeld kreeg op de Warschause koningsroute, vlak bij de huidige regeringsgebouwen. Ook het plein aan de achterkant van de opera kreeg zijn naam. Piłsudski was een officier die in het Oostenrijkse deel van Polen had gediend. Toen de bezetters van Polen verzwakt uit de Eerste Wereldoorlog kwamen, greep Piłsudski zijn kans en zette Polen opnieuw op de Europese kaart.

Dat nieuwe Polen van 1918, de zogenaamde *Tweede Republiek*, wordt door de Polen vaak geïdealiseerd, maar in werkelijkheid was het een misbaksel. Er waren vier soorten constituties, zes munteenheden, drie spoorwegnetten en drie belastingsystemen. In de eerste tien jaar, van 1918 tot 1928, traden niet minder dan zesentwintig regeringen aan en werd één president vermoord.

Tijdens de Tweede Wereldoorlog werd Warschau volledig in de as gelegd. Twee keer hebben de bewoners een georganiseerde strijd aangebonden met de Duitse bezetter.

Op 19 april 1943 brak er een opstand uit in het joodse getto, die bloedig werd neergeslagen. In de film *The Pianist* van Roman Polanski is de miraculeuze ontsnapping van Władysław Szpilman uit het brandende getto te zien.

Een jaar later, op 1 augustus 1944, nam het Binnenlands Leger het op tegen de Duitsers. De strijd is de geschiedenis ingegaan als de Opstand van Warschau. Het Russische persbureau Tass sprak van 'een politiek avontuur'. De Opstand duurde drieënzestig dagen en kostte het leven aan 17.000 soldaten en 250.000 burgers. Stalins troepen wachtten op de linkeroever van de Wisła tot de Duitsers de opstand hadden onderdrukt, en trokken toen de stad binnen, waar ze vijfenveertig jaar zouden blijven. De Opstand van Warschau is onder meer verfilmd door Wajda in *Kanał*, 'Het riool'.

Na de oorlog hebben de overlevenden de stad heropgebouwd met stenen van Silezische kastelen. Tegenwoordig zit er in elk huis van de oude stad een souvenirhandel, een café of een restaurant met nouvelle cuisine. Paardenkoetsen sjokken door de overvolle steegjes. Het heeft iets onwerkelijks, er hangt een kunstmatige schoonheid, een vorm van folklore. Je kunt er verblijven, maar niet blijven. De meeste oorspronkelijke bewoners zijn inmiddels weggevlucht en de huizen zijn hun oppervlakte in goud waard.

De postcommunistische leiders van Polen, die zich gedragen als neoliberalen met een adoratie voor Amerika en die tot over hun oren in allerlei affaires zitten, staan op de boeg van het gammele schip en trachten de scherpste klippen te omzeilen. De werkloosheid bedraagt twintig procent. Sommigen knopen de eindjes aan elkaar door op verschillende plaatsen te klussen. Op straat zie ik het aantal bedelaars hand over hand toenemen. Er zijn er bijna evenveel als in Brussel of Amsterdam. Achter de kiosken verzamelen de plaatselijke dronkaards zich om er op hun manier de wereld te verbeteren. Af en toe raakt een van hen in een delirium, midden op een drukke allee. Smerissen plukken hen van tijd tot tijd van de straat.

Tegelijk zijn er in deze metropool genoeg zakenlui die de huik naar de wind hebben gehangen en de zoete broodjes aan hun kinderen doorgeven. Vaak gaat het om vroegere nomenklatoeraleden die de sovjetfabrieken hebben opgekocht om ze langzaam te laten doodbloeden en de orders door te sluizen naar privé-bedrijfjes en joint ventures, waar zij zelf weer de scepter zwaaien. Anderen hebben hun oude handeltje uitgebouwd tot kapitalistische modelonderneming. Zij zijn de gelukzakken.

Op de universiteit van Warschau ontmoet ik twintigers, meisjes en jongens in wolkjes coco chanel en paco rabanne, kinderen van gelukzakken, die fanatiek eurocratisch denken en hun opinie zelfbewust te kennen geven in vijf, zes talen. Om hun hals bungelt een zilveren kruisje. Zij zijn niet bang voor de spoken uit het verleden, noch voor de papieren tijger die Brussel heet. Zij spreken over economie als over het recept voor rodebietensoep en popelen om in de Europese instellingen hun opwachting te maken, met een doortastendheid die spreekwoordelijk Pools is.

'Een nieuwe Poolse les is begonnen,' schreef Ryszard Kapuściński in *Lapidarium*. 'Het thema van de les: de democratie. Een moeilijke les, het is hard werken, onder een streng toeziend oog dat spieken uitsluit. Daarom komen er ook onvoldoendes. Maar de bel heeft geluid en we zitten allemaal in de bank.'

Het zal Lisa worst wezen.

'Het leven is elders,' zegt ze cynisch als ik vraag hoe het haar in het leven vergaat.

Zo ken ik haar. Meteen in de roos. We rijden de noordelijke wijk Praga binnen. Haar man, een zwijgzame jood, stuurt. Lisa bungelt onder aan een tak van een aristocratische familie en organiseert als een eenentwintigste-eeuwse Madame de Staël artistieke salons in haar Jugendstilhuis op de rechteroever van de Wisła.

Karolina D. is ook van de partij. Zij is een stuk jonger maar houdt niet van tutoyeren, wellicht omdat ze als knappe *Warszawianka* bij veertig miljoen Polen bekendstaat als televisiepresentatrice en via de satelliet tot in Chicago te bewonderen is. Ik spreek haar op hoofse afstand aan met *Pani*, mevrouw.

Lisa luistert hoofdschuddend naar het relaas van mijn zoektocht naar de Poolse cultuur. Na een hoogoplopend onderonsje met Pani Presentatrice raadt ze me aan om met Poolse emigranten in Brussel, Parijs en Berlijn te gaan praten, maar niet met de Polen in Polen! *Zij* zullen me immers beter kunnen zeggen hoe de Poolse cultuur ervoor staat dan alle idioten in dit klereland. Hoe kun je hier nou iets vinden wat niet bestaat. Lisa is niet bepaald mild voor haar landgenoten.

'Natuurlijk zijn er wel enkelen gebleven,' geeft ze schamper toe als we de ruime huiskamer binnenstappen, 'maar ze zitten veilig in hun schulp en komen maar zelden buiten. Al wie aan de weg heeft getimmerd in Polen heeft trouwens ooit zijn kont op een van mijn fauteuils neergevlijd.'

Onze konten vlijen we neer in de keuken, waar een knaap, Lisa's zoon naar ik vermoed, die de zwijgzaamheid van zijn vader heeft geërfd, een omelet aan het bakken is.

Lisa vraagt wat ik wil drinken. Ik zeg koffie, maar ze opent een fles dure wijn. Haar huis is onovertroffen, een negentiende-eeuwse salon vol schilderijen, in kalfsleer gebonden boeken en muziekinstrumenten uit de Renaissance. De keuken staat vol Zweedse meubelen. De wijn die ze schenkt, is gerijpt in Spaans Galicië.

'Onder het communisme,' geeft ze me in een van haar theatrale monologen te kennen, 'had je het verschijnsel van de *binnenlandse emigratie*, ken je dat?'

Voor ik kan antwoorden ratelt ze al verder.

'De binnenlandse emigranten waren dwarsliggers die om een of andere reden niet naar het buitenland vertrokken, maar zó'n subversieve reputatie hadden bij de politieke politie dat ze als banneling in een geestelijke enclave binnen hun eigen land moesten leven. Dat wil zeggen: moesten zien te overleven.'

Ze zet een bord met gebakjes voor me neer en vult de glazen gul bij. Pani D. eet van één bord met de knaap.

'Geen tijd gehad voor een ontbijt,' grinnikt ze met volle mond en tikt op haar horloge. Het is al over drieën.

'Die binnenlandse emigranten heb je nu nog steeds,' vervolgt Lisa, 'het zijn mensen die in het diepst van hun ziel hopen dat er iets verandert in dit luizenland, dat wil zeggen ten goede verandert, maar wie door de rotmedia de bek wordt gesnoerd.'

'Nou,' protesteert Pani D., die de eer van haar medium wil redden, maar ze verslikt zich in een hap brood.

'Zo is het godverdomme toch,' dreint Lisa, 'dat weet jij beter dan wie ook. Want wat krijgen we te zien op die vuilnisbak van een televisie?'

'Gisteren was er een stuk van Witold Gombrowicz,' probeer ik, 'in een degelijke regie van Jarocki.'

'Ach, Gombrowicz... Geen kwaad woord over Gombrowicz, waag het niet! Maar dat is toch een uitzondering op de regel. Over het algemeen zie je op die bak alleen maar schijterige dingen.' Ze telt ze op haar vingers. 'Eén seks, twee geweld, drie reclame.'

'Generaliseren we niet een beetje?' zegt Pani D.

'Nee,' riposteert Lisa kordaat, 'zo is het. Al die miserabele intellectuelen die het ware geweten van Polen vormen, niet het paapse Vaticaanse, weet je wel, maar het wáre, die zie je toch niet op die klotebuis?'

'En mijn programma dan?' werpt Pani D. tegen. Ze ontvangt enkele keren per maand belangrijke gasten in de studio.

'Ach, mijn liefje,' fleemt Lisa. Ze veert op van haar stoel, waarbij ze een wijnglas omstoot, valt de presentatrice om de hals en drukt een kus op haar lippen. 'Jij doet zo verschrikkelijk je best dat je een voorbeeld voor de natie bent, maar ben jij dan ook niet de lieflijkste kers op een zure taart?'

'Ik permitteer het me je ongelijk te geven,' meesmuilt de presentatrice, 'maar aan de andere kant is er wel een gevaar dat het commerciële...'

'Nou, zie je wat ik bedoel?' roept Lisa uit en ze ploft weer neer op haar Zweedse kruk.

Haar man, die wat weggedrukt zit tussen de ijskast en de vensterbank, mompelt dat ze zich niet zo op moet winden.

'Als je alles bij elkaar optelt,' vervolgt Lisa onverstoorbaar, 'als je ziet hoe de lawine van het kapitalisme ons overspoelt, en ze hadden het ons voorspeld, ze hadden het ons goddomme uitvoerig voorspeld –, dan zou je nog gaan geloven dat het onder het communisme beter was...'

Iedereen in de keuken, behalve de knaap voor wie het communisme prehistorie is, barst in een schaterlach uit.

Als ze uitgelachen is, neemt Lisa een gulzige slok en sist: 'Er zit een flinter waarheid in wat ik zeg, ik gedraag me als een Lady Godiva, maar ik weet waar ik het over heb. Onder het communisme was de wereld duidelijk: je was ervoor, en dan was je een driedubbele klootzak die onder zijn nagels het bloed van zijn eigen grootouders had, of je was ertegen, en dan was je een vogelvrijverklaarde, een Don Quichot, een wijze dwaas, die altijd een tandenborstel in zijn zak had voor het geval het blauwe busje van de *milicja* je van de straat kwam plukken. *Is het zover? Breekt dan nu het moment aan dat jullie me komen halen?* Kafka, weet je wel, zulke toestanden, gebons op de deur, lakschoenen op de mat, meneer, mevrouw, wij hebben heden order gekregen u mee te nemen voor uitgebreid verhoor, want u hebt zich schuldig gemaakt aan staatsgevaarlijke ondernemingen!'

Ze steekt een dunne sigaret op, inhaleert diep en vervolgt: 'Terwijl je in werkelijkheid alleen maar eens tegen een collega op het werk had gezegd dat minister huppeldepup een zeikerd was, of terwijl je alleen maar illegale kopietjes maakte van, nou, neem nou Gombrowicz... Dat was al genoeg. Een duidelijke wereld, aan de ene kant dit en aan de andere kant dat. Of-Of. Links of Rechts. Zwart of Wit. God of Duivel. Kut of Kloot.'

'Toen kwamen de intellectuelen toch ook niet op de televisie?' werpt Pani D. op terwijl ze een sigaret uit Lisa's pakje steelt en haar mantelpakje rechttrekt.

'Om de liefde Gods, nee, geen sprake van. Maar ze genoten algemeen respect, de mensen luisterden naar hen, en als ze voor enkele jaren achter de tralies verdwenen, of als hun naaste bloedverwanten uitgeschakeld werden, want ze pakten niet altijd de dissident aan maar vaak zijn geliefden, dat was mogelijk nog erger – nou, dan *wist* iedereen dat, er werd over gepraat in de rijen voor de lege winkels, in de sardineblikjes waar de bussen toen op leken, én op de talrijke ondergrondse bijeenkomsten. Dat, mijn beste schrijver,' ze wijst met de punt van haar sigaret in mijn richting, 'heb ik met mijn eigen ogen gezien.'

Ze hoeft me niet te overtuigen, ik heb het ook gezien. In Kraków, eind jaren tachtig. Ik logeerde bij een echtpaar met twee kinderen in een buitenwijk van de stad, in een van de lagere blokken. De man leerde me de poëtica van Kamil Cyprian Norwid kennen, een van de grote negentiende-eeuwse dichters, over wie hij een doctoraalscriptie schreef. Tijdens een van onze nachtelijke drinkgelagen, waarbij zware filosofie werd bedreven, legde de man opeens zijn hand op mijn schouder en fluisterde paniekerig: 'We moeten onze stemmen dempen, want hierboven woont een smeris.'

We dempten onze stemmen niet, we hebben geluk gehad. Het gevreesde scenario was: hij achter de tralies en ik op het vliegtuig richting kapitalistisch paradijs. Eenrichtingsverkeer. Een duidelijke wereld.

Datzelfde echtpaar nam me mee naar een literaire meeting, *Na głos*, 'Hardop', ergens in een kelder in de buurt van de Wawel. Dergelijke bijeenkomsten waren begonnen op 14 december 1983, twee jaar na de staat van beleg, met Wisława Szymborska die er een controversieel gedicht over pornografie voorlas. *Na głos* is later ook een onregelmatig verschijnend tijdschrift geworden. Een van de dichters die tijdens mijn bezoek zou optreden, ik herinner me niet meer wie, ongetwijfeld een binnenlandse emigrant met een tandenborstel in zijn zak, ontbrak op het appèl, omdat hij daags tevoren in een geblindeerde limousine naar het bureau van de staatsveiligheid was gebracht, naar agenten die getraind waren in het breken van dingen: vingers, carrières, gezinnen.

Lisa's opgewonden monoloog duurt nog een hele poos, tot Pani D. begint te geeuwen, de wijn op is en de hond, die tot dan toe op de radiator lag te pitten, aan zijn lege etensbak begint te likken.

Ik bedank voor de gastvrije ontvangst. Ik wil de stad in. Pani D. trekt haar mantelpakje recht en verdwijnt in een onbestemde richting. Lisa's echtgenoot heeft nog zaken te regelen, Lisa zelf drentelt rond op haar Italiaanse laarsjes. Enkele minuten later zitten we gedrieën in de auto richting centrum.

'Waar moet je precies heen?' vraagt de man.

Lisa, onvermoeibaar, valt ons in de rede. 'Maar kijk nou eens,' roept ze uit met een theatrale geste, 'daar heb je het mooiste bouwwerk van de hele stad!'

Voor ons doemt het Cultuurpaleis op, een toren in Stalin-gotiek, gebouwd in de jaren vijftig. In elke satellietstaat van de Sovjet-Unie prijkt zo'n Moskous cadeau. Onder het communisme symboliseerde het de broederschap onder de volkeren. Moskou heeft er zeven. In het Warschause exemplaar zijn bioscopen, congreszalen, theaters en de Academie van Wetenschappen ondergebracht. In de volksmond heet dit gebouw de Suikertaart. Er gaat een mop: wat is de mooiste plek van Warschau? Antwoord: de top van de Suikertaart, want daar kun je de Suikertaart niet zien.

'Weet je,' vertrouwt Lisa me toe, 'dat we dit vroeger de pik van Stalin noemden?'

Ook een mooie.

'En weet je hoe sommigen het nu willen noemen?'

'Elżbieta,' sust Lisa's man terwijl hij over de Warschause boulevards scheurt, 'dat moet je die meneer toch niet allemaal wijsmaken.'

'De pik van Johannes Paulus II!'

Ze buldert van het lachen, verslikt zich, steekt een sigaret op, schiet opnieuw in de lach. Ook haar man zit achter zijn stuur te schokschouderen.

Met handkussen en omhelzingen en beloften verlaat ik de auto. Ik haal diep adem, een beetje opgelucht na die urenlange tirade, en snuif de rokerige lucht van Warschau aan de vooravond van de winter op.

Tot de ochtend schuiven in mijn hoofd beelden van taarten over elkaar heen: de suikertaart als fallus, een zure paus, zure smerissen, kut of kloot, de kers van Pani D., roodgloeiend als het topje van een lipstick.

De toren van Kafka

Vanmiddag is tegenover de kerk waar Frédéric Chopins hart wordt bewaard, op het plein met het standbeeld van kardinaal Wyszyński, een groep zestigers neergestreken. Ze ontvouwen een spandoek: *Als er geen plaats is voor God in de EU, is er in de EU geen plaats voor de Polen.*

Op de vlaggetjes staat te lezen dat ze gestuurd zijn door Radio Maryja, een fundamentalistisch-katholieke omroep, en de Liga van Poolse families. Een man met een hoge deukhoed timmert een boekenkraam. Op een dekentje liggen de waren klaar: zakbijbels, portretten van de paus en moeder Teresa, hebbedingetjes voor kinderen. Mijn oog valt op een affiche waarop Hitler zegt: *Ik ben ook Europeeër!*

Aan de voeten van het kardinaalsbeeld staat een vrouw met een gebloemde sjaal te oreren in een megafoon. De woorden *fascistisch* en *communistisch* vallen vaak, en ze zijn voor de gelegenheid synoniem. De Europese Unie is een *Trojaans paard*, dat de zedenverwildering zal meebrengen. Kijk maar naar de permissieve landen aan de Noordzee: abortusboten, gelegaliseerde euthanasie, getrouwde homo's en lesbiennes met kinderen, voor- en buitenechtelijke seks, aids, pedofilie, blind winstbejag en lege kerken.

Foto's aan wasknijpers: een baby die stap voor stap uiteenvalt, een jonge kwieke paus die de Poolse aarde kust, stoeten van novicen, extatische pelgrims, de Zwarte Madonna van Częstochowa. Uit een luidsprekertje galmt een symfonische smartlap. Een groepje voetbalsupporters, geschminkt als clowns, loopt grijnzend langs het plein. Ze blijven staan bij een sticker die zegt: *Radio Maryja is het juweel van de Poolse media.*

Ik loop in de richting van het Saksisch park. Bij de ingang van de metro zitten bedelende vrouwen. Hippies hangen tegen de balustrade. Een roodharig meisje zingt een lied over een verliefde Jimmy, maar ze zegt *Dzjiemie*. Achter het chicste hotel van het land, waar een doorsnee-Pool voor een paar nachten een heel maandloon dient neer te tellen, marcheert een fanfare in marineblauwe uniformen met witte laarsjes naar het graf van de Onbekende Soldaat. Uit een pitabar slaat de geur van aangebakken knoflook naar buiten. In de schoonheidssalon ernaast legt een legendarische Poolse schone haar witte handen op een mahoniehouten blad. Op een reclamezuil naast de gevel prijkt een affiche van de grootste krant, *De Verkiezingskrant*: 'Ons is niet alles om het even.'

Op het zuidelijke traject van de koningsroute verzamelen zich politiebusjes. Ik hoor dat er morgen duizenden manifestanten uit alle hoeken van het land, uit de door werkloosheid verwoeste gewesten, voor het gebouw van de ministerraad komen demonstreren. Zij zullen ongetwijfeld poppen van het gewraakte regeringshoofd, premier Miller, bij zich hebben, die ze ritueel zullen verbranden. Waterkanonnen, nog van sovjetmakelij, rijden voor. Niemand kijkt ervan op, het is dagelijkse kost in Warschau.

Na een halfuur lopen kom ik op het plein voor het Cultuurpaleis, de zogezegde fallus van Stalin of Wojtyła. Verzekeringsbedrijven, hotelketens en luchtvaartkantoren doen hun best om de piek letterlijk naar de kroon te steken. Wie wil de grootste hebben? Ooit zal er iemand op het idee komen om hier ergens een kerk neer te zetten die weer boven alle andere Warschause wolkenkrabbers uitsteekt.

De anticommunistische vakbond Solidariteit was in de jaren tachtig een vreedzame beweging, maar ik kan me voorstellen dat veel opposanten droomden van een lading dynamiet onder het Cultuurpaleis. Het is bij dromen gebleven, het paleis staat er nog steeds, meer nog: het is opgeknapt en in de top prijkt een reusachtig wit uurwerk. De ironie van de geschiedenis wil zelfs dat er in de schaduw van dit gebouw nu kramen staan die bronzen beeldjes van Lenin en Stalin slijten, of T-shirts met communistische emblemen. Dit soort gadgets is een rage bij de jongeren. Het zal je maar overkomen dat je vader is doodgepest door de politieke politie en dat je zoon een pet met hamer-en-sikkel of CCCP, de Russische versie van USSR, draagt.

De toren van Kafka. Nog een andere naam voor het Cultuurpaleis, omdat het symbool stond voor de surreële sovjetbureaucratie, zoals Franz Kafka die avant la lettre beschreef in *Het proces*.

Er wordt net een internationale handelsbeurs gehouden. Veeltalige dames en heren in maatpak banjeren in de toegangshal. Ik veins een Amerikaans accent bij de portier, die me met een gulle zwaai doorgang verschaft, en loop vervolgens ongehinderd een van de tientallen marmeren zijgangen in. In de communistische tijd heerste hier een dodelijke stilte, die slechts af en toe verbroken werd door het geklikklak van een langs stuivende bureaucrate. Ik herinner me dat er een piepklein buffet was, in een hoek achter een zuil, waar je appeltaart en drabbige koffie kon krijgen. Vandaag, anderhalf decennium later, vloeit de champagne rijkelijk. Hostesses in minirok dragen cognac en *zakuski*, borrelhapjes, rond. Er is geen twijfel mogelijk, hier worden gouden zaken gedaan.

De enige officiële weg om het paleis te bezichtigen loopt via de hoofdlift, de slagader van het gebouw, waar een norse dame je opwacht om je naar de dertigste verdieping te leiden. Daar kun je op een stenen balkon van het gezicht op de metropool genieten. Zo gaat het al decennia. Andere wegen zijn niet toegestaan, en over onderweg uitstappen valt niet te marchanderen.

Mijn vreugde kan niet op wanneer ik in de vestiaire mijn rugzak heb afgeleverd en in een van de talrijke spiegels een onbewaakte lift-deur bespeur. Lippen stiften of nagel vijlen, ik weet niet waarmee de vestiairevrouw de tijd doodt, in elk geval merkt ze niet hoe ik achter een spiegelzuil wegglip en in de verboden lift verdwijn.

Daar sta ik dan, in een marmeren kooi tussen drie matte spiegels die zich de gezichten van honderden ambtenaren herinneren, die hier jarenlang de koker van de bureaucratie in suisden. Ik heb dertig knoppen binnen handbereik. Mijn vinger glijdt over de fraaie cijfers in art-decostijl. Vijf, zeventien, eenentwintig... Als een kind druk ik de knopjes in.

Elke verdieping blijkt anders te zijn. Ik zie kantoren achter met leer beslagen deuren, televisiestudio's achter rookglas, banketzalen achter klapdeuren, piepkleine kamertjes, desolate hallen, hokjes met lessenaars, lege bars, etages vol eendere cellen – kortom de hele wereld van de nomenklatoera, een heus zenuwcentrum, een wereld op zich, waarin je decennialang zou kunnen verdwijnen zonder dat iemand je terugvindt.

Men zou hier een multimediaal Museum van de Bureaucratie kunnen onderbrengen, van welke gezindheid dan ook, fascistisch, communistisch, kapitalistisch, wat-dan-ook-istisch – per slot van rekening lijken ze allemaal op elkaar.

Het liedje duurt niet lang. Als ik op de negenentwintigste verdieping, de op een na hoogste, uit de lift stap, hoor ik opeens een verschrikte, hese vrouwenstem uit de belendende liftkooi: 'En waar gaan we naartoe, meneer?'

Ze heeft een donzig snorretje en leest een roddelblad, *Nie*, 'Nee', een half satirisch, half pornografisch tijdschrift dat wordt uitgegeven door Jerzy Urban, in de jaren tachtig de woordvoerder van de communistische regering, toen een van de meest gehate bureaucratissimi, nu een magnaat.

'Mevrouw,' fleem ik, 'wat ben ik blij u te zien, ik ben verdwaald in dit afschuwelijke labyrint. Kunt u me de weg wijzen?'

Ze kijkt me aan met een mengeling van minachting en medelijden. Als ze kon, zou ze mijn adem ruiken en ik zou wit van schaamte toegeven dat ik bij het middagmaal twee wijntjes heb gedronken.

We suizen naar beneden. De liften in het Cultuurpaleis kunnen rivaliseren met die in het vernielde World Trade Center in Manhattan. In enkele seconden schiet je door de ruimte. Mijn oren knisperen.

'De verordeningen zijn als volgt,' instrueert de dame met de donzige snor, 'eerst haalt u een ticket op bij de kassa en vervolgens wordt u onder mijn deskundige leiding naar het platform op de dertigste verdieping gebracht.'

Hebben alle torenbewaaksters een snor? vraag ik me af.

'Ik dank u,' grijns ik en ik haal mijn portefeuille tevoorschijn, want daar draait alles om. 'U bent alleraardigst.'

Honderd meter boven de begane grond, in een rokerige tocht, ga ik op een koud stenen bankje zitten staren naar de blokkenwijken. Ik zit op de eikel van Stalin. Als Lisa, haar zwijgzame echtgenoot en Pani Presentatrice het wisten, zouden ze het uitschateren.

Onder mij gonst de toren van Kafka.

Koning Nietsnut van Nergensland

Lisa heeft me niet zomaar naar Warschau ontboden. In een verzegeld envelopje laat ze me een kaartje voor de opera bezorgen, waar op 1 oktober 2003, precies zeven maanden voor de toetreding tot de Europese Unie, een historische première plaatsvindt: *Ubu Rex*. Ik was mijn witte overhemd, poets mijn schoenen tot ik er mijn neus in weerspiegeld zie en trek de stad in.

Zaterdagavond. In de verte is het Cultuurpaleis in een blauwroze nevel gehuld. Bij het graf van de Onbekende Soldaat en de eeuwige vlam op het Overwinningsplein wordt de wacht afgelost.

Ik ben nog wat vroeg voor de opera en ga cappuccino drinken in de gelagkamer van Hotel Europejski, dat voor mij een bijzondere betekenis heeft omdat ik er lang geleden mijn eerste Poolse nacht heb doorgebracht. Veel slapen was er niet bij, want elke man die het hotel betrad werd door de portier meteen gemeld bij een niet te lokaliseren bureau voor escortgirls, die vervolgens op jacht gingen in de bar of de kamertelefoons bestookten met hun uitzonderlijke diensten. In elke sovjetstad fungeerden hotels als verdoken bordelen. Het enige middel om behoorlijk te slapen was de hoorn van de haak nemen en de deur op slot doen.

Als voorbereiding op *Ubu* duik ik de geschiedenis in, meer bepaald de tijd toen Polen synoniem was met Nergens.

Polen is na de Middeleeuwen uitgegroeid tot de grootste natie van het continent – alleen Rusland was groter –, maar het heeft zijn plaats wel zelf moeten opeisen. Dat het land in 1795 bezet werd door de buurstaten, bewijst dat die strijd om het bestaan uiteindelijk toch mislukt is. Een centraal gezag was er nooit echt geweest. Overal groepeerden families zich tot clans, die erop toezagen dat ze net iets machtiger waren dan andere. Na de dynastie van de Jagiełłonen werd het systeem van de gekozen koningen ingevoerd. In dat systeem was de vorst een marionet, die zelfs niet kon meebeslissen over zijn opvolging. Doorgaans koos men als koning een politiek onbeduidend figuur of een buitenlander die de Poolse situatie nauwelijks kende. Alle cruciale beslissingen namen de clans, of het nu over oorlog of over het tolstelsel ging. Op die manier dolven de clans langzaam maar zeker hun eigen graf. Soms was het voor een buitenlandse onbenul makkelijker om koning van Polen te worden dan voor een fatsoenlijke Poolse patriot. De verkiezingsbijeenkomsten liepen vaak ook uit op enorme slemppartijen. De glazen waaruit men dronk waren *kuławki*, bekers die in een teug moesten worden geleegd en die alleen maar ondersteboven konden worden neergezet.

Henri III de Valois was zo'n onbenul. Als derde zoon van Catarina de' Medici werd hij door het Franse vorstenhuis ingezet om de protestanten uit de katholieke wereld te helpen. Zijn moeder leerde hem hoe dat moest: in de nacht van 23 op 24 augustus 1572 werden in heel Frankrijk twintigduizend protestanten, die zich hugenoten noemden, in koelen bloede afgeslacht. De slachting is de geschiedenis ingegaan als de Sint-Bartholomeusnacht. Vervolgens werd Henri door zijn moeder en de Poolse *szlachta*, de lagere adel, op de Poolse troon afgestuurd. Zo werd hij op zijn tweeëntwintigste de eerste Poolse gekozen koning.

Dat bleef hij slechts honderdachttien dagen, tot zijn broer stierf en hij naar Frankrijk terugkeerde. Zijn Poolse titel heeft hij echter nooit opgegeven. Hij liet zich het liefst omringen door zijn zogenaamde *mignons*, een schare gewillige lieve jongens. Het volk noemde hem *de nieuwe Herodes*, zijn eigen moeder *le Roi de Rien*. Nadat hij zijn rivalen had uitgeschakeld, werd hij in 1589 door een dominicaner monnik met een dolk doodgestoken.

Behalve het probleem van de gekozen koningen was er in het toenmalige Polen nog een andere heikele kwestie: het *Liberum Veto*, een stemsysteem waarbij er een consensus nodig was van alle leden in de *Sejm*, de Poolse kamer van volksvertegenwoordigers. In dit systeem

94

was één tegenstem voldoende om een wet af te wijzen. Aan het eind van de zeventiende eeuw was het volop in zwang. De Sejm-leden behoorden tot de szlachta en werden vaak door buitenlandse fortuinzoekers omgekocht. Het Liberum Veto was in het leven geroepen om overheersing van de ene clan door de andere te voorkomen, maar het heeft de onbestuurbaarheid van het land in de hand gewerkt. Niet voor niets is een Poolse landdag een synoniem geworden van een rumoerige en verwarde vergadering.

Door de macht van de szlachta had Polen nauwelijks verharde verbindingswegen en konden de steden zich niet ontwikkelen. De adel bekommerde zich uitsluitend om zijn eigen bezittingen, terwijl het volk een erbarmelijk bestaan leidde.

Onder de Saksische koningen, August de Sterke en August III, die door Russische omkooppraktijken aan de macht waren gekomen, werd het tragische lot van Polen bezegeld. Na de dood van August III in 1763 bepaalde Catharina II, de Russische tsarina, dat haar ex-minnaar Stanisław Poniatowski koning van Polen zou worden. Zij hoopte met hem een gehoorzame pion te hebben ingezet, maar ze vergiste zich. Poniatowski wilde de erfelijke monarchie in ere herstellen en hervormingen doorvoeren die moesten leiden tot een centraal bestuurde staat. Ook het Liberum Veto moest eraan geloven.

Catharina dwong de Sejm om af te zien van de hervormingen. Er brak een burgeroorlog uit, die vier jaar duurde. De oorlog viel samen met een boerenopstand in het oosten, waarbij honderden grondbezitters het leven lieten.

In deze chaos grepen Frederik de Grote van Pruisen, tsarina Catharina en Maria Theresia van Oostenrijk de kans om hun tanden in het Poolse grondgebied te zetten. In 1772 werd een verdeling opgemaakt: de drie zwarte adelaars namen grotendeels bezit van de witte Poolse adelaar.

Na de Eerste Deling bestond Polen nog uit een groot stuk van het huidige Litouwen, Wit-Rusland en Oekraïne, en het hart van het huidige land, met als belangrijkste steden Gniezno, Kraków, Warschau en Lublin.

Toen op 3 mei 1791 (nog steeds is 3 mei een feestdag in Polen) een grondwet werd aangenomen, die het Liberum Veto afschafte en een ongekend experiment was in democratisch bestuur – het eerste van zijn soort in Europa –, was het al te laat.

In 1793 volgde de Tweede Deling, waarbij Polen nog maar een deel van het huidige Litouwen behield, en de gebieden rond Warschau en Kraków. Wit-Rusland en Oekraïne kwamen in Russische en Oostenrijkse handen; de streek rond Gniezno was toen al Pruisisch. In 1795 greep de Derde en laatste Deling plaats. Pruisisch waren nu: Danzig, Königsberg, Gnesen, Warschau en Breslau. Russisch werden: Vilnius, Minsk en Mitau. Oostenrijks: Krakau, Lublin en Lemberg.

Men heeft de ondergang van het land in deze periode vaak geweten aan de gulzigheid van zijn buren, maar het waren vooral de kortzichtigheid van de szlachta en de ondoeltreffendheid van het staatsbestel die het land in het verderf hebben gestort. Zij zorgden ervoor dat Polen letterlijk *Nergens* was geworden.

Van *Le Roi de Rien* tot *Nulle part* was maar een kleine stap.

Er heerst grote drukte in de toegangshal van het Wielki-theater, de Warschause opera. Ter gelegenheid van de zeventigste verjaardag van Krzysztof Penderecki, een van Polens muzikale coryfeeën, wordt zijn *Ubu Rex* opgevoerd, de operaversie van Alfred Jarry's stuk, dat zich afspeelt 'in Polen, dat wil zeggen nergens'.

Heel Warschau passeert de revue: ministeriële gezanten, kunstenaars, snobs, pottenkijkers en opgedirkte zwervers zoals ik. En Penderecki natuurlijk, de jubilaris, achtervolgd door paparazzi.

De monumentale schouwburgen als het Wielki blijven herinneren aan het negentiende-eeuwse voyeurisme van de gegoede klasse. Onder het communisme was het enigszins anders, omdat toegangskaartjes toen spotgoedkoop waren. Maar nu zie je het oude taaie snobisme weer terugkeren: de zaal loopt langzaam vol met wassen beelden in Versace-pakken en diep gedecolleteerde dames in wolkjes Frans parfum, die elkaar met een theaterkijker zitten te beloeren, totdat het orkest de kakofonie van het stemmen laat overgaan in een waardige stilte, de lichten doven en het doek opgaat.

Voor de Polen is *Ubu* nieuw. Het verhaal van een gewetenloze lummel die de koning van Polen koud maakt en vervolgens een spoor van vernieling trekt door het land van de Vlaktebewoners, waarbij de Russen als even grote schurken worden voorgesteld – dat alles was voor de communistische regimes geen onschuldig sprookje. Uiteraard, Jarry wilde aanstoot geven. Ik stel me voor dat de meeste operabezoekers die avond in Warschau een behoorlijke literatuurles te verhapstukken krijgen, en dan nog in Penderecki's versie, dat wil zeggen genadeloos expressionistisch. Ik houd daar wel van, maar je moet er sterke zenuwen voor hebben. Op de koop toe voert Krzysztof Warlikowski de regie, een schriele Mefistofeles, die van het trappen tegen heilige huisjes zijn waarmerk heeft gemaakt. Zijn voorstelling laat de chaos van de geschiedenis zien, vol verwijzingen naar het tragische lot van Polen. De regisseur heeft kosten noch moeite gespaard: hij gebruikt videoprojectie, camera's, rijdende en rollende decorstukken. Het is grappig, pathetisch, romantisch, hard, wild. Allerlei krankzinnige personages duikelen over het toneel: tinnen soldaten, klassieke ballerina's, drolvormige marionetten.

Ik heb het gevoel dat ik die avond in het Wielki-theater een gedenkwaardig stukje Poolse geschiedenis meemaak, maar een deel van het publiek is geschoffeerd en verlaat met slaande deuren de zaal.

Ook Jerzy Jarocki, die ik de volgende dag ontmoet, is genadeloos. Hij geldt als een *monstre sacré* in Warschau, een inmiddels zeventigjarig boegbeeld van de Poolse bühne. Onder het communisme voerde hij stukken van dissidente auteurs als Witold Gombrowicz op, maar hij werkte ook in het buitenland, vaak in Duitsland en sporadisch in Nederland. Hij kent daardoor nog enkele zinnetjes Nederlands.

We ontmoeten elkaar in een chic koffiehuis. Ik moet heel dicht bij hem gaan zitten vanwege zijn verzwakte gezichtsvermogen. Hoe kan hij in hemelsnaam het stuk hebben *gezien*, vraag ik me af, de man is bijna blind en reageert alleen maar op stemmen.

Jarocki is bij de operavoorstelling betrokken geweest als librettist. Die avond in Warschau zat hij als eregast naast de jubilaris, die hij 'mijn compagnon Krzysztof' noemt. Maar de enscenering bevalt hem niets: de zangers zongen onverstaanbaar Duits, de Poolse vertaling op het projectiescherm was ondermaats en de regie maakte het verhaal nog duisterder dan het al is.

'U moet weten,' vertrouwt Jarocki me achter zijn dubbele koffie toe, 'dat de Polen die hele *Ubu*-historie helemaal niet kennen! Hebt u dat stuk weleens gelezen? Vast niet.'

'Het was verplichte lectuur op de middelbare school,' zeg ik.

'Nou, hier is het terra incognita. Weet u dat als deze opera in Duitsland wordt opgevoerd, de Duitsers al bij de ouverture zitten te gniffelen. Tadadam-tadadam,' zingt hij, 'dat is een parodie op *De Vliegende Hollander* van Wagner!'

Ik brom iets, ik wist het niet.

'En dan de hele regie van die satanische Warlikowski. Wat wil die jonge generatie vertellen? Weet u dat diezelfde Warlikowski in Polen de stukken van Sarah Kane introduceert? Sarah Kane!' Ik begrijp dat hier een generatieconflict met een morele dimensie dreigt. Sarah Kane, dat is de Engelse schrijfster van vier extreem nihilistische stukken, die als een komeet aan de hemel is verschenen en zich op haar zevenentwintigste na een overdosis ophing aan haar schoenveter. 'Ik wil de beschaafde wereld laten ontploffen,' had ze gezegd. Voor een conservatieve Pool als Jarocki is zo'n schrijfster een toonbeeld van decadentie.

Ik zeg dat ik Sarah Kane in Brussel heb gezien, in een regie van Franz Marijnen, en dat me dit heel erg is bevallen. Kane schept een wereld van extreem zinloos geweld, op zo'n manier dat je gaat nadenken over de problemen van de moderne steden. Dat doe je niet als je de films van Arnold Schwarzenegger (die deze maand gouverneur van Californië is geworden) ziet. Die lijken eerder op propaganda voor zinloos geweld.

Het gesprek gaat hopeloos. Ik gooi het over een andere boeg om niet in gekibbel te eindigen. Deze man heeft zijn merites, ik heb zijn aanpak van Gombrowicz gezien in de jaren tachtig, wonderlijk precies, geestig absurd, gedurfd antibureaucratisch, al wat je maar wilt, een toonbeeld van grootsheid in een hopeloos verstarde sovjetcultuur.

'Ja, Gombrowicz!' lacht Jarocki opeens. 'Dat was een ketterse geest. Ik herinner me dat de eerste secretaris van de Poolse Volksrepubliek, kameraad Gomułka, een boek van Gombrowicz voor de televisiecamera op de vloer keilde en uitriep: *wat een walgelijke onzin!* Sindsdien was Gombrowicz verboden in Polen. Ik kocht zijn werk onder de toonbank, in zakformaat, via clandestiene uitgeverijtjes. Ik voerde zijn werk op met studenten, want in de officiële theaters was hij persona non grata. Gombrowicz zelf was zo'n aristocraat dat hij ook niet wenste dat zijn werk in Polen werd opgevoerd, maar ik heb na zijn dood speciale toestemming gekregen van zijn vrouw Rita om het toch te doen.'

Er voltrekt zich een merkwaardige metamorfose in deze halfblinde man. Enerzijds verwijt hij de jonge generatie dat ze haar gang gaat met een bij uitstek ketters stuk als *Ubu Roi*, anderzijds houdt hij een vurig pleidooi voor de ketterij van Gombrowicz.

In mijn kast thuis staat Witold Gombrowicz op een ereplaats. Hij was een van de grote inspiratiebronnen van Tadeusz Kantor. Gombrowicz heeft een tiental romans, drie toneelstukken en dagboeken geschreven. Hij werkte, als een Poolse Kafka, voor de Polonia-bank en werd in 1939 overgeplaatst naar Buenos Aires. De oorlog maakte het hem onmogelijk om terug te keren naar Polen. Hij bleef in Argentinië als ambtenaar van de Poolse bank en vestigde zich later in de Franse stad Vence, waar hij als tuberculosepatiënt stierf. Toen ik in de jaren tachtig in Polen rondreisde, kocht ik zijn werk net als Jarocki op de zwarte boekenmarkt, boekjes van tien bij vijftien centimeter, die de autoriteiten als staatsgevaarlijk beschouwden.

Zijn absurdistische theaterstukken schreef Gombrowicz lang voor Ionesco of Beckett. Het thema waarmee hij furore maakte, was dat van de *smoelen*. Zijn idee was dat de mens geen eigen gezicht heeft, maar door de anderen een gezicht krijgt opgedrongen. Daardoor is de enkeling, vaak in de gedaante van een zonderlinge verschoppeling, tot de gekste bokkensprongen in staat. In zijn boeken voert hij waanzinnige personages ten tonele, die anderen tot in het extreme manipuleren of zelf gemanipuleerd worden.

In de roman *Ferdydurke* krijgt een volwassen man bezoek van Pimko, het schoolhoofd, die hem dwingt om terug te keren naar zijn klas, waar hij tot zijn verbazing zijn vroegere makkers terugziet. In een buitengewoon grappige vertelstijl gaan deze oude kinderen op zoek naar hun authenticiteit, wat aanleiding geeft tot de meest hilarische bladzijden uit de wereldliteratuur. Jerzy Skolimowski heeft er een film van gemaakt. In het stuk *Operette* schildert Gombrowicz de geschiedenis van de twintigste eeuw als een absurde, wrede klucht. Ook zijn verhaal *Pornografie* gooide hoge ogen. Daarin ensceneren twee vreemde heren (de schrijver en een zonderlinge meneer Fryderyk) een reeks erotische ontmoetingen tussen een meisje en een vrouwelijke jongen. Tijdens mijn verblijf in Polen haalt *Pornografie* opnieuw de pers omdat er net een verfilming van is gemaakt. Alleen al de titel geeft aanleiding tot verhitte discussies in *prime-time*-programma's.

Ik word het niet eens met Jarocki. Na een korte detente in het gesprek, wanneer het over Gombrowicz gaat, gaat hij over tot een lange reeks verwijten aan het adres van het decadente Westen. Ik begrijp het niet. Uitgerekend Gombrowicz was de chroniqueur van de decadentie, en die bewondert hij. We nemen koel afscheid.

Polen, bedenk ik later als ik door de straten van Warschau dwaal, zit vast aan zijn eigen tragische verleden en aan zijn engelachtige verlangen om onder leiding van de Moeder van de Smarten de geestelijke gids van de wereld te zijn. In elke boekhandel hangen reusachtige foto's van Wojtyła, de paus die voor de meeste Polen in de eerste plaats een Pool is en dan pas paus. Anderzijds huldigen Poolse intellectuelen als Jarocki de nagedachtenis van Gombrowicz, die allesbehalve typisch Pools is. Het lijkt alsof er geen verzoening mogelijk is tussen die tegenpolen. Alsof Polen in de vrijheid die het na de uitholling door het communisme heeft herwonnen zich geen raad weet met extremen. Alsof er na de ineenstorting van het communisme een gigantisch ideologisch vacuüm is ontstaan, waarin het katholicisme de spreekwoordelijke strohalm is op een voor de rest vijandig continent.

Polen zou eens flink door elkaar moeten worden geschud. Een morele aardschok. Zodat het ziet dat het niet alleen op de wereld is. Zodat het begrijpt dat het eventuele verlies van oude waarden niet hoeft te betekenen dat de hele cultuur op de helling gaat. Zodat het zijn geborneerde wereldbeeld openbreekt en de confrontatie aangaat met andere werelden. Zodat het inziet dat het Liberum Veto, waarbij iedereen noodgedwongen hetzelfde denkt, tot een ver en triest verleden behoort.

Voor alle duidelijkheid: dat zeg ik niet, dat zegt Grzegorz Jarzyna.

'Theater is voor mij een plaats waar alle domeinen van het menselijke denken elkaar vinden. Het is een wonderlijke smeltkroes. Zaak is een goede kok te hebben, die de ingrediënten op een uitgebalanceerde manier kan gebruiken en een fraai potje stooft,' zegt hij in een kr/inteninterview.

Ik ontmoet hem in een tochtige tent die ter gelegenheid van een kunstenfestival als *meeting point* is opgetrokken op een pleintje. Hij is vijfendertig, draagt een opzichtig trainingspak en mag zich artistiek directeur van het Warschause Teatr Rozmaitości noemen. Mooie naam voor een theater in Polen: het Theater van de Verscheidenheid. Vroeger was het een variété. Een van zijn vaste gasten is Krzysztof Warlikowski, de regisseur van de *Ubu Rex*, die Jarocki zo verfoeide.

'Wij zijn het spuugzat,' zegt Jarzyna terwijl hij een sigaret opsteekt met de peuk van een vorige, 'om met de frustraties van vorige generaties te worden opgezadeld. Als we iets willen betekenen in

Europa, moeten we dat juk afwerpen. Je kunt niet blijven roepen dat we de voetveeg van de Russen en de Duitsers zijn, dat we een messianistische boodschap in een immoreel Europa hebben en meer van die troep.'

Dit is meteen een stokpaardje, kennelijk, zowel van hem als van mij, maar ook van de hele maatschappij. Hoe gaan de jongere generaties om met de erfenis van hun ouders en grootouders, met geliefde voorzaten die zich het vooroorlogse Polen herinneren in een geïdealiseerde versie, die de oorlog als een tragisch breekpunt zien en die het communisme hebben ervaren als een kaakslag en een morele kaalslag?

'Tot voor enkele jaren was het normaal dat de mensen dualistisch dachten: of-of. Of je was klassiek, of je was avant-gardistisch. Of communistisch of dissident. Of katholiek of niet-katholiek.'

'Kut of kloot.' Lisa's woorden in mijn hoofd.

'Kunst is een vorm van filosofie,' zegt Jarzyna, 'je moet de mensen laten zien dat er meer aan de hand is dan *of* het een *of* het ander.'

'Klopt het, Grzegorz,' vraag ik, 'dat je eerst theologie studeerde voor je je met theater bezighield? Eigenlijk wilde je dus priester worden? Van priester naar directeur van een controversieel theater is een hele stap.'

Hij nipt van zijn Bulgaarse wijntje, zuigt aan zijn Amerikaanse sigaret en grijnst ten slotte op zijn Pools.

'Ik wil me bezighouden met de grote thema's, snap je, niet met de alledaagse ellende. Ik zie die ellende natuurlijk wel. Een jonge gast die zichzelf respecteert stelt zich automatisch vragen bij wat er in de maatschappij gebeurt. Tenzij je genoegen neemt met de onverschilligheid van de clochards, met de lankmoedigheid van de dronkaards die hier achter de tent wereldverbeteraartje spelen.'

Hij sust zijn mobiele telefoon, die luidruchtig opspeelt, en vervolgt: 'Het wordt tijd dat we de grote thema's hier oppakken. Mijn mentor, Krystian Lupa, heeft me geleerd dat we de klassiekers van de Europese cultuur moeten ontdekken. De genieën, niet de zeurpieten. Neem nou Dostojevski, Tolstoj, Musil, Rilke... Wij hebben onze buik vol van de romantische Polen, die blijven hameren op de patriottische strijd, op de Poolse eigenheid. *Misschien bestaat die eigenheid wel helemaal niet.* Al wat ons tot diepere gedachten brengt, hebben we van onze buren, de Oostenrijkers, de Duitsers, de Litouwers, zelfs de Russen, noem maar op.'

'En de joden,' vul ik aan.

Hoe meer ik door Polen zwerf, hoe meer ik ervan overtuigd raak dat Polen er zonder de joodse inbreng helemaal anders uit zou zien. Overal in Polen vind je de joodse schaduw. Sinds het ontstaan van Polen in de tiende eeuw, toen de Piastendynastie een aanvang nam, speelden de joden een essentiële rol in de ontwikkeling van de cultuur. Isaac Bashevis Singer schreef erover in zijn roman *De koning van de akkers*. Tegelijk waren ze ook altijd de eerste zondebok. Momenteel zijn er nauwelijks nog joden, maar hun spoor blijft.

'En de joden natuurlijk!' bevestigt Jarzyna.

Ik vertel hem over de première van *Dybuk*, die ik enkele dagen eerder heb gezien, een magistrale voorstelling van Krzysztof Warlikowski, die ook de *Ubu*-opera had geregisseerd.

Dybuk is een stuk van Szymon Anski, pseudoniem van de Wit-Russische auteur Schloimo Zaïnwill Rapoport, geboren in 1863. Hij schreef in het Russisch en het Jiddisch. Tussen 1911 en 1914 verzamelde hij eeuwenoude joodse legenden over de rusteloosheid van de doden. Reïncarnatie komt al in de bijbel voor, maar het woord *dybuk* werd pas voor het eerst gebruikt in zeventiende-eeuwse kabbalistische kringen in Duitsland en Polen. Voluit luidt het *dibbuk me ru'ach ra'ah*, de verkleefdheid van een boze geest. Het gaat om een dolende ziel die terugkeert in een mens, dier of plant. In de mens kan hij lelijk huishouden en moet hij worden uitgedreven. In Anski's stuk keert een man, Chanan, als geest terug in het lichaam van zijn geliefde Lea, die tegen haar wil aan een andere man wordt uitgehuwelijkt. Het drijft haar tot dodelijke waanzin.

Anski was een revolutionair van het eerste uur. In de bolsjewistische regering, die aantrad na de Russische Revolutie van 1917, werd hij als sociaal-revolutionair verkozen in de Al-Russische Assemblee. Zijn stuk werd erg bekend. Het werd opgevoerd in Warschau in 1920, in Moskou in 1922 en in Parijs in 1928, later ook in New York en Tel Aviv, waar het tot opera, musical en zelfs film werd bewerkt.

De première van *Dybuk* is altijd een gebeurtenis. De plot is zonneklaar, maar de tekst bevat diverse lagen en kan op zoveel verschillende manieren worden geïnterpreteerd dat de regisseur verplicht is knopen door te hakken. Krzysztof Warlikowski, die filosofie studeerde en assistent was van Peter Brook en Giorgio Strehler, maakte er een tweeluik van. Naast *Dybuk* plaatste hij het verhaal *Bestaans-*

bewijs van Hannah Krall, over een Amerikaanse jood die de geest van zijn broertje in zich voelt, een jongetje dat in een Pools getto is omgekomen.

Voor mij is Warlikowski's *Dybuk* vooral een manier van het huidige Polen om met de ingewikkelde geschiedenis om te gaan. Het stuk toont hoe het spook van het verleden – een amalgaam van allerlei godsdiensten en gezindheden – ongewild bezit neemt van de huidige mens en op een schrijnende manier van zich laat horen. Het gaat dus niet alleen om de joden en hun complexe verleden, maar om alle Polen, en bij uitbreiding om ieder mens in wiens dromen de spoken van het verleden fel tekeergaan.

Als ik dit zeg tegen Grzegorz Jarzyna, de jonge directeur van het theater dat deze Dybuk ensceneerde, zegt hij dat ik te ver ga. Maar hij staat wel open voor dit soort interpretaties. Hij vindt dat ik de Polen erfelijk belast.

Hoezo, zijn ze dat dan niet?

'Misschien,' lacht Grzegorz. 'In ieder geval hoor ik je graag zeggen dat deze Dybuk het effect heeft dat hij over nog veel méér gaat dan wat er te zien is. Want dat is de zin van het theater. Daarom komen de mensen kijken. De motivatie van het publiek is groter dan in het buitenland. Hier is het theater echt een ontmoetingsplaats. Sommigen vinden het zelfs therapeutisch, en daar is voor mij niks mis mee. Je moet maar eens in de toegangshal van mijn theater in Warschau gaan staan na een voorstelling. De spanning is er te snijden, de mensen hebben echt iets meegemaakt, iets doorgemaakt. Het heeft te maken met het spel van de acteurs. De Poolse acteur speelt met zijn ingewanden. En zelfs als iets er *mooi* uitziet, *esthetisch*, dan schuilt er pijn achter.'

'Pijn?'

'De pijn zit overal. Polen is een land vol frustraties, dwangvoorstellingen en verloren dromen. We moeten nu leren om te gaan met complexiteit. Als de laatste muur tussen Polen en Europa gesloopt is, zal de complexiteit nog veel groter worden. Het zou dom zijn om daar geen voordeel van te trekken. Het kan alleen maar boeiender worden. Het is hier lang genoeg een ingeslapen boel geweest.'

'En dan wordt Warschau als Brussel?'

Hij lacht en drinkt zijn glas in een teug leeg. Dan schudt hij opeens zijn hoofd, en ik weet niet wat er in zijn stem doorklinkt – spot of spijt –, wanneer hij zegt: 'Als dat eens waar kon zijn.'

De Heilige Roomsoes

In Brussel komen dichte drommen toeristen dagelijks naar een plas-
send bloot jongetje kijken. In Brussel schreef Karl Marx zijn *Communistisch Manifest*. In Brussel schoot Verlaine zijn boezemvriend
Rimbaud net niet dood.

Ik moet de volgende dag in Warschau, na mijn ontmoeting met
Jarzyna, vaak denken aan Brussel, een woord dat in Polen een dub-
belzinnige betekenis heeft. In de media is het woord Brussel een abstract begrip. Brussel betekent de harde noot van de EU, iets wat
gekraakt moet worden. Een pars pro toto voor Europa. Verordeningen, eisen, onderhandelingsthema's. Dat is het harde Brussel.
Voor ultraconservatieven is Brussel het nieuwe Moskou. Alsof men
erbij denkt: wanneer zal Polen eindelijk eens voor zichzelf opkomen?

'Nou, we komen voor onszelf op,' vertrouwt een oud-Solidari-
teitstrijder, nu een conservatief politicus in de Poolse senaat, me toe,
'we eisen harde onderhandelingen over onze plaats in Europa, over
morele thema's, over euthanasie, abortus en het homohuwelijk. We
eisen een vermelding in de Europese grondwet over de christelijke
traditie van Europa, zodat het merendeel van de Polen er zich tenminste in kan herkennen.'

De man heet Krzysztof Piesiewicz en al wie van Poolse films
houdt, kent hem. Hij schreef de scenario's voor Krzysztof Kieślowski's filmreeks *De Decaloog*. Momenteel verwoordt hij het geweten
van de traditionele Pool, die bang is dat de fundamentele waarden
van het katholicisme verloren zullen gaan. Piesiewicz is tijdens ons
gesprek erg zeker van zijn zaak. Hij windt zich op en put zich uit in
argumenten om het geweten van Polen te verdedigen.

De Poolse identiteit en het Poolse geloof zijn van oudsher nauw
met elkaar verbonden. Ondanks alle religieuze invloeden van bui-
tenaf – joodse, protestantse, orthodoxe en in heel beperkte mate
islamitische – is het katholicisme in Polen buitengewoon stabiel gebleven. Op bepaalde momenten was het zelfs opvallend pluralistisch. In Polen stonden geen brandstapels of galgen, heerste geen in-
quisitie, was er geen godsdienstig terrorisme. Tussen 1550 en 1650

werden er in Polen slechts twaalf mensen terechtgesteld wegens ketterij. Ter vergelijking: in Engeland waren dat er vijfhonderd, in de Nederlanden negenhonderd. De uitgetreden priester Marcin Krowicki kon een boek publiceren waarin hij de paus uitmaakte voor 'de hoer van Babylon'. In 1555 vergeleek Uchański, een andere priester, de macht van de paus met de Babylonische gevangenschap. Hij pleitte voor de opheffing van het celibaat en het gebruik van de volkstaal tijdens de erediensten. Tegen alle verwachtingen in werd hij niet op de brandstapel gezet maar tot bisschop benoemd. Toen de pauselijke nuntius zich in de zestiende eeuw wilde bemoeien met de godsdiensttwisten, eiste de koning dat die Polen zou verlaten en toen de kerkleiders hem ter verantwoording riepen, antwoordde hij: 'Ik ben uw koning, maar ik ben niet de koning van uw geweten.'

Maar het geloof was niet altijd zo pluralistisch. In de loop van de geschiedenis heeft het Poolse katholicisme een merkwaardig synoniem gekregen: het *sarmatisme*. Het woord gaat terug op de Sarmaten, een aan de Scythen verwant steppevolk van Iraanse afkomst. Vooruitgedreven door Aziatische stammen streken de Sarmaten in de Oudheid op diverse plaatsen in Europa neer, waar zij zich lieten gelden als geduchte boogschutters. Hoewel de Sarmaten geen enkele geslachtkundige band met de Polen hebben, spelen zij een enorme rol in de Poolse legenden. Die legenden gaan terug op de zeventiende eeuw. Op dat moment wilde de Poolse adel, de szlachta, prestige uitoefenen. Zij voelde zich superieur aan andere culturen en beeldde zich in dat zij afkomstig was van de heldhaftige Sarmaten. Als het niet waar was, was het aardig gevonden. De Poolse edellieden droegen Perzische gewaden, tulbanden en kromzwaarden. Ze vochten tegen protestantse Zweden, orthodoxe Russen en islamitische Turken en Tataren. De overtuiging groeide dat de sarmatische edellieden de verdedigers van de katholieke Kerk waren. Op die manier ontstond het stereotype van de katholieke Pool en heeft het woord sarmatisch een ironische betekenis gekregen.

Tijdens de periode van de Delingen vormde het geloof een bindend element voor de Polen op het oude grondgebied én voor de Polen die zich in een ware diaspora over de wereld hadden verspreid en zich groepeerden onder de naam Polonia. Het katholicisme was het cement van deze beweging. Het zorgde voor eenheid, troost en gevoelens van nationale trots. Het verklaarde én verzachtte het lijden.

Hetzelfde deed de taal. Polen die emigreerden behielden hun

moedertaal, in tegenstelling tot veel andere uitgezwermde volkeren. Dichters schreven ronkende poëmen, katholiek én Pools. Godsdienst en taal verschaften een identiteit. Ze golden als visitekaartje. Ze speelden een essentiële rol in het dagelijks leven, in het gemeenschapsleven en in de gemeenschappelijke droom van een nieuw *ojczyzna*, een herwonnen vaderland.

Onder het communistische bewind van 1945 tot 1989, maar ook daarvoor al tijdens de oorlog, was het katholicisme de enige gemeenschappelijke manier om zich te verzetten tegen het systeem. De kerk vormde de plek waar mensen zich collectief en vrijwel ongehinderd verenigd voelden in hun afkeer van het regime en in hun hoop op een betere toekomst. Priesters en nonnen waren hun bondgenoten. Bisschoppen en kardinalen golden als helden. Preken hadden vaak een politiek karakter. Bedevaartsoorden zoals Częstochowa verpakten heuse politieke meetings in religieuze erediensten.

'Men gaat naar de kerk omdat daar de Poolse natie huist,' zei een Warschause bisschop ooit.

Het merendeel van de bevolking steunde de beweging van Solidariteit, die onder de vlag van het rood-en-wit gekleurde katholicisme (de kleuren van de Poolse vlag) streed tegen de minderheid van communisten, die onder de bloedrode vlag van de Sovjet-Unie opereerde. De verkiezing van Karol Wojtyła tot paus betekende zelfs een overwinning op wereldvlak. Toen de geheime politie daarna ook nog enkele priesters vermoordde, bereikte het verzet zijn hoogtepunt. Solidariteit verenigde mensen van allerlei gezindheden die het geloof in een menswaardige samenleving deelden, met de paus als symbool.

Het geloof dat Solidariteit uitdroeg was per definitie pacifistisch, de top van Solidariteit heeft de bevolking altijd opgeroepen tot vreedzame acties. Ik heb speldjes gezien waarop geschreven stond: 'Stemde je voor de communisten? Dan krijg je *dit*!' *Dit* was een vuist, maar die vuist vormde de uitzondering op de regel, over het algemeen ging het er vreedzaam toe. In die tijd ontstond ook de *Gazeta Wyborcza*, de Verkiezingskrant, geredigeerd door Adam Michnik. Deze krant bestaat nog steeds en haalt een dagelijkse oplage van meer dan anderhalf miljoen exemplaren. In dit soort kranten werd precies aangegeven waar de censuur had ingegrepen.

Hoe kun je verwachten dat zo'n beweging na haar overwinning in 1989, die het einde van de sovjetoverheersing inluidde, haar oorsprong zou verloochenen? Politiek gezien heeft Solidariteit niet kunnen overleven, maar haar draagvlak is gebleven. Bij de meerderheid van de Polen is het katholieke geloof tot in de diepste vezels doorgedrongen.

Het katholicisme bood de mensen in het communistische verleden niet alleen een politiek platform, maar ook een manier om hun behoefte aan elementaire menselijke waarden te uiten. Het sovjetregime was erop gericht de bevolking oogkleppen op te zetten, het dagelijks leven zwaar te maken, het geduld op de proef te stellen. Mensen stonden urenlang in meterslange rijen om melk, vlees of wc-papier te bemachtigen.

'Ze gaan naar de kerk omdat ze dubbele wezens zijn,' schrijft Miłosz over zijn eigen volk in *Alfabet*. 'Ze willen tenminste even in een andere werkelijkheid verkeren dan die welke hen omringt en die als enig werkelijke wordt gepresenteerd. Die dagelijkse werkelijkheid is hard, brutaal en wreed, moeilijk te verdragen. Het menselijk ik is zacht vanbinnen en voelt elk ogenblik dat zijn aanpassing aan de wereld onzeker blijft.'

Ook in de postcommunistische tijd blijft het Poolse geloof zo goed als onaantastbaar. Europa zal het weten dat de Poolse geschiedenis een ander verloop heeft gekend dan die van de huidige rijkste landen van de Unie, een verloop waarin het christendom een essentiële rol heeft gespeeld.

'Slechts een voetnootje,' zei Piotr Nowina-Konopka me, de vicerector van het Europacollege in Warschau, de pendant van het gelijknamige college in Brugge, 'een voetnoot in de preambule, dat is het enige wat we willen in de Europese grondwet over de christelijke oorsprong van ons continent.' En hij corrigeert zichzelf meteen: 'De *judeo*-christelijke oorsprong. Zodat ook de mensen hier, voor wie het geloof een natuurlijk gegeven is, zich aangesproken voelen.'

Het zou betuttelend zijn te beweren dat de Polen over enkele decennia net zo vrijgevochten zullen zijn als die huidige rijke landen nu denken te zijn. Schrijfster Olga Tokarczuk zei me dat de Poolse maatschappij, hoe je het ook wendt of keert, een sterk christelijk bepaalde cultuur heeft en dat je daar zelfs als niet-christen niet onderuit kunt, het is een positionering, een spirituele plaatsbepaling.

Maar de treffendste omschrijving van het Poolse geloof las ik bij Czesław Miłosz in *Geboortegrond*. Het Poolse katholicisme zou een sterke nadruk leggen op de verantwoordelijkheid tegenover de gemeenschap, dat wil zeggen tegenover Kerk en Vaderland, die in hoge mate samenvallen. De verantwoordelijkheid tegenover de medemens neemt volgens Miłosz vaak een ondergeschikte plaats in. Op de eerste plaats komt het idealisme, dat de mens zich altijd grote dingen ten doel stelt. Het heeft tot heldenmoed geleid, maar ook tot lichtzinnigheid en nonchalance, soms zelfs tot ongevoeligheid.

'De mensen,' besluit Miłosz, 'dragen een korset – een rooms korset – dat na het zoveelste glaasje alcohol barst en dan steekt in hen een chaos de kop op die men in de West-Europese beschaving niet zo vaak tegenkomt. Voor de Polen is de godsdienst zelden een innerlijke ervaring, maar een verzameling geboden die gegrondvest is op stamgewoonten. Ze zijn op dezelfde manier slaven als het Sociale Dier van Plato.'

Naast de harde disputen gaan er ook ironische stemmen op. Een vertaler vertelde me ooit dat hij gek wordt van de algemeen verbreide pausverering in Polen.

'Je kunt geen winkel binnenstappen, geen krant openslaan of geen gesprek voeren,' verzuchtte hij met gespeelde dramatiek, 'of de paus zit op iemands schouder en luistert scherp toe. Die aftandse middeleeuwer is er altijd, en hij zwaait met heiligverklaringen. Ik voorspel je dat hij, als het zo doorgaat, ooit nog eens zijn lievelingskost heilig verklaart. Dat zou de clou van de komedie zijn: de Heilige Roomsoes!'

En Wisława Szymborska, de aanminnige dichteres die ik aan het begin van mijn zwerftocht ontmoette, schreef in *Onverplichte lectuur* met haar onnavolgbare ironie: 'De helderziende Duszan Iowanowicz heeft in profetische trance de hel bezocht en daar niet één Pool aangetroffen. Laten we dus optimistisch blijven en alleen ons kapsel in orde brengen.'

Nooit zo dicht bij het einde geweest

Tot diep in de nacht zwerf ik door de stad, in alsmaar bredere cirkels om het Cultuurpaleis, totdat mijn voeten branden. Er vallen witte korrels uit de hemel, die als zoutkristallen op de haren en de kragen van de mensen plakken. De zomer is nog maar net voorbij en de winter begint al. Uit de openslaande deuren van kroegen walmt de geur van bier, patchoeli en tabaksrook. Hier en daar loop ik binnen, bestel iets hartverwarmends en help toeristen die in een mengeling van Engels, Frans en Duits aan een argeloze dienster hun wensen proberen duidelijk te maken.

Over de stad ligt een sluier van bruin licht. De witte kristallen zweven aarzelend onder de lantaarns. Op een binnenplaats scholen kaalgeschoren pubers samen. Ze verbergen hun stickies in hun handpalm en schateren. Een clochard verlaat strompelend zijn schuilplaats in een portiek en valt vijf stappen verder neer tegen een vuilnisbak. Hij heeft de moed niet zijn kleren in orde te brengen. Op zijn groezelige buik stapelen sneeuwvlokken zich op. Een ambulance giert loeiend over de Jeruzalemallee langs de mistroostige palmboom op het kruispunt met de Nieuwe Wereldstraat. Vrouwen in baljurk, een bontjas achteloos over hun schouders, staan giebelend te zwaaien naar een taxi. Voor een hoteldeur wachten prostituees met plastic gebitten op klanten. Het McDonald's-restaurant sluit zijn deuren, vroeger was hier een Chinees, de beste van de stad.

In een aquariumachtig café, dat nu een studentenclub herbergt, is een stomdronken vrouw ooit eens met tafel en al over me heen gekieperd. Ik had bier besteld en een beker kokend gerstenat gekregen. Toen wist ik nog niet dat ze het bier hier 's winters warm schonken. Na de valpartij brandde het goedje in mijn kruis.

Als ik een mobiele telefoon in mijn buurt hoor, moet ik denken aan de talloze uren die ik vroeger in het PTT-gebouw heb gesleten. Je diende een internationaal gesprek schriftelijk aan te vragen en vervolgens te wachten tot een van de bedienden de verbinding tot stand had gebracht. Het kwam erop aan scherp te luisteren tot iemand in de holle ruimte je nummer afriep, waarna je je naar de aangewezen cabine moest haasten. Als je te lang wachtte, was de verbinding weer verbroken. Isolement was een van de sterkste wapens van het oude regime. Het dagelijks leven moest zo moeilijk mogelijk verlopen en contact met de buitenwereld, dat wil zeggen met een andere stad of een ander land, vergde uren geduld.

Nu is Warschau een metropool met internationale winkelketens, reclamevideoschermen en internetcafés. Ik moet denken aan wat Jarzyna suggereerde en aan Brussel. Brussel, Parijs, Amsterdam… maar vooral Brussel: een knooppunt van culturen, joodse, Arabische, Aziatische, Afrikaanse, een babylonische chaos van talen.

Het uurwerk op de Suikertaart slaat twee uur 's nachts. Ik drink bizonwodka in café Ali Baba. Een affiche op een galerieraam zegt: 'Nooit zo dicht bij het einde geweest, maar dat is niets nieuws onder de zon.' Stemmen van de afgelopen dagen dreunen in mijn hoofd, vermengd met zinnen die ik bij een kaars in een kelderkroeg of bij een peertje in een ranzig bed las.

Ik loop naar mijn kamer in de wijk Mokotów. Zilveren, door neonreclame glimmende straten. De rozige gloed van een bioscoop, waarin iemand het licht vergat uit te doen.

Ik spoel mijn mond met de wind. Bij een bushalte is een groepje jongeren bezig al wat breekbaar is te breken: hun lege flessen, het bord met de dienstregeling, een autoruit. Een van hen is op de wankele schouders van een kompaan geklommen en spuit graffiti op een gevel: *Polen aan de Polen... Joden zijn communisten... EU nooit...* Als ze niet weten wat ze doen, is het hun vergeven, maar ik vrees het ergste. Ik hoor iemand zeggen: 'We worden allemaal geboren, we eten, onze darmen bederven en we gaan de pijp uit.' Ik geloof dat ik liever een omweg maak. Meestal duik ik als een kameleon de stad in, maar op dit uur van de nacht licht mijn identiteit, dat wil zeggen mijn anders-zijn, wat dat ook moge wezen, merkwaardig sterk op, als fluor.

Zo langzamerhand moet iedereen slapen, al dan niet met een gerust gemoed, in de kleine kamers boven kruidenierswinkels of in de blokken in de rafels van de stad. In de goudachtige apotheken, die dag en nacht openblijven, staan witte vrouwelijke poppen. De vlokken uit de hemel smaken bitter. Op de trottoirs groeit wit dons, een dun tapijt van sneeuw.

Warschau is enkele uren leeg. Straks ontwaken de kraaien in het Belvédèrepark.

Voor ik de straat van mijn optrekje insla, kijk ik nog even om. Een vrouw klikklakt over het plaveisel. Het lijkt wel kerst. En ik moet denken aan een visioen van Tadeusz Konwicki, die op kerstavond in een rij voor een Warschause winkel een hartaanval krijgt, ergens in de grauwe jaren tachtig. Het staat te lezen in zijn roman *Het Poolse complex*: 'Nu pas zie ik dat de vrouw, of liever gezegd het meisje, met nonchalante pas loopt in een lange katoenen ochtendjas tot op haar enkels met een patroon van grote chrysanten, dat zij de slippen van die peignoir optilt als de zoom van een baljurk en dat onder de rand van die met chrysanten bezaaide peignoir een roze zijden nachthemd schemert. En dan valt mijn oog plotseling op haar blote voeten die door de sneeuw waden, waden als door het zand op het strand, en daarna, geschokt, valt mijn oog op het blonde achterover geworpen hoofd met een jong, meisjesachtig gezicht, maar als het ware gestigmatiseerd door de waanzin, een gezicht verstard in een definitief besluit, het gezicht van een geest of van een uit de dood herrezen vrouw, een gezicht waar je van droomt in afgrijselijke, maanverlichte nachten.'

De klikklakkende vrouw, gebogen, onzeker, kijkt me aan. Haar bontjas sleept over de grauwe sneeuw. Ze vraagt me op veilige afstand hoe laat het is.

Ik kijk op mijn polshorloge.

'Mijn God, het is te laat,' hoor ik haar in het weggaan jammeren.

In een melancholische bui besef ik dat ik in Polen misschien niets anders doe dan spoken najagen, op schaduwen trappen, iets achterna hollen wat niet bestaat, of beter: iets wat ooit bestaan heeft en in de dromen van dronkaards en nostalgici is blijven voortleven. Fantomen. Waan. Fantasie. Een kerkhof vol flakkerende kaarsjes. De weerkaatsing in een kerstbal. Als het niet zo triest was, zou het grappig zijn.

Mijn kamer bevindt zich in een torentje. Enkele tientallen meters boven de begane grond, boven de grond waarvan Chopin altijd een handvol bij zich droeg, blijf ik nog uren naar de stad kijken, een burcht onder een grijsroze gloed, een trompe-l'oeil met glimmende kantelen. Het is er en het is er niet. Een draak loeit als een sirene.

Ik pak een boek van de stapel, opnieuw Konwicki, en lees langzaam: 'Voor mij rijst het uitgestrekte massief van de verscholen stad op. Van een zwijgende vesting. Een grot met slapende ridders. In de lucht een rood schijnsel als de adem van de stad. Die rode kleur kolkt langs een onzichtbare spiraal omhoog en neemt de vorm aan van vage droombeelden die lijken op de weerspiegeling van de diepten van een kalme oceaan, een kalme oceaan van tijd. En ik weet niet of het de vorm is van een reusachtige ster, of het beeld van een huilende vrouw, of de gapende afgrond van de hel.'

Als iedereen ontwaakt, weet ik dat het tijd is om te slapen.

HOOFDSTUK VIER

Gdańsk

We zijn beland in de beschamende situatie dat de to-
neelproductie van de hele wereld, van Aeschylus via
Shakespeare tot Brecht en Ionesco een verzameling toe-
spelingen op de Poolse Volksrepubliek is geworden.

Leszek Kołakowski

Het vooroorlogse Rotterdam

Een pakhuis, een postkantoor en een werfpoort. Soms volstaan
enkele plaatsen om de bloei en de wreedheid van de geschiedenis te reconstrueren.

In de herfststorm die de eerste sneeuw over het land jaagt, heb ik
de hoofdstad ingeruild voor de noordelijke provincies en de Driestad
aan de Baltische Zee, waarop negen landen uitkomen, ooit een van
de welvarendste hoeken van Europa. Driestad is een agglomeratie
van Gdańsk, Gdynia en Sopot. In Gdańsk, de grootste stad, Danzig
in het Duits, neem ik mijn intrek in het gastenverblijf van een conservatorium, waar tot laat op de avond muziek achter de glasgordij-
nen klinkt: in elke kamer anders, als aangewaaid uit verre windstreken en tijdvakken. Een zanger worstelt met Josquin des Prés, een
violist repeteert Chatsjatoerjan, een pianist struikelt over Mozart.

Een kruispunt van culturen, een één gemaakt Europa, lang voor er sprake was van een unie. In de kiosk om de hoek, naast de Rojal-supermarkt, liggen Günter Grass en Arthur Schopenhauer broederlijk naast elkaar. Zij zijn twee van de beroemdste geesten van de stad. Lopend door Gdańsk denk ik aan Nederland, zoals ik denkend aan Gdańsk vaak door Rotterdam loop. In Rotterdam herinneren alleen nog enkele gevelopschriften aan het oude verbond met Danzig. In Gdańsk heb ik het gevoel dat ik door het vooroorlogse Rotterdam wandel. Op de ruïnes van Rotterdam is na de oorlog een nieuwe stad verrezen, die juist door haar nieuwheid nostalgie oproept naar een voorgoed verdwenen wereld. Op het puin van Gdańsk hebben de Polen een deel van de oude stadskern zorgvuldig gereconstrueerd, dat op zijn manier heimwee wekt naar de oorspronkelijke wereld, waarvan wat ik nu zie slechts een kopie is.

Na Gniezno, Kraków en Warschau, de drie opeenvolgende hoofdsteden van Polen, verblijf ik langdurig in Gdańsk, niet zozeer omdat de stad me aan mijn eigen geschiedenis herinnert, maar omdat zich hier dramatische gebeurtenissen hebben afgespeeld, die beslissend waren voor de evolutie van Europa.

Gdańsk is nooit de politieke hoofdstad van het land geweest, maar wel een economisch epicentrum, en zelfs een knooppunt van Europese handel.

Als ik langs de statige huizen met de rijkversierde gevels, de terrassen en de souterrains loop, tussen de barnsteenkramen en de goudsmeden, dwaal ik in gedachten door het verleden.

In de tijd van de Piasten stond de stad al op de kaart, maar ze werd lange tijd gedomineerd door de ridders van de Teutoonse Orde, die hun burcht in het vlak bij gelegen Marienburg (het huidige Malbork) hadden. De bloeitijd van Gdańsk begon toen hun macht taande en de stad een geprivilegieerde plaats kreeg onder de Poolse kroon, halverwege de vijftiende eeuw. In de loop der jaren werden er op de oever van de Motława driehonderd pakhuizen opgetrokken, waar graan, hout, honing, teer, vlees, boter, pelzen en zout werden geëxporteerd en waar wijn, zijde, olie, citroenen en laken uit Frankrijk, Spanje en Engeland werden geïmporteerd. Ik loop onder één zo'n pakhuis door, de houten Kraanpoort, tegelijk hijskraan en stadspoort, de grootste middeleeuwse havenkraan van Europa, die twee ton kon hijsen. In die tijd onderhield de stad contacten met alle belangrijke havens in Europa, onder andere de Rotterdamse. Zij beschikte zelfs over een handelsmonopolie: elke graanzak of garenbaal die in Polen circuleerde, leverde de stad forse winst op. Aan het eind van de vijftiende eeuw voerde Gdańsk jaarlijks tienduizend *last* uit – één last is zo'n tweehonderd kilogram –, maar aan het begin van de zeventiende eeuw was dit al opgelopen tot meer dan honderdduizend last of twintig miljoen kilogram.

Ook kunstenaars doorkruisten het continent en streken aan het eind van de zestiende eeuw in Gdańsk neer: uit de Nederlanden de architect Antony van Obbergen uit Mechelen bijvoorbeeld, en uomo universale Hans Vredeman de Vries uit Leeuwarden. Zij versierden het interieur van het stadhuis. En uit het nabijgelegen Königsberg – het huidige Kaliningrad in de Russische enclave boven Polen – kwam Hans Krieg, een leerling van Jan Brueghel de Oudere.

Toen Polen aan het eind van de achttiende eeuw verdeeld werd onder de buurstaten, kwam Gdańsk onder Pruisisch bewind. Talrijke gegoede families die geen genoegen namen met de bezetting verlieten de stad in westelijke richting, waar ze zich vaak ontheemd voelden. Een van de beroemdste families heette Schopenhauer, met de moeder Johanna Trosenier, een schrijfster, en haar zoon, de latere filosoof Arthur. Zij belandden in de artistieke salons van Weimar. De Pruisische bezetting duurde tot 1920. In het interbellum zou Gdańsk een *Freistaat* zijn met de Danziger gulden als munteenheid.

Van de Kraanpoort loop ik naar het postkantoor. Hier en op het nabijgelegen schiereiland Westerplatte werden de eerste schoten van de Tweede Wereldoorlog gelost. Nadat Hitler en Stalin eind augustus 1939 een niet-aanvalsverdrag hadden ondertekend, trok de pantserkruiser Schleswig-Holstein op 1 september om 4 uur 47 naar Danzig. Op Westerplatte konden de bewakers een week lang weerstand bieden, maar in het postkantoor was de strijd al na dertien uren beslecht.

In de aanloop naar de onderhandelingen over de Europese Unie hebben Poolse politici vaak bitter herinnerd aan het feit dat de geallieerden die ochtend in september 1939 niets hebben ondernomen tegen de inname van Gdańsk.

De gebeurtenissen van die eerste-septembernacht heeft Günter Grass verwerkt in *De blikken trommel*, de roman over de trommelende knaap Oskar, verschenen in 1964 en verfilmd door Volker Schlöndorff in 1979.

Grass heeft vele jaren later, op zijn vierenzeventigste, nog een andere tragedie uit zijn geboortestad opgetekend. Het boek heet *In krabbengang* en beschrijft een van de best verdonkeremaande episoden uit de Tweede Wereldoorlog, die van de Wilhelm Gustloff.

Op 4 februari 1936 had de joodse student David Frankfurter in Davos een dodelijke aanslag gepleegd op de nazistische topfunctionaris Wilhelm Gustloff. Hitler riep Gustloff uit tot martelaar en vernoemde een schip naar hem, dat in 1937 werd ingewijd door Gustloffs weduwe en Hitler zelf. Het was een gigantisch lijnschip, meer dan tweehonderd meter lang en vierentwintig meter breed, en met een capaciteit van 1865 passagiers. Toen de oorlog uitbrak, werd het omgebouwd tot hospitaalschip waarmee vluchtelingen konden worden geëvacueerd.

In de nacht van 30 januari 1945 voer de Wilhelm Gustloff de haven van Gotenhafen bij Danzig uit. Aan boord bevonden zich officieel 6050 maar in werkelijkheid meer dan 10.000 passagiers, soldaten en verdreven Duitsers, onder wie veel vrouwen en kinderen, op de vlucht voor het Rode Leger. Hun bestemming was Hamburg.

De Russen gingen in het offensief. De Wilhelm Gustloff werd met vier torpedo's aan flarden geschoten. Elke torpedo droeg het opschrift van een afzender: het Vaderland, Stalin, het sovjetvolk en Leningrad. Binnen een uur was het schip volledig gezonken. Slechts een kleine groep opvarenden, 996 in getal, kon worden gered uit het ijswater.

De scheepsramp geldt als een van de grootste uit de geschiedenis, vele malen groter dan die met de 'onzinkbare' Titanic in 1912, waarbij ruim 1500 mensen omkwamen, maar ze bleef onvermeld in veel oorlogskronieken omwille van de fascistische vlag waaronder het schip voer.

Aan het eind van de oorlog werd Gdańsk helemaal in de as gelegd door de Russische troepen. Op 28 maart 1945 was vijfennegentig procent van de Hansa-stad tot ruïne verworden. 80.000 mensen lieten er het leven. Op de Artushof, een van de symbolen van het welvarende Gdańsk, wapperde opnieuw de Poolse vlag, maar de bevrijding bracht geen echte vrijheid.

Nergens in Europa heb ik aan het begin van de eenentwintigste eeuw nog zo sterk de Tweede Wereldoorlog en zijn rechtstreekse gevolgen gevoeld als in Polen, en misschien nog het meest hier in

Gdańsk. De bevrijding was voor West-Europa de aanvang van een herstel, van het zogenaamde wirtschaftswunder. In het door de Sovjet-Unie bestuurde deel begon toen een nieuwe bezetting.

De gezadelde koe

Een gure zondagochtend. Ik begeef me van het postkantoor naar de haven. De meeste mensen zitten nu in de kerk, anderen vervangen hun wekelijkse plicht door het bekijken van een rechtstreekse televisie-uitzending over het vijfentwintigjarige pontificaat van Johannes Paulus II. Door een raam vang ik een glimp op van het feest in Rome: een beverige man omhelst een huilend kind, nonnen met gevleugelde kappen zwaaien met rood-witte vlaggetjes. Een zondagskrant meldt dat het goed gaat met de paus.

Na het pakhuis en het postkantoor loop ik naar mijn derde doel in Gdańsk, de poort van de Lenin-scheepswerf. Het is een van de zeldzame plaatsen in het oude Oostblok waar de naam van Lenin niet drastisch werd verwijderd. Op het plein voor de werf staat een rijzig monument: drie kruisen verbonden door drie ankers. Naast het hek is de toegang tot het museum De Wegen naar de Vrijheid.

Die wegen begonnen aan het eind van de oorlog. Veel kans van slagen had het communisme in Polen nooit gehad. Onder de Polen waren er nauwelijks genoeg communisten om een fabriek te leiden, laat staan een land van dertig miljoen inwoners. Tijdens de oorlog werd de ideologie van de Sovjet-Unie al massaal bestreden door het Binnenlands Leger, dat eerst tegen de Duitsers had gevochten. Verzet tegen de Russen stond gelijk aan collaboratie. Nadat de Duitsers zich hadden teruggetrokken, werden veel leden van het Binnenlands Leger dan ook beschouwd als volksvijand.

Stalin drong de Polen het communisme met geweld op. Hij was als overwinnaar uit de oorlog naar voren gekomen. 'De Poolse koe moet gezadeld worden,' zei hij. Er ontstond een comité voor nationale bevrijding en overal te lande verschenen Russische marionetten, die de naoorlogse chaos in goede banen moesten leiden. Parallel met de heropbouw van de steden werd het net van de communistische bureaucratie over het land gespannen.

Tot 1980 zaten er achtereenvolgens drie ruiters op de gezadelde koe.

De eerste heette Bolesław Bierut, een naam die nu nog steeds kwaad bloed zet in Polen. Hij werd bijgestaan door Konstanty Rokosowski, een sovjetmaarschalk van Poolse afkomst. Al met al was dit de zwaarste periode van het Poolse communisme. Het nieuwe bewind legde op alle niveaus de marxistisch-leninistische ideologie op. Als tegenwicht voor het Amerikaanse imperialisme breidde men het leger uit tot 400.000 man. De economie werd gecentraliseerd en het werkproces voor de opbouw van de communistische staat werd geregeld in vijfjarenplannen. Aan de rand van de steden verrezen staalfabrieken en woonkazernes. Sommige steden, zoals Katowice in Opper-Silezië, veranderden in een reusachtig industrieterrein. Op het platteland werden de boerderijen gegroepeerd in PGR's, de Poolse versie van kolchozen (PGR is de afkorting van 'państwowe gospodarstwo rolne'), hoewel men in Polen niet zover is gegaan als in de Sovjet-Unie. Godsdienstbeoefening werd ontmoedigd, kerkelijke eigendommen kwamen in handen van de staat en geëngageerde priesters werden met de dood bedreigd. Elke vorm van persoonlijk bezit was verboden, want alles moest toebehoren aan de gemeenschap. Zelfs het privé-leven, dat zorgvuldig werd gecontroleerd door een netwerk van verklikkers. Kunstwerken moesten optimisme verkondigen en konden alleen kritiek uiten op de gevolgen van het systeem, maar nooit op het systeem zelf. Alles werd herleid tot de tunnelvisie van de partij.

Aan dit verstikkende beleid kwam in 1953 een eind met de dood van Stalin.

De tweede berijder van de gezadelde koe was Władysław Gomułka, de man die, zoals Norman Davies schrijft, 'de Poolse cirkel vierkant wilde maken'. In de opluchting van de 'dooi' werd het ministerie van Veiligheid opgedoekt en de censuur doorbroken. In de steden was een explosie van creativiteit merkbaar. Tijdens opstanden weerklonk de leus: *Za chleb i wolność*, 'voor brood en vrijheid'.

Maar die vrijheid was van erg korte duur. In de lente van 1956 vielen bij onlusten vierenzeventig doden en achthonderd gewonden. Moskou werd zenuwachtig en stuurde zijn militaire vloot naar de haven van Gdańsk. Enkele maanden later kwam Nikita Chroesjtsjov, Stalins opvolger, de Poolse communisten hoogstpersoonlijk de les lezen. Achter gesloten deuren werden handen geschud en compromissen gesloten. Het moest kort en krachtig. Op hetzelfde moment brak in Boedapest de Hongaarse opstand uit. De Russische soldaten hadden een drukke agenda.

Gomułka en Chroesjtsjov smeedden een compromis dat de bevolking moest sussen. Over het katholicisme, waartoe na de oorlog vijfennegentig procent van de bevolking behoorde, besloten ze dat de partij de Kerk niet zou aanvallen zolang de Kerk de partij niet voor de voeten liep. De beide communistische leiders rekenden erop dat het katholicisme vanzelf langzaam zou verdwijnen en opgaan in het nieuwe ideaal.

Het omgekeerde gebeurde. Doordat de partij de Kerk niet radicaal verbood, werd zij sterker dan ooit. Ze groeide zelfs uit tot het brandpunt van verzet.

Het tweede compromis betrof de boeren. Gomułka was zelf afkomstig uit Oekraïne, waar hij in de jaren dertig ooggetuige was geweest van de gedwongen collectivisatie. Daarom bedong hij bij zijn Russische oversten dat tachtig procent van de Poolse landbouwgrond in privé-handen zou blijven. Dat stelde de boeren gerust, maar de bureaucratie hield een strenge prijzencontrole aan en verhinderde de aanschaf van behoorlijke machines. In een van de vruchtbaarste landen van Europa heerste hierdoor hongersnood.

'Afgezien van het geamputeerde ontbreekt het ons aan niets,' schreef Kazimierz Brandys.

Wat de vrije meningsuiting betrof, genoot Gomułka in het buitenland het voordeel van de twijfel. Hij trok een façade van politieke vrijheid op. Er werd openlijk gedebatteerd over heikele thema's en er was een beperkt meerpartijenstelsel met schijnbaar onafhankelijke gezanten in het parlement. Gomułka en de zijnen moeten hebben gedacht dat er in een land waar het debat publiekelijk gevoerd wordt, zowel in het parlement als op straat, geen verzetsbeweging mogelijk of nodig is. In werkelijkheid had de partij de teugels stevig in handen en werd buiten de lijntjes kleuren streng bestraft.

Op alle fronten ging het snel bergafwaarts. Onder het beleid van de derde berijder van de Poolse koe, Edward Gierek, werd duidelijk dat de afspraken tussen Gomułka en Chroesjtsjov slechts een spel waren en dat echte vrijheid nooit zou worden toegestaan.

Gierek had zijn jeugd doorgebracht in de mijnen van Frankrijk. Daar was hij vanwege zijn extreem linkse ideeën het land uit gezet.

Tijdens de oorlog speelde hij een belangrijke rol in de Belgische verzetsbeweging. Toen hij in 1970 aantrad als Pools staatshoofd, genoot hij de status van volkstribuun. Hij toonde begrip voor de opstand in de Baltische haven en in de textielfabrieken, waarbij doden waren gevallen (volgens officiële bronnen vijfenveertig, maar volgens andere bronnen honderdzevenenveertig), en hij beloofde hervormingen.

In werkelijkheid voerde hij een nieuwe economische politiek, gebaseerd op het maken van internationale schulden bij banken die bulkten van de Arabische oliedollars. Hij hoopte forse winsten te behalen uit de verkoop van Poolse producten op de wereldmarkt, maar de productiemiddelen waren ondoelmatig en de wereld bleek niet geïnteresseerd.

De economie stortte in, de prijzen stegen waanzinnig en Polen dreigde een derdewereldland te worden.

Aan het eind van de jaren zeventig bedroeg Polens buitenlandse schuld twintig miljard dollar, evenveel als de buitenlandse schuld van de Sovjet-Unie.

De Drakendoder

In dit klimaat ontstond Solidariteit. In de loop van de jaren was er al wel her en der een opstand uitgebroken, maar de stakingen van augustus 1980 waren de hevigste. Ongetwijfeld had het triomfantelijke bezoek van Karol Wojtyła, die twee jaar eerder tot paus was verkozen, de Polen een hart onder de riem gestoken.

Op 14 augustus sprong de zevenendertigjarige werkloze elektromonteur Lech Wałęsa over het hek van de Lenin-scheepswerf in Gdańsk om de stakers zijn steun te betuigen. Onder zijn leiding ontstond een beweging die bijna vereenzelvigd werd met de stad Gdańsk: *Solidarność*. Wałęsa slaagde er als eerste in om alle partijen die in het conflict betrokken waren rond de tafel te krijgen.

Ik loop het museum De Wegen naar de Vrijheid in, waar aan de hand van foto's, films en objecten het verhaal van Solidariteit wordt gereconstrueerd. Het museum huist in de vroegere vergaderzaal van de scheepswerf, waar op 31 augustus 1980, twee weken na Wałęsa's sprong over het hek, de akkoorden van Gdańsk werden ondertekend. Ongetwijfeld vormden die Akkoorden een van de eerste stappen in de ontmanteling van het Poolse communisme.

De akkoorden behelsden dat de arbeiders stakingsrecht kregen, dat er een monument zou komen voor de slachtoffers van 1970 (de drie kruisen met de ankers), dat de censuur zou worden versoepeld en dat de vrije vakbond Solidariteit zou worden erkend. In het museum staat een podium waarop geprojecteerde figuren als in een toneelscène de documenten ondertekenen.

Maar ondanks het compromis was het land in rep en roer. Overal braken wilde opstanden uit. Opvallend was dat mensen uit alle lagen van de bevolking zich achter Solidariteit schaarden: arbeiders en intellectuelen, katholieken, joden en ongelovigen, studenten, boeren en gepensioneerden. De gemeenschappelijke vijand verenigde hen. Solidariteit telde tien miljoen leden, meer dan een kwart van de totale bevolking. En van de drie miljoen leden van de Communistische Partij had een derde aansluiting bij de vrije vakbond gezocht.

Om gezondheidsredenen ruimde Edward Gierek na de Akkoorden van Gdańsk baan voor Stanisław Kania, een compromisfiguur die de zwakke punten van het beleid kende. Wałęsa streefde naar een middenweg tussen radicalisme en al te grote concessies. Zo trachtte hij een algemene staking te verhinderen, omdat die het land helemaal lam zou leggen en alle hervormingspogingen zou ondermijnen.

Op het hoogtepunt van de onlusten, die verfilmd zijn door Andrzej Wajda in *De man van ijzer*, verscheen Wojciech Jaruzelski ten tonele, de generaal met de zonnebril, een krokodil uit de generale staf. Begin 1981 werd hij minister van Defensie, zeven maanden later verving hij Kania als partijsecretaris.

Jaruzelski stuurde duizenden militaire patrouilles door het land om voedsel uit te delen en het imago van het leger op te vijzelen. Op de televisie drukte de generaal de hand van de kardinaal, alsof zij een nieuw compromis aan het smeden waren. Tegelijk grepen de officiële media elke uitval van Wałęsa aan om hem in diskrediet te brengen.

De legale periode van Solidariteit bedroeg exact zestien maanden.

In het najaar van 1981 nodigde de sovjetminister van Defensie Jaruzelski uit op een militair oefenterrein in Oekraïne. Ze vlogen er per helikopter heen. Na de landing bleven ze een uurlang in het toestel zitten. De sovjetminister legde Jaruzelski uit dat Moskou op dat ogenblik drie fronten had. Het eerste was Afghanistan, het tweede China, het derde Polen. Solidariteit werd beschouwd als een door de NAVO gesteund gevaar. Indien de Poolse communisten deze bedreiging het hoofd niet konden bieden, zouden de Russen een handje toesteken. Op 12 december 1981 verscheen generaal Jaruzelski op het televisiescherm. Het beeld van de generaal in vol ornaat maar zonder zonnebril, voor de vlag met de ongekroonde adelaar, veroorzaakte een aardschok. Met toonloze stem deelde hij mee dat hij in 's lands belang en met onmiddellijke ingang de staat van beleg afkondigde. Aanplakbiljetten die in de Sovjet-Unie waren gedrukt, herinnerden de bevolking aan de ernst van Jaruzelski's beslissing. In enkele uren tijd werden tienduizenden aanhangers van Solidariteit, onder wie alle kopstukken, van hun bed gelicht, gedeporteerd en tot bekentenissen gedwongen. Het telefoonverkeer werd aan banden gelegd. Elk internationaal transport werd geblokkeerd. Bij een opstand in de Silezische Wujek-mijn vielen zeven doden. Slechts twee kranten mochten blijven verschijnen. De openbare omroep was geheel in handen van de militairen. Tussen tien uur 's avonds en zes uur 's ochtends gold in de door tanks bezette straten een uitgaansverbod. In alle kazernes was de hoogste staat van alarm van kracht.

Over Lech Wałęsa, die in de volksmond de Drakendoder heette, zei men dat hij 'de autoriteiten hielp'.

De staat van beleg duurde meer dan een jaar. Elk verzet werd in de kiem gesmoord door de buitengewone antiterreurpolitie. De televisie schilderde de kopstukken van Solidariteit af als bandieten. De organisator van een clandestiene radio-omroep werd tot vier en een half jaar cel veroordeeld. Tijdens de tweede verjaardag van de Akkoorden van Gdańsk vielen vier doden.

Toen de staat van beleg werd opgeheven, eind 1982, was de bevolking murw.

Jaruzelski is steeds in alle toonaarden blijven volhouden dat zijn ingreep een noodzakelijk kwaad was, de enige manier om de toorn van de Sovjet-Unie af te wenden. Mocht hij de zaken die dag op hun beloop hebben gelaten, dan had het Rode Leger de klus geklaard, zoals in 1956 in Boedapest en in 1968 in Praag. Zo'n situatie zou een ideale voedingsbodem hebben gevormd voor een Derde Wereldoorlog, waarvoor in beide kampen de scenario's klaarlagen.

An offer not to be refused

In de voormalige vergaderzaal van de Lenin-scheepswerf is een kruidenierswinkel nagebouwd. Het is een kale ruimte, verlicht door een kitscherige luchter van neonlampen. Op de rekken staan op regelmatige afstand enkele flessen azijn, ernaast een bordje: *U wordt geholpen door de verkoopster.* In de koelvitrine liggen een stuk gele kaas en een vette worst. Naast de rekenmachine staat een bordje: *Ben zo terug.*

Zo zagen de winkels eruit in de jaren tachtig. Je kon de spullen uitsluitend krijgen op vertoon van een rantsoenbon, zoals tijdens de oorlog. In de jaren na de staat van beleg stonden voor elke winkel meterslange rijen. Vaak wisten de mensen niet eens wat er te koop was. Zodra er ergens een bevoorrading was geweest, schoof men aan en wachtte. Alcohol was zeldzaam en levensnoodzakelijke spullen zoals wc-papier nog zeldzamer. In portieken werden harde munten geruild voor złoty's. Wie harde valuta bezat, liefst dollars of marken, kon in de PEWEX terecht, een netwerk van winkels 'voor binnenlandse export'. Ik herinner me deze situatie uit de eerste jaren van mijn studieverblijf.

De jaren tachtig waren in Polen buitengewoon grauw. Na de woelige stakingen, de Akkoorden van Gdańsk en de staat van beleg heerste overal lethargie. Op de campussen kwamen van tijd tot tijd groepjes studenten in opstand, maar de blauwe busjes van de *milicja* stelden meteen orde op zaken.

En toch bleef het ondergrondse verzet actief. In de loop der jaren kreeg de bevolking een aantal prikkels die aanleiding zouden geven tot een spectaculaire ommezwaai.

Een eerste prikkel kwam er op 12 mei 1983, toen in Warschau Grzegorz Przemyka, de zoon van de dichteres Barbara Sadowska, in elkaar werd geslagen. De jongen stierf enkele dagen later in het ziekenhuis. Zijn begrafenis groeide uit tot een manifestatie van tienduizenden sympathisanten. De overheid beschuldigde het ziekenhuispersoneel en vaardigde celstraffen uit.

Een maand later zorgde het bezoek van Johannes Paulus II met een overduidelijk politieke boodschap voor een nieuwe prikkel. Wojtyła was op dat moment nog volop aan het herstellen van de schotwonden na de aanslag van 13 mei op het Sint-Pietersplein. Later zou Jaruzelski toegeven dat hij de macht van de paus altijd had onderschat. De Poolse communisten beschouwden Wojtyła in de eerste plaats als een intellectueel, niet als een politicus met slagkracht. De Sovjet-Unie, verklaarde de generaal, zag Wojtyła als een Trojaans paard en verweet Polen herhaaldelijk dat het gedoogbeleid tegenover de Kerk ertoe had geleid dat een machtig figuur als Wojtyła kon uitgroeien tot een internationale anticommunistische koploper.

Vier maanden later kreeg Lech Wałęsa de Nobelprijs voor de vrede. Dat de autoriteiten hem geen toestemming gaven om het land te verlaten, zorgde voor een volgende prikkel.

De grootste prikkel kwam precies twee weken na de toekenning van de Nobelprijs: Jerzy Popiełuszko, een bijzonder populaire Warschause priester, die openlijk sympathiseerde met Solidariteit en geweldloos verzet predikte, werd door de geheime politie vermoord. Zijn lijk werd eind oktober 1984 in een rivier teruggevonden. In de begrafenisstoet liepen honderdduizenden mensen mee. Popiełuszko zou het boegbeeld worden van een herboren beweging, die vastbesloten was het Imperium met de blote hand omver te werpen.

Om de schijn op te houden dat de moord geen politiek motief had, werden de daders begin 1985 veroordeeld tot gevangenisstraffen van veertien tot vijfentwintig jaar.

Toen een nieuwe stakingsgolf losbrak, klonken er binnen de Communistische Partij tegengestelde stemmen. Generaal Jaruzelski dwong op een buitengewone plenaire vergadering van de partij een onderhoud met de oppositie af. Hij kreeg zijn zin.

Bij sommige communisten leefde de overtuiging dat dit de partij in staat zou stellen om Solidariteit ofwel binnen de wet te dwingen, ofwel buiten de wet te stellen. Op de plenaire vergadering eiste Jaruzelski eenvoudigweg het volledige vertrouwen of het collectieve ontslag.

'Het ging zoals in *The Godfather*,' zei Michnik, een van de kopstukken van Solidariteit, later, 'Jaruzelski deed aan het Centraal Comité *an offer not to be refused*. Of je zet je handtekening, of je hersens spatten op dit papier.'

Het partijcongres stemde in. Officieel luidde het: 'Het Centraal

Comité ziet de noodzaak en de mogelijkheid om een constructieve oppositie aan het politieke systeem toe te voegen.'

De dialoog kwam moeizaam op gang, maar de situatie in het land was zo dramatisch dat er dringend maatregelen moesten worden getroffen.

De doorslaggevende maatregel was de organisatie van een rondetafelconferentie, waarop de regering en de oppositie een compromis zouden kunnen smeden. Zo'n conferentie was erg omstreden. De fanaten van de vrije vakbond beweerden dat de ronde tafel niet Solidariteit zou legaliseren, maar juist de partij. De ronde tafel betekende voor hen een smerige valkuil, ultiem verraad, het opgeven van de echte onafhankelijkheid. De angst was reëel dat er na de ronde tafel een gedeelde regering zou komen, waarbij beide helften wel de verantwoordelijkheden maar niet de macht zouden delen.

Van februari tot april 1989 vond de conferentie plaats in het Warschause Viceroy-paleis. De resultaten van het compromis hadden, buiten ieders verwachting, een sneeuwbaleffect. Solidariteit werd gewettigd en beloofde mee te werken aan verkiezingen, waarbij vijfenzestig procent van de zetels gereserveerd was voor de communisten. Jaruzelski werd verzekerd dat hij aan mocht blijven.

Ondanks het compromis had Solidariteit het pleit gewonnen. Deze overwinning werd overgedaan tijdens de verkiezingen op 4 juni.

'Als Solidariteit een ezel op de kieslijst had gezet, was die gekozen, en als de partij God zelf kandidaat had gesteld, had God zelf verloren,' schreef historicus Timothy Garton Ash.

In augustus 1989 werd Tadeusz Mazowiecki, een joodse intellectueel en kopstuk van Solidariteit, de nieuwe Poolse premier, maar Jaruzelski bleef president. Enkele dagen eerder had de Roemeense president Nicolae Ceauşescu nog een dringende oproep gericht aan de partners van het Warschaupact om de communistische macht in Polen te beschermen. Het Kremlin liet echter weten dat het zich niet zou bemoeien met de Poolse binnenlandse politiek en dat het niet bevreesd was voor de verandering in de structuur van het Warschaupact. De doctrine, die door de laatste fanaticus van het sovjetcommunisme, Leonid Brezjnev, was uitgebouwd, bleek door de glasnost en perestrojka van Michail Gorbatsjov definitief te zijn afgeschreven. De macht van het sovjetimperium was gebroken.

Joeri Borev, een Russisch auteur, vatte de opeenvolgende fasen van het sovjettijdperk op een schitterende manier samen in dit beeld:

'De trein reed naar de lichtende toekomst. Lenin was de bestuurder. Opeens stopte hij – het spoor hield op. Lenin voerde onbetaalde zaterdagsarbeid in en de trein reed verder. Nu was Stalin de bestuurder. De weg hield weer op. Stalin beval de helft van de conducteurs en passagiers dood te schieten en dwong de rest om nieuwe rails te leggen. De trein reed weer verder. Stalin werd vervangen door Chroesjtsjov en toen de rails ophielden, beval deze de rails weg te halen waarover de trein al had gereden en ze voor de locomotief te leggen. Chroesjtsjov werd door Brezjnev afgelost. Toen het spoor weer ophield, besloot Brezjnev de ruiten af te schermen en de wagons zo te laten schommelen dat de passagiers dachten dat de trein doorreed.'

Tot zover Borev. En het slot van het verhaal?

Gorbatsjov haalde de schermen voor de ramen weer weg, zodat iedereen kon zien wat er aan de hand was, maar het was midden in de nacht, en de trein hing aan een zijden draadje in de ruimte.

De wet van de remmende voorsprong

'Wat begon met Wałęsa's sprong over het hek van de scheepswerf, eindigde met het doorbreken van de Muur op 9 november 1989,' zei Eberhard Diepgen, de toenmalige burgemeester van Berlijn.

In Polen was het postcommunistische tijdperk aangebroken en behoorde het bloedvergieten tot het verleden, al verliep dit niet zonder slag of stoot. Hongarije, Bulgarije, Tsjechoslowakije en de Duitse Democratische Republiek volgden. In Roemenië verliep de overgang allesbehalve vreedzaam. Op eerste kerstdag 1989 werd president Nicolae Ceaușescu, die enkele jaren eerder nog het Genie van de Karpaten, de Wakende Eik of de Verlichte Strateeg van het Geluk werd genoemd, samen met zijn vrouw Elena afgeslacht. In Joegoslavië ten slotte, de kleurrijkste lappendeken van Europa, brak een burgeroorlog uit, die van 1991 tot 1995 duurde.

De Derde Poolse Republiek, zoals de Polen hun nieuwe staat noemden, had in 1989 dan wel de vrijheid bedongen, maar kwam van de ene crisis in de andere terecht. De wet van de remmende voorsprong.

Solidariteit had haar kracht geput uit de strijd tegen het regime. Toen dat regime uiteindelijk ten val kwam, bleek de vakbond, inmiddels een politieke partij, niet in staat een doeltreffend beleid te voeren. Het draagvlak van de beweging vertoonde barsten. Er ontstonden grimmige disputen tussen de Drakendoder Wałęsa en de intellectueel Mazowiecki. Wałęsa nam zijn toevlucht tot dictatoriale maatregelen, die de bevolking zwaar ontgoochelden. Hij had beloofd iedereen in een mum van tijd rijk te maken. Maar de enigen die in de chaotische maatschappij rijk werden, waren de kopstukken van het voormalige regime.

'Een ware Poolse *bonanza*, een periode van gelegaliseerde diefstal,' noemde publicist Peter Michielsen deze evolutie.

Voor de economische nomenklatoera brak een gouden tijd aan. Terwijl talrijke Polen leden onder de gevolgen van hyperinflatie, zag de oude kliek haar kans schoon om zich te verrijken in de vrijemarkteconomie. Toen de economie werd geliberaliseerd en het mogelijk werd op onbeperkte schaal particuliere bedrijven te stichten, bleken de directeuren van de staatsbedrijven wel degelijk in staat tot efficiënt handelen: zij stortten zich in het particuliere bedrijfsleven. Meestal bleven ze actief in hun staatsbedrijf, maar richtten ze parallelle privé-bedrijven op, die een deel van de taak van de staatsbedrijven overnamen. Terwijl die staatsbedrijven almaar grotere schulden maakten, bloeiden de privé-ondernemingen.

Niet de doorsnee-Pool, zoals Wałęsa had beloofd, maar de avantgarde van het nieuwe economische systeem werd binnen enkele maanden rijk.

De methode van de bonanza was simpel: staatsbedrijven waren niet vrij om de prijzen en de lonen zelf vast te stellen, omdat zij gebonden waren aan maxima, terwijl privé-bedrijven die vrijheid wel hadden. Aan het hoofd van die bedrijven stond een hele lichting vroegere partijleden klaar om na de economische macht ook de politieke macht te veroveren.

In 1995 lukte dit. De voormalige communisten heetten inmiddels postcommunisten. Bij de presidentsverkiezingen werd Lech Wałęsa verdrongen door Aleksander Kwaśniewski, die ook aan de ronde tafel had gezeten, toen nog als communist. Kwaśniewski en zijn premier Leszek Miller zouden Polen op weg helpen naar de NAVO en de EU.

'Onze discussies,' had Kwaśniewski verklaard bij de overgang van communisme naar kapitalisme, 'zijn al honderd jaar die van romantiek versus positivisme, wapperende vaandels versus pragmatische oplossingen. En een eeuw geleden won de romantiek het. De romantiek wint het nog steeds: het is Polens grote handicap in de poging een modern Europees land te worden.' Een andere handicap was de last van het verleden. De postcommunisten wilden zo snel mogelijk van hun sovjetimago af. Daartoe voerde het parlement een *lustracja* door, een onderzoek naar het verleden van mensen in de politiek, op kantoren, bij justitie en bij de omroep. De zittende politici distantieerden zich officieel van het criminele verleden van hun voorgangers. Er verscheen een verklaring dat de communistische dictatuur van 1944 tot 1989 'Polen met geweld was opgedrongen, tegen de wil van het volk in, door de Sovjet-Unie en Jozef Stalin'.

Tegelijk werden wetten goedgekeurd die een onderzoek naar de misdaden van zowel de fascisten als de communisten mogelijk maakten en op grond waarvan de archieven toegankelijk werden voor het publiek. Sommige misdaden groeiden uit tot een symbool, de massamoord van Katyń bijvoorbeeld. In het bos van Katyń, vlak bij Smolensk, op de grens tussen Rusland en Wit-Rusland, werd een monument opgericht voor de duizenden Poolse officieren die er aan het begin van de Tweede Wereldoorlog door Russische soldaten waren doodgeschoten. Onder het communistische regime was altijd beweerd dat de Duitsers verantwoordelijk waren voor die terechtstelling. Tot de gefusilleerde officieren behoorde Andrzej Wajda's vader.

In het postcommunistische Polen werd het katholicisme bevrijd uit zijn marginale positie. De meeste Polen zien niet zozeer Gorbatsjov als de regisseur van de omwenteling, als wel de paus. Bij elk bezoek aan zijn vaderland bracht hij een massa volk op de been.

Het politieke gehalte van Wojtyła's uitspraken kreeg een morele dimensie. Zijn toespraken werden heuse filippica's, waarin hij fulmineerde tegen de geseksualiseerde consumptiemaatschappij. Hij vergeleek het half miljoen abortussen per jaar met 'een vernietigingskamp' en trok van leer tegen alcoholisme, echtscheidingen, losbandigheid, materialisme en pornografie – kortom de hele gedogende mentaliteit die met de politieke vrijheid haar intrede had gedaan. Het zou er later toe leiden dat de Poolse Kerk zich afkerig opstelde tegen de toetreding tot de Europese Unie. Op de preekstoel, die in Polen een machtig forum was en nog steeds is, werd opgeroepen om bij het referendum 'nee' te stemmen. Pas toen de paus verklaarde dat de EU Polen geen windeieren zou leggen, moesten talloze priesters hun mening herzien, althans officieel.

Op het militaire vlak keerde het postcommunistische Polen zich radicaal af van het Oosten. Dankzij uitstekende banden met het Witte Huis werd Polen in 1999, samen met Hongarije en Tsjechië, toegelaten tot de NAVO.

Aan het begin van de eenentwintigste eeuw blijft het onrustig in Polen. Toppolitici zitten tot over hun oren in duistere affaires. Talrijke mijnen moeten dicht. Op het platteland vreest men voor de sluiting van ontelbare landbouwbedrijfjes. Veel misnoegde inwoners nemen hun toevlucht tot extreem rechtse partijen. Miljoenen leven op de grens van de armoede, en de werkloosheid bedraagt twintig procent, dat wil zeggen bijna acht miljoen mensen.

De consul van Turkmenistan

Tegen het vallen van de avond verlaat ik het museum De Wegen naar de Vrijheid op de Lenin-scheepswerf van Gdańsk. Er glijdt een purperen mist over de haven. Op de stoep naast de drukke straat die naar Kaliningrad leidt, leert een vader zijn dochtertje lopen. Als ik deze weg volg, kom ik na vijftig kilometer in Rusland, in de Russische enclave tussen Polen en Litouwen, in de stad die voor de oorlog Königsberg heette en waar in 1724 Immanuel Kant het levenslicht zag. Sommigen dromen ervan dat die enclave weer bij Duitsland zal horen, zoals voor de oorlog. Een van hen, een oudere Rus die in Duitsland woont en Nederlandse poëzie in het Russisch vertaalt, vertrouwde me ooit toe dat het maar beter zou zijn als het oude Duitse territorium werd hersteld. Hij droomt van een nieuw Pruisen. Op de vraag wat je dan begint met de Russen en de Polen die er momenteel wonen, bleef hij het antwoord schuldig. De uitdrukking 'etnische zuivering' spookt door mijn hoofd, omdat ik weet dat ik er de komende dagen, in de volgende fase van mijn zoektocht, op een bloedstollende manier mee zal worden geconfronteerd. Het verhaal van de getorpedeerde Wilhelm Gustloff is namelijk nog niet ten einde verteld.

Terug naar het centrum, waar de eethuizen hun deuren openen. De kroeg onder de ijzeren brug, vanwaar je het roestige hek van de scheepswerf kunt zien met de bebloede spandoeken van het museum De Wegen naar de Vrijheid, stuurt zijn dronken werklozen de straat op. Een van hen is druk in gesprek met zichzelf. Als ik langs hem loop, schudt hij een ingebeelde demon van zich af.

'Ze hebben me te grazen genomen,' mompelt hij in mijn richting. Ik wil hem helpen om de straat over te steken, maar hij wappert met zijn hand en zijgt neer tegen een gedenksteen.

'Hier hebben ze mijn naam niet in de steen gebeiteld,' mompelt hij, 'maar het scheelde niet veel.' Zijn gezicht blinkt in het laatste licht. 'Het heeft echt niet veel gescheeld.' Zijn vingers schieten naar de wolken. Vervolgens kijkt hij me langdurig aan met zijn dooraderde ogen en zegt: 'Maar dat begrijpt u niet. Wat bent u een gelukkig man, want dat begrijpt u niet.'

Ik pak zijn hand van schuurlinnen en help hem oversteken, want de automobilisten op weg naar Kaliningrad hebben haast.

Door de natte straten keer ik terug naar het conservatorium.

Al wie zich met het Oost-Europese communisme bezighoudt, krijgt vroeg of laat de vraag voorgeschoteld of er nu werkelijk niemand was die het plotselinge einde van het sovjetimperium heeft voorspeld. Henry Kissinger noemde het communisme 'een uitdaging die nooit zal eindigen'. Was er niemand?

Ja, bij mijn weten was er één.

Bijna twintig jaar geleden ontmoette ik in het Warschause Łazienkipark tijdens een zondags Chopin-concert een aan lagerwal geraakte sovjetdiplomaat. Hij kwam zomaar op mijn bankje zitten. 'In vrolijker dagen was ik de consul van Turkmenistan,' beweerde hij. Toen hij merkte dat ik een buitenlander was, net zoals hij, alleen uit een ideologisch ander buitenland, waagde hij zich aan de kunst der profetie. Hij sloeg me met verbazing en ongeloof. 'Over enkele jaren,' vertelde hij me doodgemoedereerd, 'zal dat hele verrekte sovjetimperium als een slecht gebakken taart in elkaar zakken en ontstaat er zoiets als een Europese – hoe zal ik het noemen – Eenheid, die alle sovjetsatellieten zal opslorpen en de hand zal uitsteken naar Rusland...'

Hij is de enige mens op mijn pad geweest die met bijna mathematische precisie de toekomst kon voorspellen. Hij hield zijn broek op met een touw en rook naar goedkope wodka, maar hij wist beter dan welke intellectueel of communist of dissident ook in welke richting Europa zou evolueren. Ik vraag me af wat er van hem geworden is, in welke gevangenis ze zijn benen hebben stukgeslagen of welke directeursstoel hij momenteel bezet, want zijn toekomst had slechts die twee mogelijkheden. Waarschijnlijk is hij na een flesje Wyborowa-wodka gewoon doodgevroren onder een winkelraam. Binnen de sovjetrealiteit was dit geen uitzondering.

In de stad waar Schopenhauer het levenslicht zag, wordt nu reclame gemaakt voor een cultstuk van nieuwlichtster Dorota Masłowska en voor de *Vagina Monologen*. In het bureau van de Drakendoder Lech Wałęsa onder de stadspoort brandt barnsteenkleurig licht. Pubers die zich vervelen scholen samen rond de fontein van Neptunus. Uit een Russische kroeg galmt de rauwe stem van de Russische protestzanger Vladimir Vysotski.

Op een paal met richtingaanwijzers staat precies aangegeven op hoeveel kilometer Sint-Petersburg, Kiev, Praag, Berlijn en Amsterdam zich bevinden.

Tutaj Polska, 'Hier is Polen', zeggen de graffiti op de achtergevel van een pakhuis.

Een schaapskop die dat niet weet.

HOOFDSTUK VIJF

West-Polen

M. wist dat geen enkel moment op de wereld alleen
maar helder, gespannen en welluidend kon zijn; aan de
andere kant van de planeet moest een duister, vloei-
baar, stom en wentelend moment haar in evenwicht
houden.

Olga Tokarczuk

Arcadië

Voor het goede doel jongleer ik met de tijd, zoals al wie iets wil
onthullen. Wat hier volgt, speelt zich namelijk enkele maanden
eerder af dan wat op de vorige pagina's is verteld, om precies te zijn
in de verzengende zomer van 2003. De loop van mijn verhaal gebiedt
me het nu pas te vertellen.

In een gehuurd bastaardautootje, een exemplaar dat graag een
jeep had willen zijn, tuf ik door het zuidwesten van Polen. Het mooiste wat iemand in de rimboe kan overkomen gebeurt: ik verdwaal.
De beste manier om iets te vinden, is niet zoeken. Meestal zoek ik te
hard.

Plots staat hij daar, op een driesprong op een godverlaten helling:
een kromme boer die met een fiets aan zijn hand het land afspiedt.
Beboste heuvels, zo ver het oog reikt. Geen dorpen, geen hond. En-

kel de oude, ongeschoren fietser, verzonken in gedachten en verbaasd over mijn plotselinge verschijning en mijn rare accent. 'Wat denkt u te vinden, meneer?' grijnst hij me toe. 'Waar u heen wil, daar is toch niks, volstrekt niks.'

Ik had het niet meteen gezien, maar zijn dubbele tong verraadt zijn gezegende toestand. Hij staart me aan met bloeddoorlopen oogjes en pijnigt zijn hersens, alsof ik hem de weg naar Hamelen heb gevraagd. 'Daar moet wel íets zijn,' houd ik vol en pluk een briefje uit mijn broekzak. 'Hier is het adres en zo heet de man.'

Langzaam schudt hij zijn hoofd, maar hij krijgt plots een inval. 'Het gaat mijn petje te boven dat u daarheen wilt,' schuttert hij, 'maar ik kan het u wel vertellen.' Hij maakt enkele vage gebaren en voorziet ze van commentaar: een tweesprong, een driesprong, de eerste links, opgelet, rechts, brugje, kapelletje en dan alsmaar rechtdoor. Ik kom er vanzelf.

'Nou,' zeg ik en kijk om me heen. Driehonderdzestig graden groene glooiingen, dode vulkanen, waarop bij het vallen van de avond vossen rondsluipen. De landweggetjes meanderen door het landschap, kruisen beken en lossen soms op in akkers. 'Ik kom er vanzelf' betekent: ik ben op mijn engelbewaarder aangewezen.

'En u dan?' vraag ik voor ik in mijn huurjeep wegstuif over de Silezische vulkaantop. 'Kan ik u ergens heen brengen?'

Hij slaat een vlieg weg en bestijgt zijn fiets. 'Van harte bedankt, meneer, ik heb mijn paradijsje daarginds.' Met zijn onstabiele hoofd wijst hij naar het noorden.

Later, als ik al een eind gereden heb, besef ik met een schok dat ik *daarginds*, waar ik voor mijn ontmoeting met de boer al was langsgereden, enkel een bontgekleurde, glinsterende vuilnisbelt ter grootte van enkele voetbalvelden heb gezien, verscholen in een dal. Op het afval woont een kleine gemeenschap, die leeft van aardappelschillen en de verkoop van schoongeschrobde prullaria. De oude Piast rijdt er op zijn rammelende ros heen en bezat zich aan de flessenrestjes.

Mijn jeep sputtert en trekt een spoor van witte stofwolken. Europa op zijn blootst, bedenk ik. De oksel van het continent. Ten tijde van Julius Caesar moet een groot stuk van ons werelddeel er als dit landschap hebben uitgezien. In honderden, duizenden jaren is hier misschien maar een handvol mensen langsgekomen, adellijke ruiters onderweg naar de verkiezing van de koning, besnorde boeren op hobbelende karren, gewapende monniken. En enkele forse legers, oosterse op doortocht naar het Westen, en westerse naar het Oosten. Ulanen, dat zijn negentiende-eeuwse lansiers in dienst van de bezetters, en kozakken, West-Russische ruiters, maar ook tsaren, Napoleon, de ss, de Rode Ruiterij. Achter me ligt Duitsland, met Leipzig en Dresden, rechts van me Tsjechië, voor me... het 'volstrekte niks' van de boer, *nulle part*.

Ik dwaal urenlang. Mijn kaart is te vaag: het gebied waarin ik ronddool is een witte vlek met hier en daar cijfers, die mijn positie boven de zeespiegel aangeven. Als te midden van het niemandsland opeens een kasteelruïne opdoemt, ben ik gerustgesteld dat ik tenminste niet op een andere planeet ben beland. Het kasteel is een van de vele in deze regio, die 'de Loire van het Oosten' wordt genoemd. Ik stap uit. Een ratelslang schiet voor mijn voeten weg en glipt onder een stukgeslagen grafsteen met gotische letters. Ik heb het gevoel dat ik, zoals Bomans' Erik, in een schilderij ben gestapt, maar dan een van Carel Willink of, beter nog, van Caspar David Friedrich. Een lieflijk Arcadië op een van bloed doordrenkte bodem.

Op een heuveltop houd ik opnieuw halt en tracht me op de stand van de zon te oriënteren. Vlak onder de zon, in het zuiden, enkele tientallen kilometers verderop, prijkt Sneeuwkop, de hoogste berg van Karkonosze, het Reuzengebergte, de grens met Tsjechië. Aan de overkant van Sneeuwkop ligt de weg naar Praag. Sneeuwkop laat zich maar enkele maanden per jaar zien. Meestal is hij gehuld in een wolkendek dat verwant is aan de nevel van de Vogezen.

Immer oostwaarts, weet ik. Als ik een brandgeur opsnuif, vermoed ik de nabijheid van soortgenoten, al zou een bosbrand in deze tropische zomer ook niet onwaarschijnlijk zijn.

Van de aanwijzingen die de dronken boer me gaf, blijkt er één te kloppen: ik volg de loop van de Bóbr, de rivier de Bever. Ik parkeer de jeep op een akker vol koolzaad, waarvan de Polen biologische brandstof maken. Ik eet een handvol paddestoelen en bessen aan de zoom van een bosje en ga op een rotsblok naast de rivier zitten, met mijn blote voeten in het heldere, ijskoude water.

De kaart van Polen en een lucifersdoosje heb ik altijd bij me. Met enkele lucifers vorm ik een driehoek. De drie punten zijn Gniezno, Kraków en Warschau, de hoofdsteden. Een vierde lucifer verbindt Warschau met Gdańsk, in het noorden. Het resultaat is een soort

Grote Beer. Maar het eigenlijke 'lichaam' van Polen wordt gevormd door de randen, de grensgebieden in het westen en het oosten, de flanken, links en rechts van de verticale as die Gdańsk, Warschau en Kraków vormen.

Ik moet denken aan het beeld van de appel, Polen als een appelvormig lichaam. Je bijt het rechterstuk van de appel eraf en zet het op de linkerkant. Het resultaat is een wanproduct, maar nog wel een appel. Het is geen spel, maar een tragische vorm van politiek, de praktijk van oorlogsonderhandelaars die grenzen verschuiven zonder zich te bekommeren om de gevolgen voor de bewoners en alle volgende generaties.

Polen lag voor de oorlog namelijk veel oostelijker. Silezië behoorde aan Duitsland, en een deel van Oekraïne aan Polen. Na de bevrijding greep plaats wat in het Duits de *Westverschiebung* heet: Oekraïne viel onder het nieuwe territorium van de Sovjet-Unie, en Silezië kwam Polen toe. Polen schoof dus een eind naar het westen op. De Duitse inwoners van Silezië werden vervangen door Oekraïense Polen. Een voorbeeld van etnische zuivering. Oekraïne is voor de huidige Polen dus een *verloren* en Silezië een *herwonnen* gebied. Dat 'herwonnen' slaat op het feit dat Silezië in de Middeleeuwen, onder de Piasten, deel uitmaakte van Polen. Extreem conservatieve Polen beschouwen Silezië nog steeds als 'oer-Poolse' grond, die later door de Pruisen is ingepalmd.

Het gevolg van deze situatie is dat veel Duitsers na de uitbreiding van de Europese Unie in oostelijke richting aanspraak maken op het Silezische grondgebied, dat tot voor de oorlog het thuisland van hun familie was, en dat veel Polen in het grensgebied met Oekraïne nostalgisch naar hun voormalige oostelijke provincie lonken. Sommigen willen de klok terugdraaien en de vooroorlogse situatie herstellen of ten minste op een of andere manier compenseren.

Het verhaal van de etnische zuivering heeft ook een burleske kant. Dat vond althans de cineast Sylwester Chęciński, die in 1967 de film *Sami Swoi* draaide, 'Alleen eigen volk'. De locatie was een ingeslapen stadje, Lubomierz, hier in Neder-Silezië, waar enkel een buitenproportionele barokkerk aan het glorieuze verleden herinnert. 'Alleen eigen volk' steekt de draak met de Oekraïense verschoppelingen die na de oorlog in West-Polen terechtkwamen. Bittere waarheid als grandguignol. Sindsdien wordt Lubomierz ironisch het Poolse Hollywood genoemd, waar tal van films werden opgenomen.

Daarenboven lijkt burgemeester Olgierd Poniżnik sprekend op Oliver Hardy. Terwijl ik aan de oever van de Bóbr pootjebaad, duiken enkele kinderen uit het niets op. Hun fietsen liggen verderop in de griend. Ze zijn op hagedissenjacht en laten me hun trofeeën zien, schichtige reptieltjes in een doorgeprikte waspoederdoos. Ik vraag hen uit over hun dorp, hun school, hun afkomst, maar in hun ogen verbleken die kwesties compleet bij het leven der hagedissen. Of ze toevallig ook weten waar het dorp ligt dat ik zoek? Ze zijn met z'n vieren en geven elk een andere route op. Over één zaak zijn ze het eens: waar ik heen wil, daar valt niets te beleven.

Het zal nog zijn tijd duren voor zij inzicht krijgen in de geschiedenis van de twintigste eeuw, die hun opa's en oma's heeft geslachtofferd. Die opa's en oma's hebben *hun* kindertijd doorgebracht op de weidse vlakte van Oekraïne, en geven een concreet gezicht aan de massa's verdrevenen die de plaats van de verdreven Duitse kinderen moesten innemen.

Die Westverschiebung was een politieke operatie van de toenmalige wereldleiders en verliep in drie fasen.

In november-december 1943 hadden de Kremlin-baas Jozef Stalin, de Amerikaanse president Franklin D. Roosevelt en de Britse premier Winston Churchill in Teheran al afgesproken dat Polen na de oorlog onder de invloedssfeer van de Sovjet-Unie zou vallen. Het driemanschap was ervan overtuigd dat het de touwtjes van de wereldgeschiedenis in handen had. Toen Roosevelt bij zijn aankomst in Teheran aan Churchill vroeg om 'enkele algemene woorden' te zeggen over 'het belang van deze bijeenkomst', antwoordde Churchill op zijn retorische manier dat daar 'de belangrijkste concentratie van wereldmachten' plaatsvond 'die er ooit in de geschiedenis van de mensheid is geweest'. Over het belang had Churchill ongetwijfeld gelijk, maar de conferentie was geen concentratie, integendeel, zij markeerde juist het begin van een machtsverdeling in twee blokken, die elkaar decennialang naar het leven zouden staan met de moordlustigste wapens die de mensheid ooit had gefabriceerd. Aan de doeltreffendheid van die wapens hoefde de mensheid overigens niet te twijfelen, want twintig maanden na Teheran werden ze al ingezet.

De tweede conferentie, die mede het lot van Polen bepaalde, vond plaats in Jalta op de Krim, in het zuiden van Oekraïne, van 4 tot 11 februari 1945, precies acht dagen na de bevrijding van Auschwitz en tweeënhalve maand voor de zelfmoord van Hitler. Op het program stond de verdeling van de koek. Door de bevestiging van de zogenaamde Curzonlijn werd de oostgrens van Polen vastgelegd. De wereldleiders besloten dat Polen zijn terreinverlies moest kunnen compenseren door een nieuw gebied in het westen, dat wil zeggen Silezië. Tijdens die ontmoeting werd ook bepaald dat de nieuwe Poolse regering uitsluitend vertegenwoordigers van de sovjetadministratie mocht bevatten. Sovjetisering, in één woord.

Twee maanden na de conferentie stierf president Roosevelt.

De laatste conferentie van het triumviraat vond plaats tussen 17 juli en 2 augustus 1945 in Potsdam, vlak bij Berlijn. De samenstelling van deze 'wereldregering' was gewijzigd en tijdens de conferentie wijzigde ze opnieuw. De enige vaste gast was Stalin. De plaats van Roosevelt werd na zijn plotselinge dood ingenomen door Truman, en Churchill moest na de verkiezingsnederlaag in Groot-Brittannië plaatsmaken voor Clement Attlee. Potsdam legde de *westelijke* grens van Polen vast, met name de loop van de rivieren de Oder en de West-Neisse. Hier werd ook bepaald dat de Duitse bevolking zou worden 'verwijderd' uit de nieuwe Poolse gebieden en dat er 'vrije verkiezingen' zouden komen. De bedoeling was dat dit op een legale, vreedzame manier zou verlopen. De realiteit was anders: de verwijdering gebeurde met militair geweld en bij de verkiezingen werd de uitslag op grote schaal vervalst.

Pikant detail: vier dagen na Potsdam, op 6 augustus 1945, gaf Truman bevel een atoombom af te werpen op Hiroshima. Die beslissing had hij al in Potsdam genomen. De dodelijke missie had twee bedoelingen: ten eerste de beëindiging van de Tweede Wereldoorlog en vervolgens de niet mis te verstane waarschuwing aan Stalin dat een opmars van de Sovjets naar het oosten geen enkele zin had.

Met andere woorden: het begin van een nieuwe oorlog, een *koude*.

De aanwijzingen van de kinderen op de oever van de Bóbr hebben evenmin zin. Dan maar weer met de sputterjeep naar Hamelen.

De zon schuift naar het westen, ik richt me op het oosten, de windstreek met de brandlucht. De boeren branden na de oogst hun akkers af, een Oekraïens gebruik, om de aarde klaar te maken voor een nieuwe levenscyclus. Bij windstil weer, zoals vandaag, blijft de rookgeur hangen in de dikke lucht. Af en toe houd ik halt in het vrouwelijke, rijpe landschap: om te zien hoe het eeuwig stilstaat. En om het te ruiken. Duizendguldenkruid geurt het sterkst, soms hars. De stilte is zo diep dat ik mijn eigen bloed hoor ruisen. Als iemand de boom der kennis zoekt, maakt hij verdomd veel kans die hier te vinden. Wie Adam en Eva hoopt te ontmoeten, vergist zich. Zij zijn al in een ver verleden verdreven uit dit paradijs.

God is er nog wel, althans de sporen van zijn oudtestamentische wraak: hier en daar rijzen middeleeuwse burchten op, die geen leger ooit veroverde, maar die volgens de overlevering in de as zijn gelegd door mysterieuze bliksems uit een wolkeloze hemel. De dorpjes. Nowa Świdnica, Wieża, Milecice... Enkele boerderijen met gevels in stucwerk. Houten schuren en slordige erven, hier en daar een scheprad in een beek. Omkranste kruisen, soms drie meter hoog. Blauwe barokke heiligenbeelden op bruggen. Overal spelende, wuivende kinderen. Op de smalle weggetjes: mannen met metersbrede bundels sprokkelhout achter op hun fiets, boerinnen met handkarren, jonge vrouwen met meer tasjes dan ze kunnen dragen. Op de tasjes: Amerikaanse merknamen. In de tuintjes, die slordig zijn afgebakend of onmerkbaar overgaan in het loofbos, bloeien allerlei vruchten: kersen, frambozen, pruimen en zelfs druiven en perziken.

Het is haast ondenkbaar dat dit landschap, dat tot de meest idyllische van Europa behoort, enkele honderden kilometers verder in oostelijke richting overloopt in de zwaar vervuilde provincies Opole en Opper-Silezië. En er gaat een steek door mijn hart als ik lees over mijnbouwplannen van Poolse firma's die dit beschermde natuurgebied willen afgraven om gesteenten te winnen. Die plannen zouden de absolute rust verstoren en bovendien gifwolken kunnen veroorzaken, afkomstig van het uranium dat hier vroeger werd gedolven. In persberichten is sprake van de bouw van reusachtige windmolenparken naar Duits model. Wie de monsterlijke parken in Oost-Duitsland heeft gezien, die de streek rond Leipzig en Dresden ontsieren, kan alleen maar hopen dat de dwepers van het nieuwe regime hun zin nooit zullen krijgen.

In een van de dorpjes staan mannen met lederen koppen voor het huis van de *soltys*, de onderburgemeester, te roken. Ze nemen me nieuwsgierig op. Als ik hen aanspreek, verdwijnt de frons van hun voorhoofd. Voor een ander huis zitten kerels op een bankje met bier in halveliterflessen. Ze kauwen pruimtabak. Ik koop een fles ijskoud

Żywiec-bier en drink hem in een teug leeg. *Na zdrowie*, boert een jongen, 'gezondheid'. Of ze eigenlijk weten hoe uniek hun land is. 'Ja zeker,' grijnst een man met handen vol zwarte kloven, een kompel, 'dit is het hart van Europa.' Het huis waarvoor ze zitten is tegelijk postkantoor, kruidenierszaak en kroeg. In de Pruisische tijd was het een weverij. Het woonhuis is op palen boven op het werkhuis gezet, opdat de bewoners het nachtelijke gestamp van de weefgetouwen niet zouden horen – een vorm van akoestische ontkoppeling. Gerhart Hauptmann, die in Der Wiesenstein in het oude Agnetendorf (nu Jagniątków) woonde, schreef hier aan het eind van de negentiende eeuw toneelstukken over de erbarmelijke werkomstandigheden van de wevers. Hij kreeg er in 1912 de Nobelprijs voor.

In Maciejowiec neem ik een kijkje in een PGR, de Poolse versie van de kolchoz. Voor de oorlog moet dit een hemelse plek zijn geweest. Het renaissancepaleis, dat Klein Wawel heet omdat het zo Kraków's aandoet, was voor de communisten onbruikbaar. Nadat ze het hebben leeggeroofd, hebben ze er een ijzeren hek voor gezet. De rest heeft de tijd gedaan. Een deel van het gebouw is ingestort. Als je door de tralies gluurt, kun je nog zien waarom men het Klein Wawel noemt. Tegenover het paleis staat een hoeve, waarin in de jaren vijftig enkele tientallen Pools-Oekraïense boerengezinnen werden ondergebracht. De bewoners die zich de gedwongen collectivisering nog herinneren, zijn niet eens bejaard, maar ze zien eruit alsof ze wakker schieten uit een slaap die een paar eeuwen heeft geduurd. Aan de andere kant van het erf staat de gotische weertoren. In de kolchozentijd deed hij dienst als stal. Als ik wegrijd, valt me het uurwerk op het fronton van Klein Wawel op. Het staat al meer dan een halve eeuw stil op vijf voor halfnegen.

In het dorp Sobota, 'Zaterdag', heeft iemand *City* op het naambord gespoten. *Sobota City*: enkele mistroostige sovjetappartementen met satellietschotels, een bocht met huisjes die gebouwd zijn met rondslingerende Pruisische stenen. Op de schoorsteen naast de ruïne heeft een ooievaar zijn gigantische nest in een volmaakte cirkelvorm gebouwd.

Ik wil zien wat er van het kerkje overblijft. Lopend over het kerkhof, waarop het meeste arduin is weggeroofd, bereik ik een gat dat vroeger een portaal moet zijn geweest. Achter een kluwen acacia's met centimeters lange doornen ligt de toegang tot de crypte. De veertiende-eeuwse tomben met Latijnse en Keltische epitafia zijn met voorhamers stukgeslagen. In het zand liggen tientallen bierblikken en condooms.

Als ik Sobota City verlaat, zie ik iemand in zijn tuin een hekpaal metselen. De stenen die hij gebruikt lijken sprekend op de resten van de tomben in de kerkruïne.

Bij de bushalte staat een man onder de moordende zon te wachten, zo'n lederen kop met een stoppelbaard en staalblauwe ogen, jong nog, maar gebrandmerkt door een buitensporig leven. Omdat je hier nooit weet of de buschauffeur vandaag zin heeft om uit te rijden, stop ik voor hem. Op de koop toe moet hij naar Wleń, net als ik.

Ik vertel hem over de hekpaal.

'Zo gaat het hier, wat had je dan verwacht?' zegt de man. 'Dat we ze op een gouden kruiwagentje zouden afleveren bij de moffen?'

Ik grijns om zijn flauwe grap en zeg: 'Jullie zouden minstens op een minder zielige plaats kunnen gaan neuken.'

'Waar kom jij eigenlijk vandaan?' vraagt hij. Het is een van de vragen die op zijn tong liggen na mijn brutale reactie. 'België,' herhaalt hij nadrukkelijk en klakt met zijn tong. Opeens draait hij zich om naar de stofwolk achter de jeep en roept in mijn oor dat ik moet stoppen.

Twee keer ben ik in mijn leven ontsnapt uit een brandende auto. Op dit moment, op de oever van de Bóbr, 242 meter boven de zeespiegel, ben ik ervan overtuigd dat ik voor de derde keer zo'n vlucht moet beleven.

De jeep komt met een schok tot stilstand. Ik kijk om. Veel stof, maar geen rook. Alles is grijs, niet rood.

'En waar kom jij eigenlijk vandaan, dat je me bijna een hartinfarct bezorgt?' bijt ik mijn lifter toe, maar hij trekt een samenzweerderige snoet en vraagt me fijntjes of ik een kilometertje terug wil rijden, *surpraais*.

De 'voorstad' van Sobota City bestaat uit welgeteld één schuur, of wat ervan rest, een overwoekerde stenen muur, die wacht op de eerstvolgende storm om om te vallen.

De kerel die ik niet eens bij naam ken veert uit de jeep en gebaart me hem te volgen. Alweer die vervloekte acacia's met hun naalden die een oog kunnen uitsteken. Als een soldaat hakt mijn lifter zich met zijn knuisten een doorgang. Uit het gebarsten beton onder onze voeten schieten vingervormige takken tevoorschijn. Onder de varens slingeren blikjes rond. Ik hoor gekraak van glas onder mijn sandaal. 'Wees niet bang, volg me maar,' roept de man.

Ten slotte staan we tegenover de binnenkant van de gevel. Mijn bizarre gids wijst naar inscripties. Met enige moeite ontcijfer ik de lettertekens: namen, die ooit in de natte voegen zijn gekerfd.

'Nou?' vraagt de man op een bijna triomfantelijke toon.

Ik sla de steekvliegen van me af, die wij op onze strooptocht hebben gewekt, en lees hardop: 'Valantin van Lerberghe... Maurice van Kockelberg...'

Hij monstert me om mijn verbazing te peilen.

'Wie zijn dat?' schutter ik. In mijn achterhoofd weer die echo's van de oorlog. Als hij blijft zwijgen zeg ik verbouwereerd: 'Zijn dat soms... Hoe heb je dit ontdekt?'

Hij lacht zijn tanden bloot. 'Ik kom hier af en toe een joint roken, op verloren avonden, voor we naar de stad afzakken.'

Ik ontcijfer de inscripties op de tweede rij: 'Belgisch krijgsgevangene... 1940...' Onder elke naam diezelfde toevoeging, schots en scheef met takjes in beton gegrift.

Later, in de sputterende jeep, praat hij honderduit, terwijl ik van mijn verbazing bekom. Hij heeft nu de touwtjes van het gesprek in handen. Hij weet dat ik in de geschiedenis van mijn volk zit te wroeten, in de verhalen van partizanen die bij het uitbreken van de oorlog door de Duitsers zijn opgepakt en wellicht gedood, of van gestrande oostfrontstrijders op weg naar de Russische slagvelden.

'Mijn vader was een partizaan uit Oekraïne,' vertelt de jongen. 'Hij vocht met de Volksgarde tegen de moffen. Hier was de oostelijke hoeksteen van het Derde Rijk. Begrijp je wat de Duitsers ons volk hebben aangedaan?' Hij laat een veelbetekenende pauze vallen. 'En jouw volk?'

De brutale bek uit Sobota City, die in Pruisische crypten meisjes naait en joints komt roken, maakt me sprakeloos. Ik houd mijn ogen op de grindweg en tracht me het eerste oorlogsjaar in Silezië voor te stellen. De haat voor de Duitsers zit er goed in. Ongeacht wat de Polen en de communisten de Duitsers hebben aangedaan, weegt de holocaust het zwaarst. De Duitse misdaden hebben de Poolse afkeer van de Duitsers, ook van de huidige generatie, aangeblazen tot duurzame haat.

'Wat is er later met je vader gebeurd?' vraag ik.

'Hij is communist geworden, natuurlijk, zoals zovelen. Het communisme was misschien een vergissing, maar het had tenminste brandhout gemaakt van Hitlers wereld.' Hij zucht diep en vervolgt: 'Op een bepaald moment wilden de communisten van mijn vader af, waarom weet niemand, waarschijnlijk was hij te loslippig, of te idealistisch. Als ze je wilden dumpen, vonden ze altijd wel een reden. Hij werd uitgenodigd in de villa van Malinowski en daarna hebben we nooit meer iets van hem gehoord.'

'De villa van Malinowski?'

'Bij wijze van spreken. Malinowski woont in een kast op de weg naar Czernica. Tijdens de staat van beleg, in 1981, was hij naar Duitsland gevlucht, waar hij begon als tuinman en opklom tot advocaat. Later is hij teruggekeerd, met zakken vol geld. Een van zijn kantoren bevindt zich in Liechtenstein, waar alle partijbonzen heen trokken om hun zwarte geld te verstoppen. Hij is een machtig man, een *nouveau riche*, een van de rijkste kerels in het nieuwe Polen. Hij kent alle geheimpjes van de toppolitici. Misschien weet hij wel waar Jeltsin zijn diamanten heeft verstopt...'

Hij lacht weer, hard en triomfantelijk.

'Wat heeft Malinowski met je vader te maken?' wil ik weten.

'Niks. Maar in Malinowski's huis bevond zich voor 1989 het hoofdkwartier van de veiligheidsdienst. Daar had Malinowski natuurlijk niks mee te maken, althans niet dat ik weet, maar het was wel in zijn huis dat mijn vaders leven werd geruïneerd. Sindsdien hebben we het in onze familie over *het huis van Malinowski*. Bij wijze van spreken. Snap je? Pas op, hier moet je rechtsaf.'

'Maar hier is geen straat!' werp ik tegen.

'Rijen maar,' grijnst de man, 'het is de kortste weg. Iedereen doet het.'

Ik zoek naar de juiste versnelling en rijd een akker op, waarvan ik me niet kan voorstellen dat er ooit iets werd verbouwd. We hobbelen enkele kilometers door de kurkdroge aarde, waarin ik inderdaad sporen van andere voertuigen zie.

'Vertel me over je familie,' vraag ik.

'Een zootje,' zegt hij meteen, 'ik woon met mijn seniele moeder en een idiote broer in de keuken van een PGR. 's Zomers smelten we er weg van de hitte en 's winters vreten we elkaar op van verveling achter de lemen kachel.'

'Wat doe je eigenlijk voor de kost?'

Hij grinnikt. 'Ik verkoop rommel, ouwe schoenen, ketels, wat ik in handen krijg. Niks bijzonders. Brengt ook niks op.'

'En stenen? Je verkoopt ook stenen, niet?'

'Stenen?'

'Nou, zuiltjes uit Duitse kerken, stukgeslagen zerken, je weet best wat ik bedoel.'

Hij grijnst naar me alsof ik een oude zeurderige professor ben, werpt een blik op de akker en zegt: 'Hier kun je de straat weer op. Ik spring er hier uit, jij moet rechtdoor, het bordje Wleń staat ginds in de bocht.'

'Hoe heet je eigenlijk?' vraag ik voor hij uitstapt. 'Ik zal hier een tijd blijven, wie weet komen we elkaar nog weleens tegen.'

'Tomek,' antwoordt hij. 'Altijd welkom in *Saturday City*! Ik zal je mijn zelf geteelde honing laten proeven, en mijn pruimenjenever. Als je tenminste niet zeurt.'

Hij sluit zich aan bij enkele slungels op een erf en verdwijnt in een schuurtje.

'Welkom in het wilde oosten,' mompel ik en manoeuvreer de weg op. De arme dief heeft tenminste niet gelogen: even verder staat het bordje dat de grens van de bebouwde kom aangeeft, hoewel er nog niet één huis te zien is.

Sans Souci

Nobody seems to like him. They can tell what he wants to do, and he never shows his feelings, the fool on the hill.

The Beatles houden me wakker op het eind van de lange rit. Eindelijk Wleń. Het wordt een tijdlang mijn pleisterplaats. Van hieruit wil ik de westelijke flank van Polen verkennen.

Wleń is een typisch Pools ingeslapen boerenstadje. De markt is een klein uitgevallen kopie van een plein in een middelgrote stad: huizen in een vierkant met in het midden het raadhuis, waar burgemeester Schoenmaker zitting houdt. Er heerst een gezellige, lome drukte. De grutterswinkels zijn tot de nok gevuld met evenveel noodzakelijke spullen als rariteiten. De bakker blijft laat open en verkoopt dagelijks verse *bułki* en roddels. Voor de deur van de likeurhandel scholen lokale roodneuzen samen. Op een levensgroot schaakbord hinkelen kinderen. Jongeren liggen lusteloos op banken, bier en peuken binnen handbereik. Boven de hoofdstraat hangt een spandoek met de aankondiging van een houthakkerstoernooi. Voor de poort van het sanatorium zitten rolstoelpatiënten in een sigarettenwolk te keuvelen. Op de brug vergapen witte, kale jongens zich aan de meisjes, die op de oever van de Bóbr zonnebaden. Af en toe plonst iemand gillend in het koele bergwater.

Mijn bastaardauto wordt nieuwsgierig nagestaard. Als ik mijn hand opsteek, knikken de mensen me verwonderd toe. Vreemdelingen komen hier zelden. Ik vermoed dat iedereen weet wat mijn doel is. Mijn gastheer is een plaatselijke beroemdheid en de plek waar hij neerstreek is beladen met de meest onwaarschijnlijke mythen. Ik ben ontegensprekelijk het onderwerp van de roddels morgenochtend.

Het einddoel ligt op de top van een beboste, steile heuvel. Je kunt er vanuit het stadje lopend heen, maar dat is een zware klim. Ik schakel in een lagere versnelling en tuf de asfaltweg op, langs het stationnetje, waar tot voor kort nog een stoomtrein uitreed. Op de top bevindt zich Łupki, een gehucht van enkele boerderijen in bruin uitgeslagen stuc, volgestouwde schuren en aflopende moestuinen – de biotoop van armlastige keuterboeren, een van de duizend. Een kerel van Tomeks slag heeft de naam op het bord van een 'g' voorzien: *Głupki* betekent zoiets als Domkoppen. Op een erf staan kinderen te zwaaien, een vrolijk ontvangstcomité in lompen. Ik herinner me de woorden van de dronkelap op zijn fiets: *volstrekt niets*. Jarry's *nulle part*. Het einde van de wereld.

Aan de linkerkant van de weg doemt plots het kasteeldomein van Lenno (Lehnhaus in het Duits) op. De kaart spreekt van een *ruïne*. Een ruïne is het niet, althans niet sinds mijn gastheer het gebouwencomplex en de omliggende grond heeft opgekocht met de nobele bedoeling de Pruisische paleisresten te redden van de vergetelheid of van de sloop – een titanische onderneming.

Luk Vanhauwaert heet hij, maar iedereen noemt hem *Loek*. De doffe klinker in Luk kennen de Polen niet.

Hij staat me op te wachten voor het hek, een kwieke vijftiger met een baardje, de bosmaaier in de hand, in korte broek en op sandalen, een straatjongen uit het westen van Vlaanderen, die in Antwerpen als ondernemer carrière maakte. Hij is een wonderlijk sujet, een vat vol tegenstrijdigheden: een Don Quichot met een neus voor zaken, een kluizenaar met kluiten.

Na de dood van zijn vrouw belandde hij bij toeval in deze streek. In 2000 stapte hij op weg naar Kraków even uit in Wleń met een boodschap voor de man van zijn werkster. Toen hij het kasteel zag, nam hij een waanzinnige beslissing. Hij reisde niet door naar Kraków, maar trok noordwaarts richting Łódź, waar de hoofdzetel van het postwezen gehuisvest is, de toenmalige eigenaar van het kasteel. Voor een miljoen złoty's kocht hij de gebouwen en vervolgens ook grote lappen grond eromheen. Het maximumbedrag dat hij uit een geldautomaat kon opnemen diende als voorschot. De aankoop moest gebeuren via een Poolse stroman, want de wet verbiedt dat buitenlanders grond kopen in Polen. Die wet is in de jaren negentig goedgekeurd om te verhinderen dat de Duitsers massaal Silezië zouden terugkopen. Wie het lef heeft doet het natuurlijk toch via een omweg. Bij Luk verliep de aankoop evenwel niet zonder slag of stoot. Voor hij toegang kreeg tot het domein, moest hij drie jaar wachten op ministeriële toestemming. In die tussentijd mocht al wie hier in de loop der jaren levenslang woonrecht had gekregen zich aanmelden als wettige bewoner. De nieuwe eigenaar kan de bewoners slechts uit zijn huis zetten op voorwaarde dat hij een andere woonplaats voor ze zoekt.

Sindsdien stapelen de problemen zich op, het ene nog onwaarschijnlijker dan het andere. De overheid maakt hem het leven zuur met een extreem bureaucratische regelgeving. Voortdurend dreigt de arm der wet met sancties, boeten en buitensporige belastingen. Ook de plaatselijke maffia wil een vinger in de pap en eist geld in ruil voor bescherming. Op de koop toe wordt er geregeld ingebroken. Bij het zoeken naar sporen blijkt dat de dieven exact weten waar de duurste spullen liggen en hoe je er moet komen.

Stalen zenuwen, engelengeduld en de sluwe lef van David in zijn strijd tegen Goliath – alleen zo kun je overleven. En Luk is niet de enige.

Hij begroet me met een hartelijke omhelzing en vergast me op een riant Pools souper met sterk bier, geserveerd door een springerige boerendochter, Luks huishoudster Gosia, die mij meteen polst over mijn lievelingsgerechten voor de komende weken. Ik leg mijn culinaire lot integraal in haar handen, zolang het maar Pools is; ik wil geen waterzooi of biefstuk met friet. Gosia lacht uitbundig en zet een portie kippenlever voor me neer.

In de avondschemering leidt Luk me rond op het domein. Het verhaal van het kasteel illustreert de geschiedenis van dit deel van Europa, dat wil zeggen van West-Polen of het meest oostelijke gebied van Duitsland, maar ook van Oekraïne, het meest oostelijke deel van het oude Polen of het westen van de oude Sovjet-Unie – in één woord: het ratjetoe van Potsdam.

'Eigenlijk ben ik hier komen wonen,' vertrouwt Luk me toe, 'om in alle vrijheid en eenzaamheid van het landschap te genieten, dat me past als een handschoen. Het is hier mooier dan in Toscane. Kijk maar om je heen, dit alles lijkt wel ontworpen door een Japanse landschapsschilder.'

Toscane, Japan, Arcadië... Nee, Neder-Silezië. We dringen binnen in de duistere hal van de *oficyna*, het dienstgebouw tegenover het kasteel, boven een paardenstal die doet denken aan een gotische kapel. Vanaf de uitbouw op de derde verdieping, zo'n twintig meter boven de begane grond, heb je een bloedstollend uitzicht op het Reuzengebergte, met Sneeuwkop als hoogste punt.

'Van alle kastelen in de streek heeft dit de fraaiste ligging,' zegt Luk. 'Als ik hier sta, maakt mijn hart een sprongetje van geluk.'

Het mijne ook, maar van hoogtevrees. Het balkon, enkele vierkante meters groot, hangt zonder balustrade boven een ravijn, waarachter de glooiingen beginnen, aanlokkelijk als sirenenlichamen. In mijn kinderlijke angst geniet ik van de overweldigende schoonheid, die de pracht van de plaatsen waar ik tijdens mijn rit hiernaartoe gestopt ben ver overtreft. Zo ver je kunt kijken, kwetst niets het oog. Geen villa's, windmolenparken of fabrieken. Wilde, blote, eeuwenoude natuur.

'Volgende zomer drink ik elke ochtend thee op dit balkon en schrijf ik gedichten, zoals in mijn jeugd,' grapt Luk.

In gedachten wordt het onmogelijke een film: een man in Pruisisch kostuum zit in een mahoniehouten chippendale-stoel en schenkt thee in een kop van sèvres-porselein. Welkom in Paviljoen Sans Souci bij de kasteelheer van Lehnhaus!

'*Sans Souci*, dat klinkt goed,' lacht Luk. Momenteel woont hij in een krot naast het kasteel. Het regent er binnen en de muren scheuren. Op tafeltjes uit een Ikea-bouwpakket liggen plattegronden, oude foto's en tijdschriften. Voor de deur waakt Luks hond Lef, een Russische berenjager, die inbrekers op een afstand houdt.

Terwijl we over het vervallen binnenplein lopen met de fonteinput waarin bokken beschutting zoeken voor de wind, hoor ik dat het kasteel in 1723 door Adam von Kulhaus werd gebouwd en later overging op de familie von Haugwitz. De oudste nog levende von Haugwitz is drieënnegentig en woont in Soest. De toegangshal is volgebouwd met stenen schotten en op de trap zijn brandsporen. Het verval dateert uit de laatste decennia, uit de periode van de leegstand en het vandalisme. Voor die tijd was het pand eigendom van het postwezen, dat in de communistische tijd de kunst verstond om de mooiste Pruisische gebouwen op te kopen en naar believen in te richten met kantoortjes voor de beambten en balies. Het nuttig besteden van gemeengoed, noemden zij dat.

'Toen de nazaten van de familie von Haugwitz hier terugkwamen,' vertelt Luk, 'om met pijn in het hart te zien wat er na al die decennia van hun voorouderlijk domein geworden was, gaven ze eerst *mij* de schuld, alsof *ik* al die tussenschotten had gebouwd, terwijl ik ze nou net zo snel mogelijk weer weg wil. Nee, mevrouw von Haugwitz, heb ik haar gezegd, ik was het niet, dat hebben de communisten gedaan.'

Er zijn nog meer merkwaardige verbouwingen, meestal onvoltooid, want voordat de post er zijn intrek nam, hoopte de spoorwegmaatschappij er een vakantiehuis van te maken met alles erop en eraan: frivole kamers, een restaurant met uitzicht op Bohemen, een Russisch stoombad. Socialistisch-realistische schilders hadden dan een doek kunnen maken met de sprookjesachtige titel: *Een boer in Wleń wijst kameraad Stalin de weg naar het badhuis van Lenno.* Zo'n oase zou geen unicum zijn geweest onder de dictatuur van de apparatsjiks.

Aan de andere kant had men er eveneens een modelkamp voor de communistische pioniertjes van kunnen maken, een koloniehuis: Op naar de Lichtende Toekomst! Ook dat zou geen uitzondering zijn geweest: het kasteel van de familie von Scheibnitz tussen Lwówek en Bolesławiec onderging dit lot. Zo'n voormalige, sinds anderhalf decennium verlaten kolonie is een van die merkwaardige plaatsen waar je de Sovjet-Unie nog kunt *ruiken*: een mengeling van beslapen wol, verschaald rozenwater en kamfer. Of zoiets. Het is niet te benoemen, maar ik herken het meteen.

Er kwam niets van terecht. De plannen bleken strovuurprojecten, hevig opvlammend, maar spoedig uitgebrand. Alleen het sanatorium had er een tijdlang onderdak gevonden. De lucht in deze streek is door een wonderlijke speling van winden buitengewoon zuiver. Wleń is een ontmoetingsplaats van twee windstromingen, die de lucht als een stofzuiger schoonhouden. Tegenwoordig is het sanatorium beneden in de stad.

Ik ga even zitten op de brokstukken van de marmeren trap en neem de schade aan de kasteelhal op.

'Zo, dat hebben de communisten gedaan, herhaalde mevrouw von Haugwitz,' vervolgt Luk. 'Dat woord *communist* moet haar drieënnegentig jaar oude ziel hebben doen zieden. Wat wil je? In 1945 was ze vijfendertig, een mooie, rijke gravin met een van de meest idyllische landhuizen van Oost-Pruisen, die in een halfuur tijd, in één klap *alles* verloor.'

Terwijl op het politieke toneel de overwinning van de communisten op de fascisten geestdriftig werd toegejuicht, ook door West-Europese intellectuelen, kwam de massale sovjetisering op gang. Volgens Miłosz geloofde niemand dat die zo'n effect zou sorteren. Aansluiting bij het communistische idealisme leek het belangrijkste, en iets ergers dan het Hitleriaanse totalitarisme was ondenkbaar.

Totdat het communistische leger gruwelijk wraak nam op de overgebleven Duitsers en een begin maakte met de etnische zuivering – de vrije interpretatie van de akkoorden van Potsdam. Al wie Duits sprak, was verdacht. 'Personen die publiekelijk Duits spreken, moeten opgepakt worden,' ordonneerde de eerste secretaris van het Silezische provinciecomité op 2 augustus 1947. Soldaten vielen willekeurig de aristocratische domeinen binnen en dwongen de bewoners hun huis onmiddellijk te verlaten. Wie verzet bood werd gefolterd of gedood.

Ook in de kelder van dit kasteel werden de familieleden samengedreven. Toen de grootvader zijn gouden horloge niet wilde afgeven, werd hij met een geweerkolf neergeslagen. Er gaan verhalen over soldaten die een huis binnendrongen, het jongste kind grepen en het te pletter sloegen tegen de muur. Als de familie niet bereid was om te vertrekken, zouden de soldaten terugkomen en ook de andere kinderen doden.

Van alle vrouwen die uit Duitse huizen werden verdreven, heeft bijna negentig procent later toegegeven dat ze verkracht zijn. Op de wegen ontstonden karavanen van families die hun laatste bezit op handkarren hadden geladen en wanhopig zochten naar een nieuw heenkomen. Velen stierven onderweg.

Wie van de Duitsers in het door de Sovjets gecontroleerde oosten van Duitsland terechtkwam, werd daar gedwongen om vernederende taken uit te voeren. Alleen wie in het westelijke deel belandde of zijn geld in de aanloop van de zuiveringen had veiliggesteld, kon een menswaardig bestaan opbouwen. Nadat de 'herwonnen' gebieden volledig waren *ontduitst*, werden de Polen uit de 'verloren' gebieden hierheen getransporteerd. Zij moesten hier op hun beurt in veel te kleine kamers gaan wonen, met alle gevolgen van dien. Luk laat me de arbeidershuizen aan de straatkant zien, waar hij me eerder die dag stond op te wachten. Nu zijn dit zorgvuldig gereconstrueerde panden met een nostalgisch ogend interieur, een parketvloer en lemen tegelkachels, kamers met uitzicht op het romantische parochiekerkje en de eeuwig kalme boerenstulpen, het decor van een vooroorlogse film. Maar in de eerste communistische jaren moet het hier een hel zijn geweest.

Norman Davies heeft berekend dat er in de periode 1945-1947 in Oost- en West-Pruisen, Pommeren, Centraal-Polen, de streek van Poznań en Silezië naar schatting drie en een half miljoen Duitsers werden verdreven. Die zuiveringen kwamen boven op de deportaties van de Polen, die Stalin al tijdens de oorlog had bevolen. Toen de concentratiekampen van Auschwitz en Treblinka nog in de steigers stonden, stuurde hij naar schatting twee miljoen Polen en West-Oekraïners naar Siberië en Kazachstan. Het totale aantal mensen dat in de loop van de jaren dertig, veertig en vijftig door de verschillende bezetters op Pools grondgebied werd 'verplaatst', de joden inbegrepen, bedraagt maar liefst vijfentwintig miljoen, dat is precies zoveel als de som van de inwoners van het huidige Nederland en België.

Szymborska houdt niet van statistieken, maar nu en dan zijn ze nodig om de mateloosheid van het absurde te bewijzen.

Waar is Duitsland?

Tijdens mijn verblijf in Neder-Silezië en de omliggende provincies zie ik allerlei mensen langskomen die op zoek zijn naar de schimmen van hun verleden. Op een ochtend verschijnt een groep bejaarde Duitsers in chique pakken en met plechtige gezichten. Ze laten een foto zien waarop enkele tientallen mensen poseren voor een gedenksteen van een gesneuvelde soldaat. Op de steen staan, duidelijk leesbaar, Duitse verzen. De oudste man in de groep wijst op een jongetje. 'Ik hoef u vast niet te vertellen wie dat is,' zegt hij met tranen in de ogen. 'Ik herinner het me nog als was het gisteren. Kunt u soms achterhalen waar die foto precies gemaakt is?'

Luk heeft in zijn jeep, een echte, de hele provincie uitgekamd en kan op de blinde kaart van Silezië elk gehucht invullen. Later die dag troont hij me mee naar een open plek in een bos, enkele kilometers buiten Wleń. Onder een hoop takken en dorre bladeren liggen stukgeslagen stenen. De inscripties, die op de foto duidelijk herkenbaar zijn, doemen voor onze ogen op, verspreid als op een uiteengevallen puzzel. Hier werd de foto dus gemaakt, ergens in de jaren twintig. Een voorhamer moeten de vandalen nodig hebben gehad om het monument te vernietigen, en de ligging van de stenen verraadt dat zij ook nog werden verplaatst en op een hoop gegooid. De takken, die het graniet aan het oog onttrekken, liggen er net iets te zorgvuldig bij.

Churchill beweerde dat de vermenging van verschillende culturen in deze streek zoveel problemen opleverde dat de Westverschiebung en de gedwongen verhuizing onvermijdelijk waren. De vraag is of die geforceerde volksverhuizing de problemen niet juist heeft aangezwengeld. Het geval van de stukgeslagen gedenksteen is helaas meer regel dan uitzondering. Zwervend door deze streek kom ik overal tekens van verwoesting tegen. Op de frontons van sommige kerken of landhuizen is duidelijk te zien dat de Duitse inscripties werden uitgehakt.

Het opvallendste geval van vernieling is verwaarlozing. Langs de Loire van het Oosten ligt een ketting van Pruisische kastelen, die aan het eind van de Tweede Wereldoorlog zijn verlaten en vergeten of geplunderd. Een groot deel van Warschau is heropgebouwd met stenen van Silezische huizen. Wat ik in Sobota City heb gezien, gebeurt nu nog vrijwel dagelijks. Ruïnes van kastelen, kerken of begraafplaatsen worden met kruiwagens leeggeroofd. Zakenjongens uit de stad slaan er soms zelfs munt uit. Er wordt gezegd dat iemand de ruïne in het dorpje Dębowy Gaj, Eikenbos, voor een prik heeft opgekocht en die nu steen voor steen verkoopt aan de keuterboeren.

'Wat zou dat,' waagde een soltys, een onderburgemeester te zeggen, 'de mensen zijn behoeftig, meneer, ze willen een dak boven hun hoofd en daarvoor moeten ze toch ergens hun stenen vandaan halen.'

Als de bouwval niet spoedig wordt gestut, stort het hele gevaarte bij de geringste herfststorm in.

Onder het communisme was een vorm van wetteloosheid regel: de partij stond ontegensprekelijk *boven* de wet. De wet kon de partij niks maken. Nu de partij is weggevallen, blijft de wetteloosheid over. De gewetensvolle restauratie van historische gebouwen stuit op een muur van bureaucratische chicanes, maar de vernietiging en versjachering ervan wordt oogluikend toegestaan. Want 'de mensen zijn behoeftig, meneer'.

De meest drastische vorm van vernieling overkwam een Italiaans zakenman. Een paar jaar geleden kocht hij een pontificaal kasteel uit het begin van de negentiende eeuw, gebouwd door de architect van de Pruisische koning, Karl Friedrich Schinkel. Half Berlijn is op Schinkels tekentafel ontstaan. Na de oorlog was het kasteel omgebouwd tot woonruimte voor de kolchozenboeren. De nieuwe Italiaanse eigenaar sloofde zich uit om het kasteel in zijn oorspronkelijke staat te herstellen, totdat de vroegere bewoners terugkwamen. Zij beriepen zich op een hardnekkige wet, die hun aanspraak op hun woonplaats in de kolchoz legitimeerde. De eigenaar stond machteloos, hij werd met een kluitje in het riet gestuurd. Kort nadat hij zijn verbouwingen tegen wil en dank had hervat, brandde het kasteel af. Nu staat alleen de strakke witte gevel met de hoekige torens nog overeind. Boven de ramen zie je de liksporen van vlammen. Officiële inspectie noemde een blikseminslag de oorzaak van de brand, maar terwijl ik in Silezië verblijf schrijft een krant dat er maar liefst drie vuurhaarden zijn gevonden, wat wijst op brandstichting.

'Larie,' zegt de tuinman die met de bosmaaier in de weer is. 'Iedereen weet toch dat het de bliksem was.'

Hij is een aimabele man met een doorrookte, door spiritus gesmeerde stem en heldere, springerige ogen.

'Wie heeft er nou wat aan als zo'n huis in de fik gaat? Kijk maar,' hij wijst op een waarschuwingsbord, 'nu gaan ze er een hotelletje van maken.'

Het bord houdt alleen kijklustige bezoekers op een afstand, het zegt niks over een hotel.

'Mogen de vroegere bewoners dan gratis in de luxueuze suites logeren?' vraag ik.

De man trekt zijn schouders op en trekt zijn bosmaaier aan, die zo'n herrie maakt dat hij niet meer hoeft te antwoorden. Wie het gevecht tegen de windmolens won, is Elisabeth von Küster. Zij kocht het driedelige paleis van haar voorouders in Łomnica dertien jaar geleden op en slaagde erin om het met gulle Duitse steun te reconstrueren. In de naoorlogse periode was er een school gevestigd. Nu is het opnieuw een vroegbarok gebouwencomplex, bestaande uit het eigenlijke kasteel, het koetsiershuis en de weduwewoning met hotelkamers, een restaurant en een bibliotheek. Op de oprijlaan prijkt een tweetalig bord: het *Deutsch-Polnische Kulturzentrum Schloss Lomnitz*. Ik tref haar achter de computer in haar kantoor naast de hoofdingang. Ze ziet er niet uit als een vrouwelijke Don Quichot, hoewel ze een hachelijke strijd achter de rug heeft. Ze lijkt eerder op een zakenvrouw, bedrieglijk rustig en ongenadig efficiënt, met een ontwapenende glimlach op de lippen. Ze is de drukproeven van een boek over Silezië aan het corrigeren, dat de directeur van het centrum, dr. Horst Berndt, net heeft voltooid. De directeur zit naast haar en drukt me op het hart dat zijn boek wil bewijzen dat de restauratie van dit kasteel 'niet als schaamlapje dient, maar de herwaardering van het hele gebied op het oog heeft'.

Frau von Küsters geheim is dat ze al dertien jaar lang de kerk in het midden heeft gelaten, met respect voor de Poolse en de Duitse zere tenen. In het belendende pand verblijven bijvoorbeeld nog steeds Polen met 'levenslang woonrecht'. Von Küsters domein is een oase van luxe in een armlastig gebied. Gefrustreerde jongelui, voor wie zo'n oase een doorn in het oog is, hebben meermaals de ruiten ingeslagen, spullen gejat of brandende doeken in de brievenbus gepropt, maar mevrouw von Küster houdt voet bij stuk.

Met open mond loop ik door de bibliotheek, waar het hele pantheon van de Duitse literatuur is verzameld, door de gangen vol barokke en romantische schilderijen en door het restaurant, waar Duitse en Poolse specialiteiten naast elkaar worden aangeboden. Meisjes in lange rokken, perfect tweetalig, lopen af en aan. Op het terras overheerst één taal, de taal van nostalgische toeristen die in de huid van spoken uit een ver verleden zijn gekropen.

Luk kijkt me aan. Hij weet wat ik denk. Ik zie het bouwvallige trappenhuis van zijn kasteel in Wleń voor me, met de brandsporen en de schotten van de postbalie.

'Dertien jaar,' zucht hij, 'dan ben ik zevenenzestig.' Hij kijkt me opnieuw doordringend aan: 'En jij zo oud als ik nu.'

Waar is Polen? Voor veel Duitsers die hier rondtrekken geldt een andere vraag: *waar is Duitsland?* Ze hebben ook een antwoord klaar. Als de hoofdrolspelers van Potsdam uit hun graf konden opstaan – wat God verhoede –, zouden ze, van pure onmacht, de punt van hun sigaar stukbijten. Voor schaamte voelen ze zich wellicht zelfs in hun postuum bestaan te zelfvoldaan.

Het Trojaanse paard

Mevrouw von Küster heeft de terugkeer naar de wereld van haar voorouders gewaagd. Anderen stuiten tussen droom en daad op spreekwoordelijke bezwaren.

De pianiste Sylvia Traey bijvoorbeeld, in 1978 laureate van de Koningin-Elisabethwedstrijd, worstelt met de schimmen van haar moeder en haar grootouders van moederskant, inwoners van het Neder-Silezische stadje Jelenia Góra of Hirschberg. Ook zij behoorden tot de *Vertriebenen*, die voor hun identiteit een hoge tol betaalden.

We rijden samen naar de kinderbibliotheek aan de Boulevard van het Poolse Leger, nummer 65. Een rijtjeshuis met de noblesse van een paleisje. Voor Sylvia is dit thuiskomen. Ze gaat op de drempel staan, waar vroeger het voortuintje lag, en wijst naar het balkon op de eerste etage.

'Daar had mijn grootvader zijn praktijk,' vertelt ze.

Doctor Pfeiffer was een vooraanstaand jurist in Hirschberg, en bovendien de mecenas van Peter Verlag, de uitgeverij van muziekpartituren, en van de stadsschouwburg, momenteel het Norwidtheater, iets verderop aan de overkant van de straat.

'En daar,' wijst ze terwijl ze zich omdraait, 'is het schooltje waar mijn moeder leerde lezen en schrijven.'

De bibliotheek is gesloten, maar een bereidwillige secretaresse laat ons erin. Als ze de reden van ons bezoek verneemt, staat ze toe dat we een kijkje nemen in de vertrekken. Sylvia is hier de laatste jaren vaak gekomen, voor haar is dit letterlijk een *sentimental jour-*

ney. Met de verwondering van een kind dwaalt ze langs de rekken met boeken voor eerste lezertjes. Op de patio houdt ze halt en kijkt de tuin in, een veronachtzaamd lapje grond met een appelboom, waarvan de takken zwaar doorhangen. 'Mama heeft als kind nog de appels van die boom geplukt,' zegt ze. Zonder aarzelen loopt ze over de vlonder de tuin in, pakt een appel uit het gras en zet er haar tanden in.

'Hier,' ze reikt me een appel aan, 'het is per slot van rekening toch een beetje *mijn* boom.' Ze loopt tot achter in de tuin, waar ze een tijd staat te mijmeren, en komt hoofdschuddend terug. Ten slotte stapt ze naar binnen.

'In deze kamer,' zegt ze na een lange stilte, 'hadden mijn grootouders hun keuken. Van hieruit had je een prachtig uitzicht op de tuin, die nog veel verder doorliep.'

'Wat is er precies gebeurd na de oorlog?' vraag ik.

'Toen duidelijk werd dat Duitsland de oorlog had verloren en dat de Russen razendsnel naderden, deden gruwelijke verhalen de ronde. Men zei dat alle jonge vrouwen werden verkracht en dat de mannen die voor hun vrouw of dochter in de bres sprongen dat met hun leven moesten bekopen. Er ging een gerucht dat de Russen de vrouwen dwongen om benzine te drinken. Al wat Duits was, was per definitie fascistisch. De jacht op de aanhangers van Hitler vertaalde het Rode Leger genadeloos in een algemene jacht op Duitsers. Er was geen ontkomen aan.'

Ze gaat zitten op een krukje bij de achterdeur. Op de tafel liggen enkele exemplaren van *Robinson Crusoe*.

'Het kwam op enkele uren aan. Mijn grootmoeder besloot om samen met haar dochter, mijn moeder, te vluchten. Als ze dat niet hadden gedaan, hadden de Russen zich aan hen vergrepen. Grootvader weigerde zijn huis te verlaten. Hij sloot zich op, hier in de keuken. Hij wist wat hem te wachten stond. Toen de Russen de stad innamen, draaide hij de gaskraan open.'

Even later gaan we een kijkje nemen op de bovenste etage. Het ene appartement wordt bewoond door een bejaarde dame, het andere staat leeg. Door het sleutelgat zie ik een verkommerde vestibule.

Ik weet wat Sylvia denkt. Ze wil het huis kopen, er een artistieke salon in onderbrengen, ontmoetingen en concerten organiseren, kinderen muziekles geven. We dromen hardop in het trappenhuis. Is het project donquichotterie? De directeur van het rijksbureau voor de monumentenzorg beweert al jaren dat het gebouw te koop staat, maar een informant bij het kadaster van Jelenia Góra, die de agenda van de gemeenteraad kent, heeft laten weten dat er geen enkel concreet plan tot verkoop is. Als er al zo'n plan was, wat ondanks alles niet onmogelijk is, zou er eerst moeten worden afgerekend met de oude huurders, die hun levenslange woonrecht zouden doen gelden, en vervolgens met het gemeentebestuur.

Dat bestuur krijgt een gezicht. Later die dag worden we verwacht in het gemeentehuis, waar Sylvia na lang aandringen en tegen betaling een document mag ophalen. Het is de kopie van de overlijdensakte van haar grootvader, waarin zwart op wit vermeld staat dat doctor Pfeiffer die welbepaalde dag in 1944 om halfelf 's avonds voor het laatst levend is gezien en dat hij even later is teruggevonden in zijn keuken, gestorven door vergassing.

Diezelfde maand lees ik in Duitse en Poolse kranten opiniestukken over de *Heimatvertriebenen*. Aanleiding is het plan om in Berlijn een *Zentrum gegen Vertriebungen* op te richten, een museum annex monument voor alle verdrevenen, niet alleen uit Silezië, maar ook uit Tsjechië, Königsberg en voormalig Joegoslavië. Het zouden er zo'n vijftien miljoen zijn geweest. CDU-politici in Berlijn, onder wie Erika Steinbach, beweren dat het gaat om een aanklacht tegen de verdrijving als politiek middel. Het zou een Europees centrum moeten worden dat waarschuwt voor de tragische gevolgen van verdrijvingen, ongeacht de nationaliteit. Het dispuut hierover vormde lang een van de hindernissen voor de uitbreiding van de Europese Unie, of anders gezegd, voor de hereniging van West- en Oost-Europa. Omdat Duitsland en Polen de grootste spelers op dit veld zijn, drukt de zaak nog steeds op de politieke agenda's.

Polen reageert verontwaardigd. Lech Wałęsa vertolkt de mening van talrijke Polen als hij zegt: 'Wanneer de Duitsers zo'n monument oprichten, moeten wij een centrum bouwen waar alle misdaden van de Duitsers in Polen worden gedocumenteerd.'

Na de heisa rond het monument voor de holocaust in Berlijn, waarvan tegenstanders beweren dat het vooral munt probeert te slaan uit het oorlogsverleden en het antisemitisme aanwakkert, is het Zentrum gegen Vertriebungen een nieuwe haard van conflicten.

Op de cover van het weekblad *Wprost* ('Rechtuit') wordt de zaak op de spits gedreven: Erika Steinbach als ruiter in nazi-uniform op de rug van bondskanselier Schröder, met het opschrift: *Het Duitse*

Trojaanse paard. En daaronder: *Een miljard dollar zijn de Duitsers de Polen verschuldigd voor de Tweede Wereldoorlog.*

Eine feste Burg

'Hier is het tenminste altijd vredig,' glimlacht de *pastor*, de dominee van Jawor, en leidt me rond in zijn kerk. Het verhaal van de gewelddadige verdrijving is des te schrijnender als je bedenkt dat er in deze streek plaatsen zijn die in de loop van de geschiedenis uitgroeiden tot een symbool van verdraagzaamheid. De evangelische Vredeskerk van het stadje Jawor (Jauer in het Duits), dat ik onderweg naar Wrocław aandoe, is hiervan een uitstekend voorbeeld.

De kerk ziet eruit als een uitvergrote Pruisische weverij, helemaal van hout, met stralend witte stucornamenten en een webstructuur van rechte en schuine balken.

'*Cuius regio eius religio,*' zegt de pastor. 'Onder dit devies is de kerk ontstaan. Wie in de streek woont bepaalt de religie.'

Jawor werd herhaaldelijk onder de voet gelopen. Het ontstond in de dertiende eeuw en kwam in de loop der jaren afwisselend onder Pools, Tsjechisch en Pruisisch bewind. De geschiedenis van de Vredeskerk begint met het einde van de Dertigjarige Oorlog, in 1648, die besloten werd met de vrede van Westfalen, vier jaar later. Het vredesverdrag stond de protestanten grotere vrijheden toe. Zij kregen de toestemming om drie kerken te bouwen. De kerk van Głogów bestaat niet meer, maar die van Świdnica wel, een honderdtal kilometers noordwaarts.

De bouwheren werden geacht zich aan een reeks voorwaarden te houden.

'Een van de belangrijkste voorwaarden was dat de kerk van hout moest zijn,' vertelt de pastor. 'En inderdaad, als je de kerk bezoekt, tot in de nok, zul je geen enkele baksteen vinden. Alles, tot de schroeven en de bouten toe, is van hout. Zelfs de dakpannen.'

'En dus brandbaar,' mompel ik.

'De tolerantie was beperkt,' geeft de pastor toe. 'Wellicht rekenden de katholieken erop dat het gebouw na een blikseminslag zou afbranden. Hetzelfde geldt voor de andere voorwaarden. Zo mocht er geen school aan de kerk verbonden zijn.'

'Zodat de jongere generaties hun wortels zouden vergeten,' zeg ik terwijl we de kerk binnenstappen.

'Precies,' knikt de pastor, 'maar de ouderen waren inventief, kijk maar wat ze gedaan hebben.'

We komen in het reusachtige kerkschip: centraal staat het altaar met een schilderij waarop een engel Christus een beker aanreikt: *Jezus op de Olijfberg*, een doek van de Düsseldorfse professor Sohn. Op de parketvloer staan tientallen rijen houten banken voor de gelovigen. Het opvallendst zijn de vier balkons, een aan elke zijde van de kerk, waarop meer dan zesduizend mensen plaats kunnen nemen. De pastor wijst naar de honderden schilderijen op de balkons. 'Wat men niet in de school kon onderwijzen, deed men in de kerk. Het hele Oude en Nieuwe Testament staan op die balkons afgebeeld, als een stripverhaal met tekstballonnen. Ook de analfabeten, of de allerkleinsten, kregen hier hun bijbelles.'

Naast het altaar vind ik een gedenkplaat, ook van hout, die zegt dat de keizer van het Heilige Roomse Rijk, Ferdinand van Habsburg, in 1652 toestemde in de bouw van de kerk. De werkzaamheden begonnen in 1654 en waren exact één jaar later voltooid.

Ik draai om mijn as om het indrukwekkende interieur in zijn geheel te zien. 'Heeft men dit alles werkelijk in één jaar tijd gebouwd?'

'De derde grote voorwaarde was dat de kerk binnen een jaar af zou zijn.' De pastor grijnst. 'Niemand geloofde dat zoiets ooit mogelijk was.'

'Hoe slaagden ze er dan toch in?' vraag ik terwijl ik langs de adellijke wapenschilden loop.

Verontwaardigd kijkt de pastor me aan. 'Die vraag stel je niet in het huis van God.'

'Neem me niet kwalijk,' zeg ik. Ik moet opeens denken aan de hugenoten, die in 1572, honderdtwintig jaar voor deze kerk werd opgericht, ongetwijfeld ook op Gods genade rekenden, maar door katholieke fanaten werden afgeslacht.

We geven elkaar een hand. De pastor loopt in de richting van het trapportaal en stommelt naar boven. Vlak voor ik de kerk verlaat, dwarrelen orgelklanken op de banken neer. Johann Sebastian Bach.

Ik keer op mijn schreden terug. Bach werd precies dertig jaar na de voltooiing van deze Vredeskerk geboren en werkte op nauwelijks tweehonderd kilometer hiervandaan, in Leipzig, als cantor van de Thomaskirche. Zijn muziek lijkt voor deze ruimte te zijn geschreven. Boven op het oksaal zie ik het kale hoofd van de pastor. Hij houdt zijn ogen dicht, verzonken in zijn spel. De oudtestamentische koppen op de frontons staren me aan. Ik neem plaats in een bank, vlak bij een gedenkplaat die zegt: 'Eine feste Burg ist unser Gott. – Zum 400-jährigen Reformationstag 1517-1917.'

'Onder de Alsemster vloeiden bittere stromen' (Czesław Miłosz)

Met Bach in mijn hoofd reis ik naar Wrocław, het vroegere Breslau, de op drie na grootste stad van het land, aan de oever van de Oder. Zij bestaat uit twaalf eilanden, verbonden door honderdtwaalf bruggen, en is sinds de Middeleeuwen een kruispunt van handelswegen, maar ook een kuuroord, waar Frédéric Chopin ooit kwam baden, en een bedevaartplaats.

Ook Wrocław is een ideale stad voor spokenjagers. Driekwart ervan werd in de laatste dagen van de oorlog vernield. In de communistische tijd was het een van de grauwste oorden van Midden-Europa. Na 1989 hebben de handel en het toerisme het centrum opgekalefaterd, zodat het enigszins op Kraków is gaan lijken.

Als je Wrocław vanuit het westen binnenrijdt, waan je je soms in de buurt van het Leidseplein in Amsterdam of de Cogels-Osylei in Antwerpen. Alleen de ramen van de reusachtige warenhuizen herinneren je eraan dat je in een armlastig gebied bent aanbeland: bij gebrek aan middelen zijn ze in trompe-l'oeil op de gevels geschilderd.

Het lutherse verhaal wordt hier vervolgd. Het meest prestigieuze gebouw van de stad is de Aula Leopoldina, de conferentiezaal van de universiteit, vernoemd naar keizer Leopold I, die haar in 1702 stichtte. Het barokke interieur is wel erg barok: in sierstucwerk en illusionistische plafondschilderingen worden de Wetenschap, de Kennis en de Wijsheid geëerd. In de portretgalerij staat het puik van menselijke wijsheid: Mozes, Salomon, Thomas a Kempis, Aristoteles, Livius, Ovidius en Vergilius. Toen de paus merkte dat het protestantisme in dit deel van Pruisen snel aan invloed won, stuurde hij de jezuïeten om orde op zaken te stellen. De Leopoldina, die diende als jezuïtische academie, illustreert de praal van de bekeringsijver.

Als ik in Wrocław aankom, is een van de belangrijkste theaterfestivals van Europa net gestart: *Dialog*. Poolse kunstenaars gaan letterlijk in dialoog met collega's die van overal ter wereld zijn toegestroomd. Ik ontmoet meteen mensen uit Brazilië, Italië, Bulgarije, Rusland en de Verenigde Staten. Het is merkwaardig om te zien hoe in een stad die zes decennia geleden een van de laatste bastions van Hitlers rijk was, waar men tot de laatste uren van man tot man heeft gevochten, nu de meest verschillende wereldbeelden naast elkaar worden gepresenteerd.

De coryfeeën van het Poolse theater zijn er allemaal: de tegendraadse Jarzyna, de demonische Warlikowski, de conservatieve Jarocki, de esthetische Lupa en natuurlijk de heilige Wajda. Ze ontmoeten elkaar in de geïmproviseerde tent voor het Eigentijds Theater, en de discussies laaien soms hoog op, want het festival gaat de controverse niet uit de weg.

Vooral het Braziliaanse Teatro da Vertigem gaat over de tong, met zijn radicale versie van de Apocalyps, het derde deel van een bijbeltrilogie. Het spektakel vindt plaats in de gevangenis van Wołów. In de bus ernaartoe wordt de toeschouwers een reeks strenge wetten opgelegd waaraan ze zich tijdens hun verblijf in de gevangenis moeten houden.

In *Apocalyps 1,11*, zoals de voorstelling heet, gaat de jonge João blootsvoets op zoek naar het Nieuwe Jeruzalem, maar hij moet door de hel, waar hij, als Vergilius in Dantes *Goddelijke Komedie*, getuige is van de wreedste scènes uit de geschiedenis. Een stoet van soldaten, dictators en demonen maakt zijn opwachting in bordeelachtige ruimten, waar de toeschouwers niets menselijks wordt bespaard. Aan het eind ontmoet João Christus, die hij aan het begin van de tocht gewelddadig had verstoten. Ze roken zwijgend een sigaret op de vliering van de gevangeniskapel, tot Christus de hulpeloze woorden uitspreekt: 'Laat me weggaan, laat me alsjeblieft verdergaan...'

Een deel van het publiek is gechoqueerd, maar kan niet vluchten, omdat iedereen letterlijk gevangenzit. Achter de celraampjes verdringen de gedetineerden zich om een glimp van het spektakel op te vangen, vooral van de naakte tableaux vivants in de gangen van de gevangenis.

Mijn bijzondere aandacht gaat uit naar een jonge vrouw in lorren, een Braziliaanse die een stoomcursus Pools heeft gevolgd en die het publiek rondleidt in de krochten van het gebouw. 'De tijd is gekomen,' schreeuwt ze onafgebroken, 'de Apocalyps is aangebroken! Hier is de Apocalyps!' Soms richt ze zich tot een van de toeschouwers en fluistert: 'Schrijf het allemaal op, schrijf alles op wat je ziet, schrijf het in dit boek!' Het klopt. Apocalyps, hoofdstuk één, vers elf. Ik heb het nagetrokken in de hotelbijbel.

In de bus die ons laat op de avond vanuit Wołów door het arcadische landschap terugbrengt naar Wrocław, zinderen de woorden na. Dit is exact wat ik doe: ik reis door de opeenvolgende staties van de geschiedenis, het verloren paradijs en de hel van Polen, en ik schrijf alles op wat ik zie. Onthutsend, soms choquerend is de beeldenstroom door de tijd en de ruimte, maar ik moet het vertellen. *Waar is het verloren paradijs? Waar vindt de Apocalyps plaats?* Niet in een ver buitenland, in de diepten van de geschiedenis of in een gevreesde toekomst, maar hier en nu.

En ik schrijf, zoals de Braziliaanse onheilsprofetes me in lompen en met een hese stem heeft opgedragen, alles op in mijn notitieboekje: ergens op de weg die bij de achterpoort van het paradijs begint... daar zul je Polen vinden.

Het doet me denken aan een ironische versie van het scheppingsverhaal. Toen God aan het begin der tijden de aarde onder de mensen verdeelde, maakten alle volkeren keurig hun opwachting, en ieder volk kreeg zijn deel. De Slaven, die het niet zo nauw namen met de tijd, verschenen te laat op het appèl: er bleef niets meer over om te verdelen. God dacht diep na en sprak ten slotte: 'Aangezien ik geen enkel deel van de aarde meer over heb, zal ik jullie een stukje van het paradijs geven.'

In Wrocław staat geen wegwijzer naar de hel. De hel schuilt er in elke straatsteen. Zoals zij in de straatstenen van Warschau en Kraków en Gdańsk schuilt. Of in al die andere steden. Of in de duizenden dorpen op de eindeloze vlakte van de Vlaktebewoners. Of in hun hoofden en harten. Of in de herinnering aan soldaten die over elke hindernis heen marcheerden, dezelfde hoeren bezochten als hun vijanden, zich bezatten aan hun eigen dromen op britsen die de volgende dag veranderden in lijkbaren.

Ik moet denken aan een andere chroniqueur van de Apocalyps,

de theatermaker Jerzy Grotowski, eigenlijk eerder een *anti*-theatermaker, die hier in de jaren zestig een begin maakte met zijn magistrale oeuvre. In de kleine doolhof van stegen, verborgen in een complex van handelshuizen rond het Raadhuis op de markt van Wrocław, bevindt zich nog steeds zijn archief.

Grotowski zette zijn eerste stappen in Kantors theater, maar raakte later in de ban van de oosterse en Indonesische speltraditie en baande zijn eigen weg, die van het Theater van Dertien Rijen, later het Theater-Laboratorium, een uitgesproken lichamelijk en 'arm' theater, dat metafysische vragen stelde. In de jaren zestig en zeventig trokken duizenden hippies van heinde en verre hiernaartoe. Overal ter wereld schoten kleine laboratoria uit de grond. Grotowski had de status van goeroe. De hoogleraar in de slavistiek die mij er ooit toe aanzette naar Polen te gaan omdat daar 'het beste theater ter wereld werd gemaakt', had ongetwijfeld dit Laboratorium op het oog, maar toen ik voor het eerst in Polen kwam, was Grotowski allang naar Florence geëmigreerd, waar hij tot zijn dood in 1999 verbonden was aan een internationale school.

Grotowski heeft een lange weg afgelegd. Zijn *Apocalypsis cum figuris* uit 1969 was een wild mysteriespel op een leeg toneel, zonder decor, rekwisieten of muziek, met enkel de halfnaakte waanzinnige personages, een voorstelling waarbij de toeschouwers (slechts veertig per keer) tegelijk deelnemer waren. Het joods-christelijke verhaal werd op een provocerende manier binnenstebuiten gekeerd: dwazen en gekken kropen in de huid van heilige figuren. Het resultaat was een orgiastisch spektakel over hoe mensen eerst hun eigen heiligdom creëren om het nadien zelf te vernietigen.

Enkele adepten zijn trouw gebleven aan Grotowski's ideeëngoed en hebben zich in het landelijke Gardzienice in het oosten van Polen gevestigd, waar ze onderzoek doen naar de multiculturele wortels van de West-Slavische cultuur.

In Gardzienice heb ik ooit een van de meest beklijvende ervaringen opgedaan van al mijn *sentimental journeys* in Polen, een soort twintigste-eeuwse apocalyps, die mij tijdens de lange busrit van Wołów naar Wrocław weer helder voor ogen staat.

Wij schreven toen 1986. Als beursstudent zwierf ik samen met mijn vrouw door het donkere rijk achter het IJzeren Gordijn. Maar niks donker: een wondermooie, milde lente, hoewel je voor yoghurt of een worst urenlang moest aanschuiven. Het communisme liep ten einde, maar geen mens die het wist. De wereldleiders spraken gespierde taal en droegen geavanceerde koffertjes bij zich waarmee ze op elk moment een kernoorlog konden ontketenen. Op de campus van de Katholieke Universiteit van Lublin, vlak bij de Oekraïense grens, betrokken we een riante kamer in vooroorlogse stijl, waar ik het theater van Leszek Mądzik bestudeerde, betoverende lichtspektakels in de verduisterde leszalen van de faculteit. Ik geloof zelfs dat Mądzik voor het eerst de naam Gardzienice liet vallen. Grotowski's stukken heb ik zelf nooit gezien, maar Mądzik drukte me in zijn flatje aan de rand van Lublin op het hart dat in Gardzienice de belangrijkste apostelen van de goeroe woonden.

Ik herinner me dat ik in de bus naar het dorpje Gardzienice zat te krabben aan mijn baard, die toen net een week oud was. De chauffeur van de bus vol Oekraïense moedertjes had beloofd dat hij ons zou waarschuwen als we de halte naderden. Een Poolse ambtenaar houdt woord, en zo stonden we na een halfuurtje hobbelen in het lege landschap van het oosten. Naar het dorp was het nog eens een halfuur lopen.

In het postkantoor pikte een norse actrice ons op. Ze bracht ons naar een kamer in een houten huis, waar we begroet werden door een man die voor een spiegel op zijn hoofd stond. Een omgekeerde wereld, niets verbaasde ons in dit land. Het werd avond en nacht. De man op zijn hoofd leek ingeslapen. We doofden de lichten in het huis en keken naar de sterrenhemel. Het dorp was een zwart gat waarin honden blaften. Niemand bekommerde zich om ons, er gebeurde niets, behalve daarboven in het hemelruim, waar sterren vielen. Op dat moment moest ik aan de Apocalyps denken, waarin de sterren onheilspellende namen dragen. Toch was het in alle windstreken rustig, een zuidelijke bries koelde de koortsige aarde.

Toen de fakkels op de heuvel oplichtten, haastten we ons erheen. Een teken in het bewoonde deel van de aarde. In een vervallen schuur klonk middeleeuws gezang. Het gebinte danste in het licht van het vuur. We namen plaats op hooibalen. Uit de koelte van de openzwaaiende stalpoort doemden menselijke gedaanten op, die onafgebroken orthodoxe liederen zongen. Zingend vertelden ze het verhaal van de oervader Avvakum, een zeventiende-eeuwse pope. Het was een ritueel in een aanstekelijk hels ritme, uitgevoerd door spelers met de lenigheid van slangen. Een zwart circus uit een verre eeuw. Staniewski, voormalig acteur bij Grotowski en bezieler van dit theater, maande ons aan om tegen de stalmuur te gaan staan: tegelijk duikelden acteurs met fakkels en messen de ruimte binnen. Het scheelde niet veel of we werden opgenomen in de apocalyptische dans. Nadat de fakkels in emmers waren gedoofd, viel de nachtelijke stilte weer in. De stalpoort zwaaide dicht. Iemand leidde ons bij de hand naar buiten, waar het rook naar duizendkruid en lavendel. Op de tast vonden we ons houten nachtasiel, waar onze kamergenoot nog steeds op zijn hoofd stond. Een omgekeerd standbeeld dat *dobranoc* zei. Goedenacht.

Het werd geen goede nacht. De hitte in de kamer was verstikkend en de muggen kropen sissend in onze oren en monden. Onafgebroken sprongen slangenmensen, als derwisjen, uit het duister op me toe, ze veranderden in cyrillische lettertekens, in murmelende spinnen. Ik hield het niet uit, dronk water uit de pomp en vroeg me een ogenblik in alle ernst af of ik misschien op mijn hoofd moest gaan staan om rust te vinden. Tegen zonsopgang viel ik in een droomloze slaap. Ik ontwaakte met de woorden van Socrates op mijn kurkdroge lippen: de dood is als een eindeloze, heerlijke slaap waarin je zelfs geen enkel droombeeld meer ziet.

Nee, wij waren niet gestorven. In de kille ochtendlucht bedreven we de liefde. Op die leeftijd is liefde verkwikkender dan slaap.

De acteurs kropen uit hun stulp. Ze zagen er een stuk minder mythisch uit dan vannacht. 'Hop, Arcadië,' kreunde een slangenman terwijl we ons werktuiglijk en met onbekende bestemming in een busje wurmden, 'wij hebben de hele nacht doorgewerkt.' Toen ik met mijn houten kop informeerde naar wat hij die nacht precies had uitgespookt, kreeg ik slechts een vermoeid gemompel te horen.

Bij de poort van het Saksisch park in Lublin stapte de chauffeur uit. De acteurs bedankten ons voor ons bezoek en verdwenen in de richting van het centrum. We aten pizza met reuzenpaddestoelen in een kelderkroegje van de studenten en hingen de hele dag lusteloos rond in het park. De kranten bereidden zich geestdriftig voor op de nakende een-meiparade.

Gehaktballen en lauwe thee in een melkbar: we moesten toch ergens van leven. Doelloos rondhangende studenten merkten ons op en troonden ons mee naar hun drinkgelag, ergens in een ranzige kamer achter de universiteit. Als trotse filologen wisselden we wijsheden uit. Onze gastheer was een kwieke drinkebroer met een trotskistisch brilletje en een kast vol wodka. We dronken *do dna*, ad fundum, zongen afwisselend Latijn en Russisch, citeerden Lenin en Nietzsche, tot we laveloos boven de wc-pot hingen. Slapen deden we op een matje voor de deur, als zieke honden. Maar de wereld stond niet stil. De trotskist wekte ons met een miezerig bekertje oploskoffie en sleepte ons door het naar urine stinkende trappenhuis naar buiten, waar de zon onze ogen uitstak.

'Haal diep adem!' jubelde hij. 'De dag des oordeels komt eraan! Zie je wat er daar boven gebeurt?'

Ik heb de staat van beleg in 1981 niet zelf meegemaakt. Oudere slavofiele zwervers hebben me erover verteld. Maar op dat moment, eind april 1986, in het grensgebied van Polen en Oekraïne, was ik ervan overtuigd dat Jaruzelski, de hoerenzoon (dixit mijn trotskistische zuipschuit), voor de tweede keer gezwicht was voor de druk van Rusland en ons met hoogtechnologische moordtuigen in de tang nam.

'Kijk toch,' zei Trotski, 'daarboven, zie je 't?'

Ik zag de lentezon, gaaien, wollige wolkjes.

Hij toverde een bijbel tevoorschijn en las met dreigende stem: 'De derde engel blies: een grote ster viel neer uit de hemel, brandend als een fakkel; ze viel neer op het derde deel der rivieren en op de waterbronnen; en de naam der ster heet "Alsem". En het derde deel van het water werd alsem, en vele mensen stierven van het water, omdat het bitter was geworden.'

Apocalyps, derde afdeling, eerste deel, verzen tien en elf. Ik heb het later nagetrokken.

'Alsem,' legde Trotski uit, 'is *melancholie* in het Grieks, *zwarte gal*, de Slaven noemen het *Tsjernobyl...*'

En hij duwde een krant onder mijn neus. De nacht dat ik in Gardzienice naar de vallende sterren liep te kijken en me verschanste voor het fakkelvuur, was de kernreactor van Tsjernobyl ontploft. Tsjernobyl lag aan de andere kant van de grens, niet meteen op loopafstand, maar toch angstwekkend dichtbij. In West-Europa was een alarmerende hoeveelheid radioactiviteit gemeten, waarop de Sovjet-Oekraïense overheid toegaf dat er een en ander fout liep met de nucleaire installatie.

Ik richtte mijn hoofd op, volgde de vlucht van de gaaien. Natuurlijk was er niets te zien. De dodelijkste eigenschap van dit gif is zijn onzichtbaarheid.

Trotski deed een dansje op de stoep en maakte een buiging voor een bejaarde vrouw met een enorme boodschappentas. 'Leegloper,' hoorde ik haar mompelen, maar hij barstte in lachen uit, ik rook opeens dat hij al aan de wodka had gezeten. 'Werkelijk een strálende dag!' riep hij uit.

Zijn woorden echoën in mijn hoofd als de bus Wrocław binnenrijdt. Het jaar na de onzichtbare apocalyps werden er in de provincie Lublin, in de grensstreek met Oekraïne, opvallend meer kinderen met afwijkingen geboren, maar de gifwolk heeft zich over heel Europa verspreid, en wellicht was de schade minstens even groot in de westelijke landen waar het gif neerdaalde. We weten het niet. En wat zou er van mijn Trotski geworden zijn? Ik heb hem nooit teruggezien, maar zijn citaat uit de Apocalyps staat in mijn geheugen gegrift. Werd hij een plaatselijke roodneuzige wereldverbeteraar of is hij inmiddels gepromoveerd op een dissertatie over Nietzsche? Wie zal het zeggen?

Een oog met krassen

Een zondag. Late zomer. Het eerste goud in de kruinen. Met de boemel ga ik terug naar Wleń, het ingeslapen boerenstadje. Het rijtuig ratelt de heuvelrug op, langs het stuwmeer, over viaducten. De conducteur heeft de bakkebaarden van een achttiende-eeuwse hofdichter. Deze keer waag ik de klim naar het kasteel. In het loofbos op de steile helling krioelt het van de paddestoelen. Hier en daar langs het pad staan paaltjes. Als ik even uitrust kan ik ze van naderbij bekijken: het ene is een middeleeuws boetekruis, een stuk graniet van een halve meter hoog, waarop het corpus delicti staat afgebeeld, in dit geval een bijl. Even verderop is een mijlpaal, een grenssteen die de oude domeinen afbakende. Het land staat er vol mee.

In het park van Luks kasteel zijn enkele dorpelingen aan het werk. Lef, de mooie Kaukausische berenjager, kijkt me vol haat aan. Hoe kan haat zo mooi zijn? Hij laat me met rust, wellicht herkent hij mijn geur.

In het neoclassicistische paleisje aan de rand van het domein breng ik lange tijd in volstrekte eenzaamheid door. Met wat restauratie zou dit een theeschenkerij kunnen worden, of een muzieksalon, of gewoon een leuk huis. De ramen moeten vroeger een brede uitkijk op de stad hebben gehad, maar tegenwoordig is de heuvelflank begroeid, en het Poolse bosbeheer verbiedt het kappen. Veel plattelanders zouden hier ruimer en mooier kunnen wonen dan nu in hun aftandse stulpen. Ik heb sommige huizen aan de binnenkant gezien: schimmelige krotten waar de mensen opeengepakt wonen. Er wordt verteld dat de omwonenden lang geleden in het souterrain van dit paleisje hun brood kwamen bakken. De laatste bewoners hebben er hun sporen nagelaten, momenteel resideren er alleen luie spinnen.

Via de *berceau*, een wandellaan onder naar elkaar toe neigende beukenhagen, loop ik naar de moestuin, waar een vrouw vuistdikke augurken uit de grond haalt, die Gosia, Luks huishoudster, later zal inmaken. De moestuin doet denken aan het herbarium van een klooster. Ergens begint een klokje te kleppen. Het is middag, de zon staat in het zenit en de lucht is doortrokken van de geur van rogge en rook. De bewoners van Łupki slenteren over het zandpad langs de tuinmuur naar de kerk, een kneuterig gebouw in kitscherige barok, verscholen in het elzenbos. In enkele minuten loopt het helemaal vol. De meesten lijken elkaar te kennen. Af en toe fluistert Luk, die zijn korte broek heeft omgeruild voor een zondags pak, de naam van een kennis in mijn oor, de postbode bijvoorbeeld, die tevens gemeenteraadslid is. De dienst kan pas beginnen nadat de drie misdienaartjes voor het oog van de gelovigen hebben gebiecht. Het zonlicht priemt door de hoge ramen. De lucht staat stil. Wierook prikt in mijn keel. De mensen zingen uit volle borst lange, ontroerende litanieën. De pastoor strekt zijn armen uit als een glanzende witte vleermuis. Men noemt hem Poetin, hij heeft dezelfde sluwe kop.

Er zijn opvallend veel kinderen in de kerk. Ik voel me een van hen, zes jaar oud, in mijn zondagse broek, in het midden van de jaren zestig in een dorpje in een polder. De klok is een halve eeuw teruggedraaid.

Pastoor Poetin – zijn echte naam heb ik nooit vernomen – heeft een dringende mededeling. Nog steeds dient de kansel als politiek forum. Tijdens het communisme werd er gepredikt tegen de onderdrukking, nu tegen de zondvloed van het kapitalisme. Kardinaal Glemp heeft een brief geschreven die vandaag in alle parochies wordt voorgelezen. Onderwerp is de vermelding van de christelijke wortels van Europa in de grondwet van de EU. In de onderhandelingen houdt Polen het been stijf. Pastoor Poetin is een Wojtyliaan, hij houdt van spektakel. Misschien heeft hij er ooit zelfs van gedroomd, zoals Wojtyła, om een Hollywoodster te worden. Hij leest de brief op met een dramatische intonatie, een woordenstroom vol accenten en gerepeteerde pauzen. Ik hoor twee stemmen tegelijk: de stem van Glemp en de commentaarstem van Poetin. Poetin, denk ik, zou het liefst nee zeggen tegen dat vanuit het chaotische Brussel gedirigeerde Europa, maar sinds de uitdrukkelijke oproep van de paus om in het referendum over de toetreding ja te stemmen, moet hij water bij de wijn doen. Aan het eind van de brief schraapt hij luidruchtig zijn keel, alsof hij twee stemmen moet smeren.

Vervolgens houdt Poetin een donderpreek, niet over de poel des verderfs in het nieuwe Europa, homohuwelijken of vrije seks – twee stokpaardjes –, maar over een schandvlek in het eigen dorp. Toen hij vanochtend over de zandweg langs de tuinmuur naar de sacristie liep, vertelt hij met verve, zag hij met verbazing werklieden in de weer op het kasteeldomein.

'Genesis, hoofdstuk 2, verzen 2 en 3,' galmt het in de kerk. 'En toen God op de zevende dag het werk had voltooid, dat hij gemaakt had, rustte hij op de zevende dag van al het werk, dat hij verricht had. God zegende de zevende dag, en verklaarde die heilig, omdat God toen rustte van al het werk, dat hij geschapen en tot stand had gebracht.'

Ik voel hoe Luk naast me ineenkrimpt. De hele prediking gaat over de noodzaak van de zondagsrust, en hoewel Poetin Luks naam niet een keer vermeldt, weet iedereen wie hier de mantel wordt uitgeveegd.

'Volgende week komt hier een legertje scouts met hun ouders logeren,' lispelt Luk in mijn oor, 'de scouts hebben tenten, maar als we niet doorwerken, moeten de oudjes onder de blote hemel slapen.' Hij haalt zijn schouders op. 'Wist ik veel.'

Na afloop van de dienst knikt Poetin minzaam in Luks richting. 'Waarom zeg je zoiets niet in mijn gezicht?' vraagt Luk.

Poetin glimlacht fijntjes en loopt door. Zijn waardige gestalte in zwarte soutane verdwijnt over het zandpad, omringd door boerengezinnen in donkere pakken. In dit soort dorpjes speelt de pastoor nog steeds de rol van moreel gezagsdrager, die zijn preekstoel als platform gebruikt. De mensen luisteren en knikken.

Ik moet denken aan de uitspraak van een Warschause bisschop enkele jaren geleden: 'Stel je voor dat ook de Poolse Kerk progressief zou zijn, waar zouden de Polen dan nog terechtkunnen?' Luk lapt de zondagsrust aan zijn laars en tijgt aan het werk, met het onvoorwaardelijke ideaal dat hij van dit boerengat opnieuw een waardige plek op de kaart wil maken.

'Die *fool on the hill* van The Beatles,' grijnst hij, 'dat ben ik ten voeten uit.'

Vanaf de kerk trek ik het bos in, waar het in deze tijd van het jaar krioelt van de teken. Ze vangen trillingen op en laten zich op je huid vallen, waar ze zich kunnen ingraven, met dramatische gevolgen. Je kunt ze met je nagel doodknijpen als een luis. Het steile slingerpad leidt naar de top van de vulkaan, waar de ruïne van een middeleeuwse burcht ligt. Aan het begin van de Poolse geschiedenis werd hier een eerste vesting op basalt gebouwd. In de dertiende eeuw was die de verblijfplaats van de Piastenkoning Henryk Brodaty, Hendrik-met-de-Baard, en zijn vrouw Jadwiga. Jadwiga werd later heilig verklaard omdat ze elke dag, winter en zomer, blootsvoets naar de kerk toog en haar hele leven naast Henryk leefde als een kuise zus. De burcht was een hoeksteen van het grote Piastenrijk. Van hieruit werd het rijk van de Vlaktebewoners verdedigd tegen invallen uit het westen. Daartoe werden ook mensen uit Vlaanderen aangetrokken. Hun reis naar het oosten is ooit vereeuwigd in het folkloristische liedje 'Naar oostland willen wij varen'. Luk dringt er bij de overheid op aan de burcht aan hem te verkopen, zodat hij hem tenminste kan behoeden voor verder verval of vandalisme.

Na het neoclassicistische paleisje is dit mijn favoriete plek. Over loszittende traptegels klim ik naar de resten van de vestingmuur, die vol cicaden zit, en van daaruit bestijg ik de uitkijktoren, een stenen donjon met houten binnenwerk.

Het platform op de top biedt een adembenemend zicht op Neder-Silezië: de boerderijen, golvende stroken blauwe bossen, uitgestrekte stoppelvelden en de schimmen van het Reuzengebergte met Sneeuwkop, waarachter Bohemen begint. In die zilverig glimmende verte staat de gevangenis waar Václav Havel zijn *Brieven aan Olga* schreef, voor hij als held van de fluwelen revolutie in Tsjechië tot president werd benoemd. Het enige witte huis in het dal behoort toe aan een lokale maffiabaas. Daar vond onlangs een bloedige afrekening tussen clans plaats. De bijna erotische pracht van de natuur staat in schril contrast met de ruwheid van de bewoners. De wind maakt de hitte op de donjon draaglijk. Ik blijf naar het landschap staren tot de zon begint te zakken. Het beeld is even onveranderlijk als onuitputtelijk, maar het meest betoverende is de stilte, een prehistorisch niets op de mond van een vuurberg. In het midden van het cirkelvormige platform zit een metalen oog. Een ijkpunt voor landmeters, verneem ik later. Voor mij is het een teken, een ijkpunt van de tijd, een oog met krassen.

Als ik 's nachts voor de deur van mijn logement op het kasteeldomein naar de sterren zit te turen, bekruipt mij het verlangen om terug te keren naar de top van de donjon, ginder in het oostelijke naaldbos, op nauwelijks een kwartier lopen. Het is aardedonker daar boven. Je moet een heel sterke lantaarn meenemen om er veilig te komen. Terwijl ik voor de tweede keer die dag de houten binnentrap van de toren op stommel, hoor ik gedempte stemmen boven me. Op het platform zitten lusteloze jongens en meisjes met bierblikken en joints in de hand om een kampvuur, dat ze boven op het metalen oog hebben aangelegd. Ik herken de brutale kop van Tomek uit Sobota City. We kijken elkaar stomverbaasd aan. Wat komen zij hier zoeken? Wat kom ik hier zoeken? Een van hen is druk in de weer met een gettoblaster. Zij vieren het einde van hun vrije dag, van een van hun vrije dagen, want de school verzuimen ze en werk is er niet. Ik ben op zoek naar een stilte die ik nog nergens anders in Europa heb gehoord, maar dat kan ik hun natuurlijk niet uitleggen.

Terugkeer door het sprookjesbos. Pal in het zuiden van de hemel staat Venus. Ik stoot mijn voet aan de brokstukken van een enorme stenen tafel. Ik moet denken aan de kuise voetjes van Jadwiga. De berenjager kermt in zijn slaap. Alles slaapt.

De dreun van de gettoblaster verscheurt de stilte van de vuurberg.

HOOFDSTUK ZES

Oost-Polen

er bestaat een land
niet zo ver weg
maar je kunt het alleen bereiken
in je dromen
ik ben er ooit geweest
het maakt me bang

uit een Poolse popsong, gehoord op Radio Polonia

ik ben het eens met het landschap
dat niet bestaat

Ewa Lipska

Lublin

De vrouw achter de balie voor internationaal verkeer begrijpt het niet. Als de bus er vier uur over doet en de trein acht, kies je toch voor – nou?

'Nee,' houd ik vol, 'ik neem de trein, enkele reis, eerste klas.'

Een zucht. Dan weer die stugge blik.

'Eerste klas bestaat niet in Oekraïense treinen.'

'Maar ik kan toch wel een zitplaats reserveren?' vraag ik.

'Nee.'

Hoezo, nee?

'Alleen een bed.'

En zo bestel ik op de eerste sneeuwdag van het jaar een bed in de Odessa-Expres. De vrouw begrijpt niet waarom die vreemdeling zichzelf zo kwelt. Volgens haar is de kortste weg tussen twee punten een rechte lijn. Maar de vreemdeling heeft een doel dat hij haar niet kan uitleggen. Hij wil een boog maken, die van de aarde en die van de geschiedenis, waarin niets rechtlijnig verloopt.

Ik zwerf door Lublin, de universiteitsstad in het zuidoosten van Polen, op strategische afstand van Slowakije, Oekraïne en Wit-Rusland, maar toch ook weer niet te dichtbij. Het stationsplein verandert in een papperige glijbaan. Ik eet kippensoep in een gaarkeuken, die ik na wat speurwerk heb ontdekt op de bovenetage van de wachtkamer. Het zit er vol einzelgängers, onderweg van nergens naar nergens, gebogen over een nap dampende soep en af en toe om zich heen loerend. Buiten loeit een sirene. Voor de likeurwinkel aan de overkant is een man uitgegleden, maar hij is zo dronken dat hij het niet eens merkt. Hij rolt zichzelf op als een foetus in de koude modder. Even later staat een agent grijnzend toe te kijken. Een andere dronkaard wankelt de winkel uit en scheldt op de ongelukkige. De mensen lopen achteloos voorbij. Verderop is een markt waar lachende vrouwen bloemen verkopen, honderden kleuren wemelen door elkaar. Een gele ambulance laadt de dronkaard op en de aarde draait als vanouds.

De kippensoep geeft me wat warmte in reserve. Over de promenade in het park loop ik naar het centrum, met een omweg langs het kerkhof. In deze maand flakkeren er kaarsen op elke zerk. De begraafplaatsen zijn al van verre herkenbaar aan de zee van springerige vuurtjes. Oost-Polen is een lappendeken, op de rustplaats van de doden is dat soms makkelijker af te lezen dan op de gezichten van levenden. Het terrein is onderverdeeld in compartimenten met manshoge muurtjes en prikkeldraad, zodat het meer op een doolhof dan op een kerkhof lijkt, waarin ik soms moet zoeken om van de ene afdeling in de andere te komen. Katholieken, protestanten, orthodoxen, ze zijn er allemaal, keurig separaat, en elk met hun eigen kerkgebouw. Je kunt het spoor van de geschiedenis volgen aan de hand van hun namen: Litouwers, Wit-Russen, Oekraïners, Russen, Duitsers – en Polen natuurlijk. Bij de meeste graven staat een houten bank, waarop de levenden komen praten met de doden. Onder de zitplank bewaren ze schoffeltjes en verse kaarsen. Ik herinner me Miłosz: 'Een mens wil ergens zijn huis hebben en er zich thuis voelen.' Ik zoek de joden, maar die hebben hun eigen kerkhof een eind verderop, al sinds de zestiende eeuw. Hun lotgevallen heeft Isaac Bashevis Singer beschreven. Singer was een Pools-joodse auteur, die vooral in het Jiddisch schreef. In 1935 emigreerde hij naar Amerika, in 1978 kreeg hij de Nobelprijs. Op mijn zwerftocht heb ik twee Poolse Nobelprijswinnaars ontmoet: Czesław Miłosz en Wisława Szymborska; in 1905 was Henryk Sienkiewicz de eerste winnaar, de tweede was Władysław Reymont in 1924. Al met al hoort ook Singer in dit rijtje thuis, als vijfde laureaat.

Het oude Lublin is een wirwar van straatjes tussen hoge okerrode huizen, die voorzichtig achterover hellen. Op de gevels staan maniëristische of barokke decoraties. Hier en daar zie ik socialistisch-realistische ornamenten uit 1954, toen men de tiende verjaardag van de eerste communistische regering vierde.

Via een steile steeg loop ik onder een arcade door naar het kasteel, waar in 1569 de Unie van Lublin werd ondertekend, het officiële verbond tussen Polen en Litouwen, hoewel dit al meer dan twee eeuwen bestond, sinds het huwelijk van grootvorst Jagiełło met kindkoningin Jadwiga. Op het vlak van de taal, de godsdienst en de nationaliteit vertoonde deze Unie de grootste diversiteit van alle Europese landen.

De toegang tot het kasteel wordt bewaakt door twee reusachtige bijlen op een neogotische gevel. De vesting deed tot de jaren vijftig dienst als gevangenis. De Byzantijnse fresco's op de katholieke kapel, door orthodoxe christenen geschilderd, bewijzen de verstrengeling van culturen, die zo typisch is voor deze streek.

Later die dag heb ik een afspraak met een vriend, een Vlaming die hier al jaren woont, Jan Hunin. Hij is journalist en doceert Europese integratie aan de Maria-Curie-Skłodowska-universiteit. We zoeken de warmte op in de Brede Straat 28. Dat is geen adres meer, maar de naam van een kroeg, waarin het interieur van de ongelukkige Duizendkunstenaar van Lublin is nagebouwd. Dat huis lag aan de Brede Straat, nummer 28. In de kelder maken muzikanten zich op voor het klezmerconcert van vanavond. Aan de muur hangen affiches met de namen van Singer, die het verhaal van de Duizendkunstenaar van Lublin opschreef, en van Bruno Schulz, de Poolsjoodse auteur en tekenaar die in het 'verloren' gebied woonde, het huidige Oekraïne.

We vertellen elkaar onze verhalen, Jan en ik. Enkele dagen geleden hebben ze voor zijn huis zijn auto gejat. Vroeger hadden ze al zijn ruiten ingeslagen, nu hebben ze hem helemaal meegenomen. 'Hij staat nu wellicht op een illegale markt in Moskou,' grijnst Jan. Het was een oude kar maar met een buitenlands kenteken. Dat heeft de dief gelokt. Een oude Poolse kar steelt geen Pool, maar is hij van een buitenlander, zo heet het, dan is het niet zo erg. We drinken koffie en bier. Buiten valt de duisternis in. Door de glas-in-loodramen zie ik de heesters in de achtertuinen van de patriciërshuizen, vanwaar je een mooi uitzicht hebt op het kasteel. Jan vertelt me over de bureaucratische moeilijkheden die hij heeft in verband met zijn verblijfsvergunning, zijn werk aan de universiteit en de boerderij in Neder-Silezië, die hij zopas heeft gekocht, of liever: heeft laten kopen, want als vreemdeling, waarvoor hij nog steeds doorgaat, heeft hij geen kooprecht. Nu zijn auto weg is, kan hij er zelfs niet heen rijden.

Al jaren is Jan een trouwe informant. Hij vertelt me over de recente corruptieschandalen, over de stoelendans van partijvoorzitters, over de strijd die de postcommunisten aanbinden met de demonen van hun voorgangers en over het katholieke fundamentalisme van organisaties als Zelfverdediging van Andrzej Lepper, de Liga van Poolse Families en Radio Maryja, die hun anti-Europese gevoelens niet verheimelijken. Met veel verve vertelt hij over zijn reizen door de buurstaten. Onlangs heeft hij Wit-Rusland bezocht, een van de meest geïsoleerde naties van ons continent, een land dat mensenrechtenactivisten een ware dictatuur en een paradijs voor vrouwenhandelaars noemen. Hij heeft er gepraat met journalisten die na kritiek op de regering gevangen werden gezet.

Jan is bijna het tegendeel van mij, wellicht begrijpen we elkaar daarom zo goed. Ik ben een romanticus, hij is efficiënt en nuchter. Ik zwerf, hij heeft een doel. Ik woon in een stulpje diep in mezelf, hij loopt met grote passen over het continent. Ik praat zacht om de Polen aan de belendende tafel niet te storen, hij praat voor het hele café. De gelijkenissen zijn schaars maar significant: we zijn ongeschoren en dragen geen maatpakken. Lachend zegt hij dat we allebei verder zouden komen als we dat wel deden.

Wellicht heeft hij gelijk, denk ik als ik later over de brug terugloop naar het kasteel voor een panorama van de stad. Mijn loodzware reistas heb ik in de linnenkast van een Warschaus pensionnetje achtergelaten en nu trek ik met een rugzak verder. Noch de tas, noch de rugzak bevat confectie. 'Omnia mecum porto', zoals de personages van Kantor: wat ik aanheb, is wat ik heb. Het grootste gewicht in mijn bagage wordt ingenomen door boeken.

Ik ga op de trap van het kasteel zitten en kijk uit over de stad, boven de halve cirkel van het plein en de brug naar het labyrint. De zon zakt snel. Over de bruinrode huizen daalt een fijne nevel, waaruit puntdaken en spitsen van kerken priemen. De geur van bruinkool. De torens kleppen. Ik moet denken aan Talinn in Estland en Vilnius in Litouwen, heel even ook aan Praag.

Aan de voet van de heuvel, in de schaduw van een internationaal busstation, vind ik een Russisch-orthodox kerkje, waar net een dienst is begonnen. Ik gluur naar binnen door een smal raampje in de poort. Verspreid in de ruimte zonder stoelen staan enkele tientallen mensen voor de vergulde iconostase. De scharnieren van het poortje knarsen, maar niemand kijkt om. Er hangt een doordringende kaarsenlucht, afkomstig van de zware kandelaars. Boven schilderijen met zilveren inlegwerk prijken bijbelcitaten in sierlijke letters, die meer dan duizend jaar geleden werden ontworpen door twee monniken uit Thessaloniki, de broers Cyrillus en Methodius. Sommige gelovigen blijven maar heel even. Een jonge vrouw gaat enkele minuten voor de icoon van de Heilige Drievuldigheid staan en bekruist zich uitvoerig met drie vingers, die ze achtereenvolgens naar het hoofd, het hart, de rechter- en de linkerschouder brengt. Ze sluit de ogen en houdt haar pink en ringvinger in haar handpalm. Ik zie haar lippen bewegen. Na drie kruistekens kust ze het schilderij. Ze steekt een kaars aan en verlaat de kerk.

De pope, een dunne man met een indrukwekkende baard, wordt op de voet gevolgd door een vijftal misdienaars. In een hoek zingt een mannenkoor Oudkerkslavische verzen, een vrouw vertaalt reciterend in het Pools. Als de gouden deur in de iconostase wordt geopend, buigen de aanwezigen het hoofd. Wat een verschil met de katholieke ritus: hier geen donderpreken en geen stoelendans, alleen de bezwerende gezangen, eindeloos herhaald, te midden van iconen die, zoals Rainer Maria Rilke schreef, evenzeer mij aankijken als ik hen.

Ik ben uitgeput van het maandenlange zwerven, maar dit oude ritueel verkwikt me. Op zulke plaatsen besef ik wat de twee dominantste ideologieën van de twintigste eeuw – communisme en kapitalisme – hebben opgeofferd: het is wat Miłosz op zijn eenennegentigste *de andere* of *tweede ruimte* noemt:

Laten we treuren, weeklagen om dit grote verlies.
Het gezicht met kool overtekenen, het haar los laten hangen.

Laten we smeken – moge ons de tweede ruimte
worden teruggegeven.

Bij de icoon van de moeder met het kind steek ik een kaars aan. De
moeder op het schilderij kijkt me een ogenblik aan als mijn eigen
moeder, tegelijk eeuwenoud en verleidelijk jong, en vervolgens als
de moeder van mijn kinderen, die aan de andere kant van Europa op
me wacht.

Een oude exhibitionist

D e Odessa-Expres is een museumstuk. Enkele keren per week
rijdt hij heen en weer tussen Warschau en de Krim. Naar Odessa is het ongeveer twintig uur rijden, afhankelijk van de controle aan
de nieuwe buitengrens van het Europese fort. Het tracé doorsnijdt
het gebied dat van oudsher, met uitzondering van de eeuw van de
Delingen, tot Polen behoorde, al werden de grenzen om de haver-
klap verlegd, tot diep in Wit-Rusland en Litouwen. In het interbellum was alleen het westelijke deel van Oekraïne Pools. Na de laatste oorlog kwam dit deel in handen van de Sovjet-Unie.

De conductrice neemt mijn papieren in beslag, gaat me voor
in de met roze guirlandes versierde gang en wijst me mijn plaats in
de nagenoeg lege wagon. In een naburig compartiment zitten Poolse meisjes te kwebbelen. Ik schuif de eikenhouten deur dicht en
loop naar de klaptafel, waarop een grof geknoopt kleedje ligt. Buiten sneeuwt het, maar binnen is het bloedheet. Voor het raam hangen groezelige vitrages, waarin klavers zijn uitgespaard. Uit alle
kracht duw ik het raam een vingerbreed open. De geur van vrieskou
en koolteer. De vrouw in het station had gelijk: er zijn geen zit-
plaatsen, alleen half opengeklapte bedden. Mijn plaatsnummer
stemt niet overeen met een stoel, maar met een hele bank. Het ziet
ernaar uit dat ik de reis alleen zal doorbrengen. Als de trein in beweging komt, blijkt het raam muurvast te zitten. Een nijdige tocht
slaat in mijn nek.

Mijn reisdoel luidt Lviv in het Oekraïens. De Polen zeggen Lwów,
de Russen Lvov en de Oostenrijkers Lemberg. Ze hebben er allemaal

een vinger in de pap gehad. In het Latijn heet Lviv Leopolis, de Leeuwenstad.

De conductrice, die Pools verstaat maar Oekraïens spreekt, helpt me uit de nood. Als zij er evenmin in slaagt het raam dicht te schuiven, verhuist ze me naar een andere coupé. Ik begrijp dat het niet veel uitmaakt waar ik mijn intrek neem, en het stelt me gerust dat ik alleen zal blijven. In Oost-Europa ben ik vroeger vaak in overvolle wagens terechtgekomen, waar gevochten werd om een zitje tussen wodka hijsende helden en boerinnen met manden vol levende kippen. De comfortabelste plaats vond ik toen meestal in de restauratiewagen. Nu heb ik wel een plaats, maar een restauratiewagen is er niet. 'Onze reizigers worden geacht hun knapzak zelf mee te brengen,' zegt de conductrice. Ik heb voor mijn vertrek vier *pączki* gekocht, koude oliebollen met een hartje van bessenjam. Water vergat ik te kopen. In mijn rugzak zit nog een restje wodka.

Veel grensovergangen zijn er niet. De trein rijdt helemaal naar het zuiden, in de richting van de Bieszczady-bergen, en steekt daar de grens over. Ik wil er met eigen ogen de scheidsmuur van het nieuwe Europa zien. Later die dag, twee en een halve oliebol verder.

De rit verloopt met een slakkengang. Van tijd tot tijd houden we halt in een uitgestorven landschap en ben ik bang dat we moeten overstappen op de ossenwagen. Ik herinner me de novelle *De trein der traagheid* van Johan Daisne, wijlen bibliothecaris in mijn geboortestad. In zijn magisch-realistisch verhaal dient de trein als metafoor voor het bestaan van wie zich op een keerpunt bevindt. Ik heb het ooit gelezen als het relaas van een religieus verdwaald mens die zich op de rand van de dingen bevindt en gedwongen wordt over die rand heen te leunen. Enige affiniteit voelde ik wel. De Gentse bibliothecaris zou zich evenveel verkneukelen in deze reis als ik.

Ik herinner me nog een andere auteur, Andrzej Stasiuk. In *Dukla* beschrijft hij wat ik tijdens mijn treinreis naar Oekraïne voel: 'Zo was het. Nog geen kilometer per minuut, kortom alles hing lang genoeg in de lucht om in het geheugen te bezinken; om een afdruk achter te laten, als miljoenen andere beelden die de mens daarna met zich meedraagt en waardoor hij op een krankzinnige viewer lijkt, en het leven op een hallucinatie, want niets van waar je naar kijkt is zoals het is. Altijd schijnt er wel iets van onderen in door, komt als een druppel olie bovendrijven, iriseert, verandert van kleur en lonkt als een duivelskunstje, een dwaallicht, een verlokking waar geen einde aan komt. Je kunt niets aanraken zonder ook iets anders aan te raken. Zoals in een oud huis waar een zachte stap voldoende is om twee kamers verderop het glaswerk in het dressoir te laten rinkelen. Zo werkt het menselijk brein en zo behoedt het ons voor de waanzin, want het zou geen leven zijn wanneer de gebeurtenissen in de tijd zouden blijven steken als spijkers in de muur. Het spinnenweb van het geheugen omwikkelt het hoofd en daardoor wordt het heden al even mistig en kan men er zeker van zijn dat het vrijwel pijnloos in het verleden zal veranderen.'

Als ik uit het raam kijk, vallen me de uitgestrekte vlakten op, waarin niets gebeurt en nooit iets lijkt te kunnen gebeuren. Leegte, zo ver het oog reikt. Nergenshuizen. De natuur is niet eens ruw, maar naakt, niet zoals in Neder-Silezië, waar de naaktheid verkwikkend vrouwelijk is, maar saai, uitgedoofd, asgrijs, als een oude exhibitionist.

Opeens een akkerland met karrensporen, paviljoenen met leiendaken, barakken, bijenkorven, hier en daar een groen geverfd plankenhuis dat dienstdoet als station: een negorij op een willekeurige plaats in Oost-Europa. In 1912 verbaasde Lenin zich op zijn reis door Polen al over de gelijkenis met Rusland. 'Siberië begint aan de overkant van de Weichsel,' schreef de Franse markies Adolphe de Custine in de negentiende eeuw.

De joden in Polen

Op een perron staat een groep orthodoxe joden, die er precies zo uitzien als op een foto in het boek dat ik al enkele dagen bij me heb: *Image Before My Eyes, A Photographic History of Jewish Life in Poland, 1864-1939*. Ik besluit me erin te verdiepen, en wat ik lees voegt zich bij de verhalen die ik gehoord heb van de muzikanten van Kroke, een klezmergroep uit Kraków (Kroke is Kraków in het Jiddisch), en van Janusz Makuch, de directeur van het joodse zomerfestival in Kazimierz.

Het Poolse verhaal is sinds de late Middeleeuwen overal nauw verbonden met het joodse. In de veertiende eeuw had koning Kazimierz al joden binnengehaald om de handel in Kraków op gang te brengen. In de bloeitijd van het Poolse koninkrijk nam deze joodse bevolking sterk toe, niet alleen in Kraków, maar in alle grote steden. Tijdens de Delingen kwamen de meeste joden terecht in het oostelijke gebied, dat onder het Russische keizerrijk viel. Ze noemden dit het Gebied van de Vestiging. De Russische tsaren trachtten echter de joodse instellingen te ondermijnen door een militaire dienstplicht in te voeren, de traditionele klederdracht te verbieden en de macht van lokale organisaties te ondermijnen. Bovendien werden de studiemogelijkheden beperkt en dwong men de joden om zogenaamd nuttige beroepen uit te oefenen, vooral in de landbouw. Van deze op assimilatie gerichte maatregelen klinken de echo's door in de verhalen van Dostojevski.

Na de mislukte Russische Revolutie van 1905, waarbij het leger in Sint-Petersburg op de betogers schoot, waren pogroms, bloedige aanvallen op de joodse bevolking, aan de orde van de dag. Als reactie ontstonden antiregeringsgezinde, vaak communistische organisaties die dweepten met Rosa Luxemburg en Karl Liebknecht.

Het volgende hoofdstuk was de Eerste Wereldoorlog, die begon met de moord op groothertog Frans Ferdinand op 28 juni 1914 in Sarajevo. De centrale mogendheden, dat wil zeggen Duitsland en Oostenrijk-Hongarije, stonden tegenover de geallieerde troepen van Frankrijk, Rusland en Groot-Brittannië.

Duitsland vocht in het westen tegen Frankrijk, in het oosten tegen Rusland. Het oostelijke front bevond zich in het gebied waar veel joden woonden. Er kwam een vluchtelingenstroom op gang. Wie kon ontkomen, belandde vooral in West-Galicië en Oostenrijk.

In de talrijke steden die in Russische handen vielen, zoals Lviv, werden pogroms gehouden. Joden die verdacht werden van spionage voor de Duitsers werden naar Rusland gedeporteerd.

In 1915 drong Duitsland Rusland terug. Józef Piłsudski, die enkele jaren later de nieuwe Poolse republiek zou stichten, werd door Duitsland en Oostenrijk-Hongarije ingezet om de strijd tegen de Russen te organiseren. Hij mobiliseerde Poolse soldaten, en de joden werden daarbij beschouwd als bondgenoten. Door de steun die ze kregen, konden ze zich enigszins herstellen.

Aan het eind van de Eerste Wereldoorlog waren de drie monarchieën die Polen 123 jaar bezet hadden gehouden ten val gebracht: het tsaristische Rusland was verslagen door de bolsjewistische revolutie van 1917, Duitsland en Oostenrijk-Hongarije waren verslagen door de geallieerden, die steun hadden gekregen van de Verenigde Staten. Op dat moment verklaarde de achtentwintigste president van Amerika, Woodrow Wilson, dat er een onafhankelijke Poolse staat moest worden gesticht en dat de territoriale integriteit van deze nieuwe staat moest worden gegarandeerd door internationale verdragen.

Europa viert op 11 november de wapenstilstand van 1918, maar Polen herdenkt op die dag in de eerste plaats de onafhankelijkheid van de nieuwe republiek onder leiding van maarschalk Piłsudski. In Piłsudski's leger zaten ook veel joden. De conferentie van Versailles in 1919 moest de joden als minderheid helpen beschermen. Die bescherming werd ook opgenomen in de Poolse grondwet van 1921.

Toen brak een conflict uit dat in de geschiedschrijving in de schaduw van de Eerste Wereldoorlog is gebleven. In 1920 vochten de Sovjet-Unie en Polen een oorlog uit over de Poolse oostgrens. Op 15 augustus 1920 slaagde Piłsudski erin om de Russen tot staan te brengen, een gebeurtenis die de Polen 'het wonder aan de Wisła' noemen. Het heet dat de Polen op die manier verhinderden dat de Russische communisten heel Europa zouden sovjetiseren. De joden bevonden zich in die oorlog in verschillende posities. Sommigen kozen de kant van de bolsjewieken, anderen kantten zich radicaal tegen het gewapend conflict. Joodse steun aan de bolsjewieken werd door Poolse reactionairen aangegrepen om anti-joodse campagnes te voeren, paradoxaal genoeg soms tegen joden die hadden meegevochten in de Poolse vrijheidsstrijd.

De joden benadrukken graag dat Izaak Grünbaum, de leider van de zionistische partij, tijdens een toespraak voor het Poolse parlement op 24 februari 1919 in het Latijn zei: 'Civis Polonus sum et nihil civitatis Poloniae a me alienum puto', 'ik ben een Pools staatsburger en niets wat de Poolse staat betreft is mij vreemd'.

In al deze troebelen was migratie voor veel joden een oplossing geworden. Tussen 1880 en 1914 hadden al meer dan anderhalf miljoen joden het Gebied van de Vestiging verlaten, meestal gedreven door bittere armoede. Zeventig procent daarvan trok naar Amerika. De grootste emigratiegolf kwam rond 1920. In 1921 alleen al vertrokken 75.000 joden vanuit Polen naar de Verenigde Staten. Daarna, tijdens de economische recessie, trok de helft van de joden die Polen verlieten naar Palestina.

Die migratie gebeurde doorgaans spontaan. De joden hadden daartoe het recht opgeëist, maar gaandeweg werd het een plicht, afgedwongen door extreme partijen, die slogans hanteerden als: 'Joden naar Palestina' en 'Joden naar Madagascar'.

De zogenaamde Tweede Poolse Republiek, het nieuwe land van Piłsudski in 1918, was bijzonder woelig. Polen was een ruïne met een hoge werkloosheid en dagelijkse rellen. In die onrust, op 16 december 1922, werd zelfs de eerste president van de nieuwe republiek, Gabriel Narutowicz, vermoord door de rechtse extremist Eligiusz Niewiadomski. Narutowicz werd verweten dat hij een 'joodse president' was, omdat stemmen van nationale minderheden, waaronder ook joden, beslissend waren geweest voor zijn verkiezing.

Over de rol die maarschalk Piłsudski, de vader van het twintigste-eeuwse Polen, in deze periode speelde, is veel inkt gevloeid. Zeker is dat hij zich in 1922 uit onvrede met de regering terugtrok uit de politiek, maar in 1926 terugkeerde middels een staatsgreep. Minderheden schaarden zich achter hem, ook de joden. Toen Piłsudski in 1935 stierf, waren de grootste problemen nog steeds niet van de baan. Er werden nieuwe pogroms gehouden en aan de universiteiten moesten joden in aparte banken gaan zitten.

Op hetzelfde moment nam ook het Duitse antisemitisme hand over hand toe. Tussen september 1935 en oktober 1938 vaardigden de nazi's 123 anti-joodse verordeningen uit. In oktober 1938 wees Duitsland 15.000 Poolse joden uit. Hersjel Grynszpan, een joodse student in Parijs, wiens familie ook was verdreven, wreekte zich door de Duitse diplomaat Ernst von Rath te vermoorden. Het gevolg hiervan was wat de geschiedenis geboekstaafd heeft als de *Kristallnacht*. In de nacht van 8 op 9 november 1938 werden joodse winkels geplunderd, mensen gelyncht en boeken van joodse auteurs massaal verbrand.

De volgende en meest dramatische etappe was de holocaust, de definitieve 'oplossing van de joodse kwestie', de *Endlösung* oftewel vernietiging van zes miljoen joden in concentratiekampen op Pools grondgebied.

'Volgens Jerzy Nowosielski, wiens (religieus-orthodoxe) denken niet door de voor katholieken kenmerkende remmingen werd belemmerd,' schreef Miłosz in *Alfabet*, 'hadden de Duitsers, het volk van filosofen, in deze eeuw geen geringe taak op zich genomen: het praktische bewijs daarvan te leveren dat ons beeld van het menselijk wezen als een aan krachtsverhoudingen onderworpen dier gevolgen moest krijgen. Ze deden dat door Auschwitz op te richten.'

Hoe de Polen zich tijdens de holocaust gedroegen jegens de joden is nog steeds een heet hangijzer. Ik herinner me de hetze na de publicatie van het boek *Neighbors* door de joods-Pools-Amerikaanse hoogleraar Jan T. Gross in 2001. In dit boek buigt Gross zich over één dag, 10 juli 1941, toen er in het noordoostelijke dorp Jedwabne (in de buurt van Białystok) 1600 joden op gruwelijke wijze werden samengedreven en vermoord. Een groot deel ervan zou in een schuur levend zijn verbrand. Gross haalt getuigenissen aan van enkele daders en zeven joodse overlevenden. Het meest choquerende resultaat van zijn onderzoek was dat de lynchpartij niet door de nazi's, maar door de Poolse inwoners zou zijn gepleegd, door de *buren*, vandaar de titel. Bovendien zou een vergelijkbaar scenario zich hebben afgespeeld in enkele andere steden.

Gross concludeert dat de gebeurtenissen van Jedwabne een kwestie zijn van collectieve schuld. Hij schrijft: 'Gewoonlijk wordt de canon van de collectieve identiteit samengesteld uit daden die op de een of andere manier bijzonder, verrassend of opmerkelijk zijn. Hij wordt opgebouwd, met andere woorden, uit handelingen die afwijken van het gebruikelijke, die ongewoon zijn. En zelfs al is het alleen maar een Fryderyk, een Jan of een Mikołaj die werkelijk zulke daden heeft uitgevoerd, als samenstellende delen van de canon behoren ze ook tot het collectieve "ons". Zo is de Poolse muziekwereld, en terecht, trots op "onze" Chopin; de Poolse wetenschap op "onze" Copernicus; en Polen beschouwt zichzelf als een "bolwerk van het christendom", vooral omdat koning Jan Sobieski de Turken heeft verslagen in een belangrijke veldslag bij Wenen. Daarom hebben we het recht om te vragen of daden die begaan zijn door mensen als Laudański en Karolak (dat zijn de hoofdverantwoordelijken van de massamoord in Jedwabne) – omdat ze zo opvallend en ongewoon waren – ook deel uitmaken van de Poolse collectieve identiteit.'

Gross' boek heeft veel kwaad bloed gezet. Hij zou de feiten op een sensationele manier hebben voorgesteld en zich baseren op bedenkelijke getuigenissen en onwetenschappelijk materiaal. In Polen verscheen inmiddels een boek met antwoorden op Gross, waarin aangedrongen wordt op een extreem genuanceerde benadering van het onderwerp. Het laatste woord hierover is nog lang niet gezegd.

Het naoorlogse verhaal van de joden in Polen, van de weinigen die de holocaust hebben overleefd, is al even gecompliceerd. Veel joden werd verweten dat ze zich in de communistische tijd al te gemakkelijk schikten in de sovjetisering en zelfs hoge posities verwierven in de regering. Voor een deel was dat verwijt terecht. Veel idealistische joden sympathiseerden inderdaad met het communisme. Maar in de naoorlogse periode sympathiseerden ook veel niet-joodse Polen met het communisme, zoals Szymborska en Miłosz. Anderzijds zijn in de latere oppositie en in de vrije vakbond Solidariteit eveneens talrijke joden actief geweest.

1968 was het woeligste jaar. De onlusten begonnen in januari, na de voorstelling van *Dziady*, 'De Voorvaderen', een stuk van Adam Mickiewicz, in het Nationaal Theater van Warschau. Studenten grepen het stuk aan om in opstand te komen tegen de overheersing van de Sovjet-Unie en tegen de censuur. De protestgolf nam toe nadat de aanstichters van de universiteit waren gestuurd, onder wie Adam Michnik. De ordediensten sloegen de betogingen neer en arresteerden de manifestanten.

In Kraków vonden de hevigste acties plaats. Ook hier werden veel studenten ingerekend. Władysław Gomułka, het toenmalige staatshoofd, noemde de opstandelingen herrieschoppers en zionisten, die op een conflict met de Sovjet-Unie aanstuurden. Er kwam een door de regering gestuurde antisemitische campagne op gang, waardoor meer dan 13.000 joden het land verlieten.

89 millimeter

De trein naar Lviv vervolgt zijn weg. Achter het raam het rechter ondertipje van de Poolse lappendeken, de provincie Podkarpackie. Lang zit ik naar het heuvelland te staren. Die leegte. Akkers met hier en daar een kolchoz. Uit schoorstenen schiet onophoudelijk zwarte of witte rook naar boven, als het ware bevrijd van de druk in de stulpjes. De rookpluimen uit de kleine schoorstenen van een houten dorpje lijken hoog in de hemel samen te klitten tot een tingrijze deken, waarboven misschien, om drie uur 's middags, een zon schijnt. Een eenzame stier langs de richels. Paardenkarren. Orthodoxe kerken. Soms afzichtelijke villa's: wie het geld heeft om een huis te bouwen, beschikt doorgaans over weinig smaak. Wie smaak heeft maar geen geld, strandt op de zoveelste verdieping van een woonkazerne en richt er zijn kleine paradijsje in.

We naderen Przemyśl, de laatste Poolse stad voor de grens, waar sinds eeuwen een amalgaam van orthodoxen, katholieken en joden woont. Als commercieel knooppunt is het vaak een twistappel geweest tussen de Polen en de Roethenen. Verder zuidwaarts liggen de bergen, die in de loop der jaren zo goed als ontvolkt zijn en waar de natuur de scepter zwaait. Daar loopt de zogenaamde Aziëroute, waarlangs mensensmokkelaars vluchtelingen uit het oosten naar Europa brengen. De gelukzoekers zijn Afghanen, Pakistanen, Vietnamezen, Indiërs, Koerden, Kazakken, Srilankezen, Irakezen, Syriërs en Iraniërs. Sommigen van hen zijn al jaren aan het zwerven. Zij worden door Poolse jongens die van mensensmokkel hun baan hebben gemaakt 's nachts door de bossen geleid, waar ze ten prooi kunnen vallen aan grenswachters of... aan beren.

De coupé doet me meer en meer aan een kajuit denken. Buiten drijven gouden eiken langs en uitgebloeid koolzaad. Bij het loshalen van een treinstel word ik heel hard met mijn rug tegen een neergeklapt bed geworpen. De grens van Europa nadert.

In Przemyśl stopt de trein. *Nastawnia* PM *Przemyśl*, vermeldt een blauw bord. Ik popel van ongeduld. Wat hier zal gebeuren, heb ik ooit in een film van documentairemaker Marcel Łóziński gezien, maar nu wil ik het zelf meemaken.

De conductrice kondigt aan dat we een uur stil zullen staan. Ze herinnert zich dat ik geen water heb meegenomen en stelt voor dat ze iets te drinken zal halen. Als ik mijn spullen heb verzameld om haar te volgen, is ze al verdwenen. De treindeur is hermetisch gesloten. Blijkbaar is het me niet vergund het rijtuig te verlaten. Soldaten omsingelen de trein. Er wordt aan de wagens gesjord. Het stel waarin ik zit wordt losgekoppeld van het Poolse, dat hier achterblijft. De roze guirlandes in de corridor schommelen.

We rijden naar een rangeerspoor, met harde schokken, telkens vooruit, achteruit, weer vooruit. Naast me zie ik vervallen houten treinstellen als verlaten zigeunerwagens. Onderstellen die op affuiten lijken staan gereed, glimmend van het vet. Mijn wagen kraakt als een oude trap. Af en toe heb ik het gevoel dat het gevaarte dwars door een muur heen gaat of tegen een ander gevaarte aan rijdt.

Vervolgens komen we op de belangrijkste plaats, bij de manshoge hijskranen op een stoep langs de richels. Met veel over-en-weergeschreeuw schroeven mannen grote gele spieën onder de wagons. Iemand is op het dak gekropen, want ik hoor gekraak boven me, alsof er muizen op de zolder zitten. Onmerkbaar stijgen we, millimeter voor millimeter, rustend op de gele spieën, tot we daar ergens in de Oekraïense hoogte hangen, dicht bij het rokerige wolkendek, een eenzaam ijzeren dier zonder poten.

Nu lopen rangeerders *onder* me door. Ze spreken Oekraïens en roken Poolse sigaretten. Haast hebben ze niet. Minutenlang lijkt iedereen op iets te wachten. Op het perron ligt een eeuwige verveling. Nu en dan kraakt de luidspreker alsof iemand aan het viltje van een microfoon krabt. Een man probeert iets in het Engels te zingen. Eindelijk wordt duidelijk waarop we wachten. De affuiten worden eronder gereden. De Oekraïense en Russische sporen zijn negenentachtig millimeter breder dan de Poolse. Alle treinen die de grens over moeten, worden losgeschroefd en op een breder onderstel gehesen.

In de verte verdwijnt Przemyśl, het stadje tegen de heuvelflank, langzaam in sluiers. Alleen een kerktoren priemt nog door de mist heen.

Op een gegeven moment voel ik hoe de wagon wordt vastgeprikt in het nieuwe onderstel, als een speelgoedtreintje. Dan weer de muizen op zolder, het uitschroeven van de spieën. Een controleur in een zwarte jekker komt alles inspecteren en slaat met een hamer tegen de wielen. Na ongeveer een uur zegt de man die al enkele keren aan de microfoon heeft gekrabd: *Wagon gotowy!* Wagen klaar!

Uit de transistor van de wagonbewaakster klinkt krakerig: 'I'm an alien, I'm a legal alien.'

Voor we vertrekken, wordt de trein weer grondig dooreen geschud, alsof we nog steeds in dat speelgoedtreintje zitten, dat nu door een boze dreumes wordt aangepakt.

Nu de verveling, het oeverloze wachten. Waarop? Eerst komt de conductrice met een doos appelsap, die ze voor drie en een halve złoty gekocht heeft en voor vijf aan mij verkoopt. Commissieloontje, denk ik. Een Pools meisje uit de belendende coupé is verontwaardigd en komt zich bij me beklagen.

Ik vrees dat hier een nieuw IJzeren Gordijn wordt opgetrokken, al ontkennen de eurocraten dit in alle toonaarden. Het aangekondigde uurtje worden er drie. We rijden het niemandsland tussen Przemyśl en Medyka binnen. Een niemandsland is dit althans in politieke zin, want er zijn wel tekenen van menselijk leven. Tussen de honderden goederen- en tankwagons doemen vlekkerige dorpjes op, houten hoeven, een schroothandel. Verder fabrieken, gelig verlichte magazijnen, weegbruggen voor reuzen.

De grenscontrole. Een eerste soldaat stempelt mijn paspoort af, een tweede verifieert de foto op mijn visum, een derde komt me een verzekering aanpraten tegen betaling van vier dollar, maar vijf euro of twintig złoty is ook oké. Een man in burger snuffelt in mijn portemonnee en wil weten of die laptop op de bank mijn persoonlijk bezit is. 'Toeriest?' – 'Da.' Het lijkt me niet opportuun te zeggen dat ik werk voor bureaus voor onderzoeksjournalistiek in Brussel en Amsterdam. Gewoon *toeriest* vandaag.

Ten slotte moet ik, op bevel van een jonge blonde Oekraïense, die een mengeling van Pools en Russisch spreekt, een declaratie in tweevoud invullen met allerlei identificatiegegevens. Ik vraag of ze ook mijn schoenmaat moet weten, maar grappen zijn hier niet welkom.

Het is al donker wanneer we Oekraïne binnenrijden. Er komt nog een man van half Belgische, half Japanse afkomst, getrouwd met een Russische, een handelaar in elektronica, die zegt dat hij gisteren in Tsjechië was en morgen in Odessa wordt verwacht. Smalend voegt hij eraan toe dat hij dit soort reizen in principe vooral met het vliegtuig maakt. Als ik hem vraag hoe ver we nog van Lviv verwijderd zijn, beweert hij dat we het ergste achter de rug hebben.

Ik wil een eerste beeld opvangen van Oekraïne, maar buiten heerst volstrekte duisternis. In die vlakte op het onbelichte deel van de wereldbol liggen ongetwijfeld lege akkers, met hier en daar de houten huizen van kolchozen en een buitenmaatse orthodoxe kerk.

Ik moet denken aan de periode van de gedwongen collectivisatie tijdens het interbellum. Nog zo'n drama dat onder de mat van de geschiedenis is geveegd of gewoon vergeten. Hier staat de periode in het geheugen gebrand als de geschiedenis van de Grote Honger.

In 1929 had de Communistische Partij het plan voor de collectivisatie goedgekeurd. Volgens dit plan moesten alle boeren in het land – honderd miljoen mensen – voor het einde van 1930 in kolchozen zijn ondergebracht. Toen de boeren dit weigerden, deporteerde Stalin honderdduizenden mensen naar Siberië. Het grootste deel wilde hij door uithongering tot gehoorzaamheid dwingen. In Oekraïne leidde dit tot dramatische situaties.

Het Kremlin bepaalde hoeveel graan, aardappelen en vlees elk dorp aan de staat moest leveren. De hoeveelheden lagen opmerkelijk hoger dan wat de streekbewoners doorgaans konden oogsten. Toen de boeren de opgelegde normen niet haalden, begon Stalin met militair geweld alles in beslag te nemen. Er bleef niets te eten over. De hongersnood duurde zeven jaar. Studies hebben uitgewezen dat Stalin toen om en nabij de tien miljoen mensen heeft doodgehongerd. 'Wat aten de mensen?' schrijft Ryszard Kapuściński in *Imperium*. 'Je kunt beter vragen wat ze niet aten! Eikels gingen door voor een delicatesse. Verder zemelen, kaf, bevroren bieten, dorre en verse bladeren, spaanders, alles waarmee men zijn buik kon vullen, was gangbaar. Katten, honden, kraaien, regenwormen en kikkers werden het vleesrantsoen van de mens.'

De Leeuwenstad

'*Prijechali!*' roept de conductrice even later in alle coupés, 'we zijn er!'

Haar geschreeuw is niet nodig, er zitten maar vijf of zes passagiers in de trein. Ik sjor mijn rugzak vast en bedank haar. Zij heeft nog een hele nachtreis voor de boeg. Ontbijten zal ze in Odessa.

Als ik in Lviv uitstap, loopt er een rilling over mijn rug. Ik kom letterlijk in een andere eeuw terecht. Het eind van de negentiende, het begin van de twintigste. De wereld van Tolstoj. Geen filmdecor kan het zo nabootsen.

Ik sta in een enorme hal met een hoog gietijzeren dak. Op het perron hangt paarse nevel als stoom. Het rumoer galmt in de ruimte. De locomotieven staan stil als grote zwarte waakhonden. Uit de wagens klauteren schimmige figuren tevoorschijn, met bontjassen en mutsen, waarin soms scherpe gezichten oplichten, helder in de vrieskou. Een koude rookgeur, als van natte as. Kooplieden, boeren, zigeunerinnen, soldaten, Anna Karenina's, Zjivago's. Ze sjouwen koffers die in een verre windstreek zijn gepakt. Een wirwar van zangerige talen, Oekraïens, Russisch, Wit-Russisch, hier en daar Pools.

In de toegangshal heerst een drukte van jewelste. Bedelaars vergroeid met zuiltjes, baboesjka's met een doorploegde huid en dichtgeplakte ogen, kauwende lummels, meisjes in leder. Rondkaatsende kinderstemmen. Mensen die een etmaal van elkaar vandaan wonen vallen in elkaars armen. Slavische kussen, volle lippen op elkaar. Overal tabakswolkjes. Schommelende lantaarns. Buiten glijden auto's door de rulle sneeuw. De vlokken zijn zo dik dat je meteen doorweekt bent. Ik wissel złoty's voor grivnya's en spring in een Lada waarop TAXI staat. Het is laat, een uur later dan in Polen. De stad is een draaikolk van geluiden en lichten. De chauffeur rijdt alsof hij een kind moet gaan redden uit een brandend huis. De lucht in de auto ruikt zurig, als lood. Ik slaak een zucht van verlichting als ik het Sint-Jorishotel binnenstap, een oud huis aan het Mickiewiczplein. De receptioniste spreekt Pools met een wollig Russisch accent.

In mijn kamer drink ik het lauwe tafelbier dat ik in het lege hotelrestaurant heb bemachtigd, en ga liggen op een van de met gouden spreien bedekte bedden, het raam op een kiertje, zodat ik de stad kan horen. De telefoon rinkelt onophoudelijk. De sovjetversie van prostitutie is hier nog steeds van kracht. Ik leg de hoorn van de haak en doe de deur op slot.

De hele nacht baadt de kamer in onderwaterlicht. Ik slaap en slaap niet, droom vooral van allerlei dreigende dingen. Dromen van vroeger komen terug, knopen aan bij waar ze vroeger eindigden maar lopen nog niet af. Vreemde woorden dansen door elkaar.

In het midden van de nacht is het op het Mickiewiczplein muisstil. Later hagelt het. Nog later barst de drukte van de opgeschrikte stad los.

Lviv, de Leeuwenstad. Zij werd in de dertiende eeuw gesticht door de Roetheense vorst Danilo Romanowitsj, als geschenk voor zijn zoon Lev, naar wie de stad ook werd vernoemd.

Wenen na vijftig jaar sovjetisering. Zo ziet Lviv er nu uit. Monumentale pracht in een verregaande staat van verval. Ooit stond de stad bekend als 'de Parel van Europa'. Nu dreunen overal drilboren en door de straten denderen vrachtwagens. Ik vraag me in alle ernst af waarom steden als deze niet langzaam in elkaar zakken. Sommige huizen zijn helemaal verwrongen, als scheefgegroeide lichamen. Ik moet denken aan Andrej Koerkov, een Rus die in de Oekraïense hoofdstad Kiev woont en wereldfaam verwierf met *Picknick op het ijs*. De roman begint met een scène waarin iemand op het laatste nippertje een neerstortend balkon kan ontwijken.

Ik moet toegeven dat ik na het lezen van die zin een bijzondere aandacht heb ontwikkeld voor Oost-Europese balkons. Hun deplorabele staat heeft onbekommerd wandelen definitief onmogelijk gemaakt. De winter hangt als een dreigende zak boven de stad. Er valt niets uit de lucht, geen balkons, geen sneeuw, alleen wat as af en toe, en een onzichtbare, continentale kou, die marktkramers ertoe drijft om al vroeg in de ochtend duchtig de wodkafles aan te spreken. Ik loop met het hoofd in de nek. Beneden foeteren mammoetachtige wandelaars op de natte kilte, maar daarboven, op de gevels en de daken, daar speelt zich een wonderlijk spel af. Het is een spel van oude kleuren op fresco's en frontons, Oostenrijkse decoraties, Hongaarse sculptuurtjes, smeedijzeren constructies – hele verhalen, herinneringen aan een roemrijk verleden.

Ik loop de Torgova-boulevard op, de handelslaan, één lange markt waar van alles wordt verkocht, maar voornamelijk verse groenten en fruit. In aparte kraampjes slijten jonge boerinnen zelf geplukte paddestoelen, verderop drijven zilveren zalmen in emmers. Overal zie ik kippenlijken met hun pornografisch gesperde dijen.

Via de Sneeuwstraat beklim ik de heuvel aan de noordoostkant van de stad. Als Koerkov een bepaald balkon voor ogen had, moet het zich hier bevinden. De huizen trekken hun schouders op en schurken zich tegen elkaar. Hun erkers zijn gescheurd, de muren barsten. De stoepen stulpen uit, het wegdek is overal kapot, tramrails schieten er als dikke hindernissen uit. Als ik de straat verlaat en een van die typisch Oost-Europese portieken in loop, kom ik in de zogenaamde 'putten' terecht, waarop de appartementen uitkijken. In die voering van de stad is het nog erger dan aan de buitenkant. Het zijn rechthoekige binnenplaatsen, begrensd door torenhoge, afgebladderde gevels vol trapjes en ingezakte houten balkonnetjes. Op de binnenplaats beneden ligt het vuilnis van hele blokken opgestapeld. Het stinkt er naar dierlijke en menselijke urine, glas knarst onder je voeten, en overal galmt nerveus rumoer, hondengeblaf, kindergeschrei, gerammel van sleutels en vaatwerk in de gehorige gangen.

Ik ga even zitten op de Stary Rinek, de oude markt. De scholen zijn net uit, de straat loopt vol met kinderen, plagerig en lawaaierig zoals overal ter wereld. Op een balkon van de vijfde etage jankt een hond als een wanhopige wolf. Het gekerm slaat tegen de muur van een kerkhof.

Het duister komt nu snel. In de straten neemt de drukte toe. Auto's gieren door de stad. Wie wil oversteken moet soms voor zijn leven rennen, nagetoeterd door een boze chauffeur. Mensen in gewatteerde jassen haasten zich door de rokerige lucht naar huis. In de ene portiek steken oude vrouwen hun handen naar me uit, ze verkopen bloemen, mutsen, sokken, elke kopeke is welkom. In de schemer van een andere portiek wachten tippelaarsters op klanten. Daartussen, in de modder bij de schutting van een bouwplaats, zitten eenbenige bedelaars.

De Sjevtsjenko-boulevard bestaat uit twee drukke straten met een promenade in het midden, afgezet met boompjes. De lantaarns hangen er zo hoog dat je de gezichten van de passanten niet kunt zien. Deze drukke stad heeft iets schimmigs, met die oranje mist die over alles heen ligt. Studenten komen hier flirten. Jonge vrouwen lopen zachtjes zingend achter een kinderwagen. Verderop zijn enkele popen in gesprek met nonnen die kappen als vleugels dragen.

De kloosters dienen als oasen. Lviv is de stad van de duizend kerken. Een van de volgende dagen loop ik, op de vlucht voor de plakkerige sneeuw, van kerk naar kerk, zowel orthodoxe als katholieke, en ook daarbinnen bestaan nog variaties. Soms zijn de beide gezindheden, die elkaar in het verleden zo fel hebben bestreden, onder één dak verenigd. De opschriften bij de schilderijen geven de herkomst aan: Pools en Latijn voor de katholieke, en Oekraïens en Oudslavisch voor de orthodoxe. Sinds de verdwijning van het communisme is openlijke godsdienstbeleving weer toegestaan, en de Oekraïense gelovigen laten geen gelegenheid voorbijgaan, vaak midden op straat, om zich uitvoerig te bekruisen. Voor elk kruisbeeld staan dag en nacht enkele mensen van alle leeftijden te bidden. De heiligenbeelden zijn gladgeschuurd door duizenden vingers en lippen.

Eén dode ziel

'Ik wil een auto huren,' zeg ik tegen de receptioniste van het hotel, een geduldige vrouw van middelbare leeftijd, die zelfs enkele woorden Engels kent, maar ik hoor haar het liefst praten in haar Oekraïens gekleurde Pools.

Ze kijkt me droefgeestig aan, herschikt de documenten op haar bureau en verzinkt in gedachten.

'Een auto,' herhaalt ze. Boven haar hoofd hangen uurwerken die zeggen hoe laat het is in New York, Moskou, Berlijn, Tokio en Peking.

Hoe laat is het hier? Ik heb de hele nacht Bruno Schulz gelezen in de vertaling van Gerard Rasch. Zijn verzameld werk, iets meer dan vierhonderd pagina's, heb ik al drie of vier keer gesavoureerd. Het is zijn verzameld werk niet, maar slechts een fractie van zijn oeuvre. De rest is tijdens de oorlog in vlammen opgegaan. Schulz' woonplaats is voor belezen Polen een bedevaartsoord. Hij was een van de grootste twintigste-eeuwse stilisten, die ook in het buitenland doordrong, maar lang niet zo algemeen als Franz Kafka, met wie hij verwant is.

'Bruno. Wat zal ervan worden?' schreef Witold Gombrowicz, een vertrouweling van Schulz, in zijn dagboek. 'Een "flop" of een wereldsucces? Zijn verwantschap met Kafka kan hem evenzeer helpen als in de weg staan. Als men zal zeggen dat hij diens zoveelste neef is, is hij verloren. Als men echter de specifieke schittering zal opmerken, het licht dat hij uitstraalt als een fosforescerend insect, dan is hij in staat om als gesmeerd de verbeeldingswereld binnen te glijden die al door Kafka en de zijnen is opgericht... dan zal hij door de extase van de fijnproevers omhoog worden gestuwd. En als het verdichtelijkte van dit proza niet te veel vermoeit, dan zal het verblinden...'

Het gezicht van de vrouw in het hotel licht op als ik Schulz' naam laat vallen.

'U wilt op bezoek bij de joodse onderwijzer?' zegt ze glunderend. 'Nou, dan wil ik u wel helpen.'

Schulz woonde tijdens het interbellum in het Poolse deel van Oekraïne. Hij heeft zijn geboortedorp Drohobycz zelden verlaten. Toen hij in 1892 het levenslicht zag, lag het in de noordoostelijke rand van de Oostenrijks-Hongaarse dubbelmonarchie. Hij werkte als tekenleraar op het gymnasium en publiceerde in 1933 zijn eerste geïllustreerde verhalen. Tadeusz Kantor zag hem als een geestverwant. Hij is een van die onsterfelijke vrienden die me in de eenzaamheid van de schrijfkamer onafgebroken vergezellen. Kan een boek iemands leven veranderen? Een negatief antwoord zou een naïeve vergissing zijn.

'Uw auto is er over een uurtje,' zegt de dame achter de balie, nadat ze uitvoerig heeft getelefoneerd. Haar ogen glinsteren nog steeds, maar drukken tegelijk een soort medelijden uit.

Het restaurant waar ik eet om de tijd te doden is een Weense hal met vitrages van sovjetmakelij, dat wil zeggen groezelig en nicotinegeel. De zure straatgeur dringt door een openstaande *fortetsjka*, een raampje in het raam, naar binnen. Uit een luidspreker jankt de plaatselijke Heintje. Op de muur steekt een Chinese draak zijn tong naar me uit. Ik bestel *golonka*, gebraden varkensschenkel, en wijn. In Poolse eethuizen kost wijn een fortuin.

'Een auto huren kan niet,' deelt de baliedame me mee, 'u moet de taxi nemen.'

'Maar dat kost handenvol geld...' werp ik tegen.

De taxichauffeur ijsbeert al in de hal. Hij steekt zijn hand naar me uit en stelt zich voor: Viktor. Onze blikken kruisen elkaar. Hij heeft een gekweld gezicht en luistert naar mijn wensen. Als ik uitgepraat ben, schudt hij zijn hoofd.

'Drohobycz?' herhaalt hij. 'Maar daar is toch helemaal niets...'

Waar heb ik zo'n zin al eens eerder gehoord?

Ik tracht hem te overtuigen met een citaat: 'Geen angst alstublieft. Geeft u mij een hand, nog een stap en we zijn bij de wortels waar het ogenblikkelijk dicht getakt, duister en kruidig wordt, als in een diep woud. Het ruikt hier naar zode en molm, wortels dolen in het donker, raken verstrengeld, staan op, hun sappen stijgen bezield, als in dorstige pompen. We zijn aan de zelfkant, bij de voering van de dingen...'

Viktor slikt en gaapt me aan alsof ik volslagen gek ben.

'Bruno Schulz,' leg ik uit, maar het is een steentje in een bodemloze put.

'Tweehonderd grivnya,' stelt hij voor.

Ik heb zopas voor twintig grivnya gegeten, dus ik kan me iets voorstellen bij zijn verbijstering als ik het bedrag accepteer. Oekraïne is arm, de lonen zijn laag, voor die prijs organiseer je hier een bruiloftsmaal. In Viktors ogen verkwansel ik mijn geld aan een gril.

Viktor blijkt net zo weinig spraakzaam als ik, maar hij kijkt tevreden, zijn dag is goed. Zijn Lada heeft een gigantische antenne, maar de radio sputtert. Hij zet een cassette met drammerige techno op. Ik nestel me achterin op de bank, schakel mijn gehoor uit en laat de film achter het raam op me inwerken.

Een bewogen rit. Viktor scheurt door de straten, vloekt naar overstekende voetgangers en dringt voor bij ieder kruispunt. In de voorstad staan zigeunerinnen en kinderen te bedelen onder reclameborden voor dvd-spelers, dure parfums en stofzuigers met het opschrift 'Schoon werk'. Viktor draait zijn raampje dicht, moppert en schiet de stoep op om de file te ontwijken.

We komen op een soort snelweg, afgaande op de snelheidsmeter van de Lada. Een rechte, lege asfaltstrook vol bulten in een bultig landschap. Lviv ligt nu in onze rug. De wereld achter het raam is weids en mistig. Het westen van Polen is oneindig veel mooier, maar op heuveltoppen zie je dat de schepper hier geoefend heeft voor Silezië. Hier is zijn boek met mislukte schetsen. Alles ademt leegte, en wat de leegte wil opvullen ademt de sfeer van de Sovjet-Unie. Gehuchten van boerenstulpen, meestal van hout, met blauwe of okeren erkers. Spookachtige ruïnes, achtergelaten door het leger van de tijd. Kruisen met de blauw-gele vlag van Oekraïne. Ooievaarsnesten. Aarden weggetjes die naar de kim leiden. Aan de kim: hoogspanningskabels als enorme harpen.

Hier en daar doemen bosschages op als sponsen van verschillende soorten goud. Daartussen opeens de verademing van een orthodoxe kerk met glimmende koepels en kleurrijke kerkhoven, die schril contrasteren met het landschap.

De snelweg is af en toe dichtbevolkt. Fietsers transporteren dikke schoven. Vrouwen wachten bij een bushalte, waar het bord met de dienstregeling is vernield. Een kind klautert met een veel te groot rijwiel aan de hand een heuvel op. Zware boerinnen met bonte sjaaltjes staren ons na. Tweespannen sjokken in de modderige berm naast de zeldzame maar wilde auto's. Meer gegoede boeren rijden in een minuscule rode tractor, die niet harder gaat dan een fiets en evenveel rook produceert als een stoomtrein. In de berm wacht iemand op een koper voor de drie flessen melk die hij heeft uitgestald. En dan de legercolonnes met de open wagens vol lusteloze, hobbelende soldaten, en de Slowaakse trucks die in een roetwolk een heuvel opkruipen. Soms staan ze half op de weg stil met een lekke band. Heel af en toe tuft een volle bus die ooit rood moet zijn geweest de weg op.

Viktor rijdt goed door. Nu en dan remt hij hard voor een hond die de straat op hinkt of voor loslopende stieren of ganzen. Soms moet hij met een ruk naar links, tussen andere auto's door. Voor agenten met speedguns is hij het meest op zijn hoede. Ze staan wijdbeens in de berm en hanteren hun instrument alsof ze iemand uit de auto willen schieten.

Vlak voor Drohobycz, na anderhalf uur rijden, begint de industrie: groeven, steenbakkerijen, elektriciteitscentrales, vale, rood-witte schoorstenen van raffinaderijen die in het wolkendek priemen. Daartussenin meandert het riviertje Tysmenycja.

Is dit de biotoop van Schulz? In zijn verhalen roept hij een betoverde wereld op, niet rijk maar kleurrijk, met kermisfiguren, marionetten, beeldschone naakte prinsessen in koetsen, verrukte joodse handelaars, wolfachtige mensen... In zijn tekeningen zien alle vrouwen eruit als zijn mythische Bianca en alle mannen als hijzelf, een bleke schooljongen met een verwonderde, schuwe blik, gestuit in zijn groei zoals Günter Grass' trommelaar Oskar. Hij wilde met de rijpheid van een volwassene terugkeren naar de blik van een kind. 'Het is mijn ideaal om naar de kindertijd "toe te rijpen". Dat zou pas echte rijpheid zijn, de verwerkelijking van het "geniale tijdperk",' schreef hij in 1936. De grauwste herfstochtend of een vuilnisbelt werd in zijn ogen een bijzondere vorm van poëzie.

Wat de grauwheid betreft, had hij in de omgeving van zijn geboortestadje in ieder geval geen tekort aan inspiratie.

Drohobycz: ik had er graag iets anders over gezegd. Dat de bomen aan gobelins doen denken, dat de open voorhuizen naar koelte en wijn ruiken, dat de winterdagen er hard zijn als broden van vorig jaar...

Het doet eerder denken aan wat Andrzej Stasiuk schreef: 'een stadje waarvan de voorraad gebeurtenissen was opgebruikt'.

Wat zocht ik ook weer op deze eindeloze reis aan de rand van Europa? De rand van Europa zocht ik.

Viktor brengt de Lada met een schok tot stilstand en draait de volumeknop lager. Eindelijk stilte. Drohobycz rijst op uit het grijze landschap. Lanen met gebroken wegdek lopen naar het centrum, op en neer, want de stad glooit. De mensen hebben na de lange zomer hun winterjas uit de kast gehaald en lopen nog wat onwennig rond in een zweem van mottenballen. Lage woonblokken wisselen af met achttiende-eeuwse huizen, saaiheid wisselt af met verval. Ik zie het gerechtsgebouw, ernaast een gymnasium, beide in een voormalig paleis met een gevel in eclectische stijl. De school breng ik natuurlijk rechtstreeks in verband met Schulz.

Viktor verifieert nog even of hij het goed heeft verstaan: *Sjoelts,* ja? Het liefst spreekt hij studentes aan. Ik schat zo'n tien keer. Sommigen halen de schouders op, anderen lopen onverschillig door, een enkele keer blijft een meisje nadenkend staan om vervolgens een stratenplan in de lucht te schetsen.

Het klopt niet, of Viktor heeft het verkeerd begrepen. Hij windt zich op en begint doelloos rond te rijden.

'De hele wereld kent het Drohobycz van Schulz,' zeg ik in het Duits, 'maar in Drohobycz weet niemand wie Schulz is.'

Hij reageert niet. Ik herhaal het in het Pools en in het Russisch, maar hij houdt zijn ogen op de weg gericht en vervloekt me. Misschien, denkt hij, geef ik hem die tweehonderd grivnya pas als we die ellendige Sjoelts ook echt hebben gevonden. Misschien, denkt hij, bestáát die jood niet eens. Ik probeer zijn gedachten te lezen. Hij ontwijkt mijn blik in de achteruitkijkspiegel. Ik krijg een bitter voorgevoel, dat me triest stemt.

We rijden de Floriańskastraat in, ik pak Viktor bij zijn schouder en vraag hem om te vertragen. Ik herinner me de straatnaam uit een boek.

'Stop!' zeg ik.

'Waar?'

'Stop!'

Hij verwacht een museum, een barok paleis waarop in reuzenletters *Het Museum van Bruno Schulz* geschreven staat boven rijen wachtenden.

Eerlijk gezegd: ik ook.

Maar nee, Floriańskastraat 12 is een eenvoudig huis met een geel geschilderde gevel, zes ramen en een balkondeur. Het gebouw is van de straat gescheiden door een smeedijzeren hek. Op de hoek van de gevel hangt een bordje met Schulz' beeltenis en een tekst in drie talen: Oekraïens, Pools en Hebreeuws. Dat de Pools-joodse schrijver zus en zo hier tot 1942 woonde.

Een duidelijke ingang is er niet meer. Ik duw de kruk in het hek omlaag en loop het tuinpad op. In de achtertuin hangen slipjes te drogen. Bij een vlonder die naar een deur leidt roep ik iets. In naburige tuinen beginnen honden te blaffen. Op de vlonder weifel ik één ogenblik, één ogenblik overweeg ik om de grens van het fatsoen te schenden, het is slechts één stap en ik sta in het huis.

Ik draai me om en volg met mijn blik de oplopende straat. Een waterzonnetje breekt door de wolken. Ik herinner me Schulz' woorden in het verhaal 'Augustus': ''s Zaterdagsmiddags ging ik met moeder wandelen. Uit het halfduister van het voorhuis stapten we direct in het zonnebad van de dag.' In gedachten zie ik de kleine Bruno, zes jaar oud, of tien, een soort absolute leeftijd waarin hij zichzelf portretteerde, aan de hand van zijn moeder, terwijl de krankzinnige vader, de mythische Jakob uit Bruno's verhalen, in het huis zijn duistere zaakjes doet of op zolder een exotisch vogelasiel onderbrengt, dat door de wrede schoonmaakster Adela zal worden opgeruimd, waarna de oude Jakob, die zelf steeds meer op een zeldzame vogel is gaan lijken, langzaam uit het leven wegglijdt.

Daar begint de Krokodillenstraat, of althans de straat die Schulz ertoe inspireerde: de straat waar de winkelmeisjes allemaal een schoonheidsfoutje hadden, kenmerkend voor deze wijk van afgekeurde waar; de straat bevolkt door huurrijtuigen zonder koetsiers, want die waren zo in beslag genomen door duizend andere dingen dat ze zich niet bekommerden om hun koetsen.

'Het merkwaardigst nochtans,' vertelt Schulz, 'is de spoorweg. Soms, op onregelmatige tijdstippen van de dag, zo tegen het einde van de week, kan men op de hoek van de straat een mensenmenigte opmerken die op de trein staat te wachten. Men kan er nooit zeker van zijn of deze komt en waar hij zal stoppen, en het gebeurt vaak dat de mensen zich op twee verschillende punten opstellen, omdat ze geen eenstemmigheid over de plaats van de halte kunnen bereiken. Ze wachten lang en staan in een zwarte, zwijgende massa langs het zich vaag aftekenende spoor van rails, met het gezicht en profil – als een rij bleke maskers van papier, uitgeknipt in de grillige lijn van het staren. En eindelijk rijdt hij onverwacht voor, hij is net uit een zijstraatje gekomen, vanwaar niemand hem verwachtte, laag als een slang, in miniatuurformaat, getrokken door een kleine, gedrongen briesende stoomlocomotief. Hij staat al tussen de zwarte mensenhaag en de straat wordt donker van de rij kolengruis zaaiende wagons. Het donkere briesen van de locomotief, het zweempje wonderlijke ernst vol droefenis, de ingehouden haast en de opwinding veranderen de straat voor een ogenblik in de hal van een spoorwegstation tijdens de snel vallende winterschemer.'

Ik schend de grens van het fatsoen niet. Later verneem ik dat de huidige bewoners van de Floriańskastraat de Schulz-pelgrims zeer tegen hun zin toelaten, uit angst dat ze zullen worden verjaagd en dat er een permanent museum in het huis komt.

Wat ben ik aan het doen? denk ik terwijl ik de Floriańskastraat

uit loop en alle plekken zie die deel uitmaakten van de dagelijkse leefwereld van Bruno, het volwassen kind.

Zijn woorden malen door mijn hoofd. 'Moeten we echt het laatste geheim van deze buurt verraden, het zorgvuldig bewaarde geheim
van de straat van de Krokodillen?'

Op weg naar de markt loop ik langs de witte en roze herenhui-
zen met smeedijzeren balkonnetjes, op een hoek staat nog steeds de
apotheek waarvan Schulz de balsemgeuren beschreef.

Wat was dat geheim? 'Laten we het ronduit zeggen: het fatale van
deze buurt is dat er niets wordt verwerkelijkt, dat niets zijn definiti-
vum bereikt, dat alle begonnen bewegingen in de lucht blijven hangen, dat alle gebaren voortijdig uitgeput zijn en niet over een bepaald
dood punt heen kunnen komen. De hele buurt is niets anders dan
een gisting van verlangens die voortijdig opbruist en daarom krach-
teloos en leeg is.'

Op de markt staan slechts afbladderende huizenblokken in sov-
jetstijl. In het midden een raadhuis. Enkele winkels. Een bankge-
bouwtje. Een kroeg. Plaatselijke roodneuzen en lummelende jongens.
Ik word wat argwanend nagestaard, wellicht staat de ontzetting die
zich bij elke stap van mij meester maakt op mijn gezicht te lezen. De
ontzetting in de woorden van Schulz zelf, die enkele jaren voor zijn
gruwelijke dood haarscherp heeft beschreven wat mij aan het begin
van de eenentwintigste eeuw in Drohobycz overkomt: 'We zullen er
eeuwig spijt van hebben dat we het confectiemagazijn van verdacht
allooi toen voor een ogenblik hebben verlaten. *We zullen het nooit
terugvinden.* We zullen van uithangbord tot uithangbord dwalen en
ons honderden malen vergissen. We zullen tientallen winkels bezoeken, geheel identieke vinden, door lanen van boeken lopen, in
tijdschriften en publicaties bladeren, lang en verward confereren met
winkelmeisjes met overdadig pigment en een smet op hun schoonheid, *die onze wensen nooit zullen begrijpen.*

Onze verwachtingen waren een misverstand.'

Zo struin ik langs de huizen op de markt. Ik zoek de stoffenwin-
kel van vader Schulz, waar de kleine Bruno zich tussen de wolbalen
verstopte. Waar was het? Een trappenhuis, een portiek, de resten van
een etalage, de trap naar de eerste verdieping, een eeuwige urinegeur,
sporen van bruinkool. Er is niets. En de kaneelwinkels, het titelver-
haal van zijn eerste boek, waarvan de geur zo van het blad opstijgt,
waar zijn zij? Of waar waren zij?

Meneer Szrejer, die in de klas van meester Schulz heeft gezeten, vertelde ooit aan Ryszard Kapuściński, met in zijn blik een mengsel van verrassing, ironie en zelfs iets berispends: 'Waar de kaneelwinkels waren? In de verbeelding van Schulz natuurlijk! Daar lichtten ze op. Daar verspreidden ze hun weergaloze geur!'

Ik jaag op spoken, trap op schaduwen, wil fantomen in mijn armen sluiten. Drohobycz is, zoals Schulz zelf schreef, 'een fotomontage samengesteld uit verlegen krantenknipsels van het vorig jaar'. Het leven is elders.

Ik moet nog één ding doen. Een laatste reis in de tijd, helaas alweer naar de Tweede Wereldoorlog, om precies te zijn naar 19 november 1942.

Drohobycz was al in de eerste maand van de oorlog geannexeerd door de Sovjet-Unie. Schulz kon zijn baan als leraar tekenen, handenarbeid en wiskunde aan het gymnasium behouden, maar slaagde er niet meer in om te publiceren. Hij werd afgedaan als ziekelijk, geperverteerd en Proustiaans, iemand die, bij wijze van spreken, zijn rozentuintje redt terwijl het huis in brand staat.

Niet alleen het huis, maar heel de wereld vatte weldra vlam. Nadat de joden in de zomer van 1941 buiten de wet waren gesteld, kreeg Schulz enige bescherming van Felix Landau, een Gestapo-lid, voor wie hij de kinderkamer had gedecoreerd.

Van het marktplein loop ik naar de straat langs de parkmuur, waar Schulz die winterdag in 1942, tijdens een plotselinge aanval van de Gestapo, door Karl Günther, SS-Scharführer en een vijand van Landau, werd neergeschoten. Een van de tweehonderd slachtoffers die dag. Zijn graf en een groot deel van zijn werk zijn nooit teruggevonden.

De orthodoxe kerk op de hoek van de markt luidt de klokken. Het getingel waaiert uit over de groentekramen, het kerkhof, de spelende kinderen. Als ik een kar hoor komen aanrijden, hoop ik het panopticum van Schulz te zien. Niks panopticum, enkel een boer met zijn geoogste wortelen.

In de kerk stromen mensen samen voor een uitvaart. Het ruikt er naar kaarsvet, wierook en een zoete balsem. De pope reciteert middeleeuwse gebeden aan het hoofd van de open kist. In de kist ligt een man. Zijn gezicht is wit. Het voorhoofd glimt als de wassen huid van Kantors poppen. Ik ga tussen de zwijgende familieleden staan. De geur van duizendkruid, geplukt en gedroogd op de steppe van Oekraïne, stijgt op uit de kist. De lippen en de ogen van de dode lijken te bewegen in het flakkerende kaarslicht. Een illusie van leven. Iemand drukt een kus op het lijk.

Ik sluit mijn ogen en denk aan één dode ziel. Het is een ziel zonder lichaam, een beeld zonder naam. In die blinde vlek stapelen zich gezichten op, duizenden, miljoenen, gestalten zonder toekomst, een hele stoet, ontsnapt uit de geschiedenis van het land dat ik verken, voor een ogenblik tot leven gewekt, zoals in Schulz' verhalen. Ze zijn kreupel als mislukte schepsels, een verpakking slechts, als je je vinger op hun jas legde zou je merken dat hij leeg is. Ik denk aan de menigte verschoppelingen die een of andere zinloze dood stierven, ver van huis, in konvooien op weg naar kampen, of op geïmproviseerde bedden in een stroom van vluchtelingen, in gevangenissen, op barricaden, in rioolgangen, in de modder van een slagveld of in de eenzaamheid van een cel. Hier en daar herken ik er een aan zijn stem of aan zijn stap. Ze ontsnappen uit de wikkels van de geschiedenis, omhuld door dode-duivenlucht, lichten even op als een icoon, en verdwijnen. In hun kielzog duiken nieuwe spoken op, de toevloed van naamlozen is onbeperkt. Zij laten geen tekens na, geen lichamen, vaak zelfs geen graf.

Ik druk een kus op het gebalsemde voorhoofd van de anonieme man in de kist en vlucht de kerk uit.

Viktor zit op een vette worst te kauwen. Ik druk hem de hand als dank. Hij ziet mijn verwarring. Ik zou het hem willen uitleggen, maar liever nog wil ik alleen zijn.

'Terug?' vraagt hij na een poosje.

Ik knik en verschans me op de achterbank.

Nieuw land

De straten van oude steden leiden tot diep in de geschiedenis, maar de natuur treurt en bloedt op haar eigen manier.

Met een wrakke bus vol Oekraïense moedertjes keer ik terug naar Polen. De vrouwelijke douanebeambte kent de moedertjes, die deze reis enkele keren per maand maken, maar de eenzame zwerver met het beduimelde paspoort vol stempels trekt haar aandacht. Langdurig controleert ze mijn foto: voor de reis heb ik mijn haar kort laten knippen en mijn baard laten staan, ik beken dat de verschillen aanzienlijk zijn. Vervolgens tikt ze geheime codes in en laat haar ogen snel over het computerscherm glijden. Geen spoor van een emotie op haar gezicht. Wat weten ze over mij? In de wachtkamer van de Oekraïense douane is het bloedheet, het ruikt er naar boenwas en neonlicht kleurt alle gezichten lijkwit. Het doet me denken aan de kleedkamer in een ziekenhuis, waar ik als kind jaarlijks een dag lang werd onderzocht, poedelnaakt tussen tientallen andere poedelnaakte, bevende jongens.

Ten slotte schuift de bewaakster me mijn documenten toe, met een lachend gezicht, alsof ze een oude bekende weerziet. 'En hoe is het u bevallen in Lviv?'

'Heel goed, mevrouw,' antwoordt het jongetje in me.

Terug naar het land van de Vlaktebewoners, hobbelend en met een hoofd vol vragen. De sneeuw blijft al liggen.

Ik breng de nacht door in Lublin, in een ranzige kamer naast feestende studenten. Met een onmenselijk vroege trein reis ik naar Warschau en vandaar naar Białystok, wat letterlijk Witte Heuvel betekent. De stad doet haar naam eer aan. Niet alleen de neerslag is er wit. In de dagen dat ik er ronddool wordt er aan de lopende band getrouwd: voor de deur van elke kerk poseren popperige witzijden bruiden naast hun kersverse gemaal.

Białystok is voor mij slechts een tussenlanding op weg naar de eenzaamste plek die er in Europa te vinden is, de weg naar de prehistorie. Als er één plaats op ons continent bestaat die je zonder te overdrijven Nergens kunt noemen, is het daar.

Daar is Białowieża, een onooglijk puntje op de kaart, aan de rand van een grote groene vlek. De vlek loopt uit tot ver in Wit-Rusland. Bij het vallen van de avond rijdt er een bus heen, langs tientallen orthodoxe kerken en houten dorpen. Gaandeweg verandert de hele wereld in een land van eiken, krakende bruggen en blokhutten, ver van de civilisatie. Een voor een stappen de passagiers uit op desolate kruispunten. De dag wordt grijs, dan zwart en ten slotte op een vreemde manier wit: de weerschijn van de sneeuw.

Als iedereen allang is uitgestapt, houdt de bus stil in het midden van een berkenbos. De chauffeur zet de motor af en trekt zijn jas aan. Bedremmeld loop ik naar de uitgang.

'Verder ga ik niet,' zegt de chauffeur, 'dit is het einde.'

Ik kijk om me heen. De wereld is bevroren. Het licht van de volle maan hult alles in een blauwige glans. Nergens een levende ziel. Zelfs geen blaffende honden.

Ik haal een papiertje tevoorschijn met het adres van een pension waar ik een kamer heb gereserveerd. 'Weet u soms...?' breng ik voorzichtig uit.

Met tegenzin leest de man het adres. 'U had al veel eerder moeten uitstappen,' zegt hij. 'U bent te laat. Ik ga niet verder. Verder is er niets.'

We staan op de gladde sintels van Nergensland in het koude maanlicht. Onderhandelen is zinloos. De buschauffeur steekt een sigaret op en rammelt met zijn sleutels. Een andere bus is er niet. Na wat aandringen legt hij me uit dat ik twee mogelijkheden heb: een vijftal kilometers noordwaarts naar het dorp of rechtdoor tot de driesprong, en daar moet ik het nog maar eens vragen. Hij meent het, of het kan hem geen moer schelen.

'Ik wens u een rustige nacht,' lieg ik.

Hij mompelt wat en lost op in de duisternis.

Dit is het einde. Ik loop honderd meter in de richting van het dorp, tot bij de laatste lantaarn. Daarachter begint een zwart gat. Nergens het hoopgevende raam van een boshut, nergens een uitweg uit dit sprookje.

Onder mijn voeten knerpt bevroren modder. Ik knoop mijn jas stevig dicht en keer terug naar de verlaten bus. Hier en daar staat een plankenhuis in het oranje licht van een lantaarn, maar de bewoners zijn er niet, of ze slapen allang. Ook van de chauffeur is geen spoor meer te bekennen.

De andere richting dan maar. Naar de driesprong. Ook daar houden de lantaarns op, maar het bos is er minder dicht, zodat ik me kan laten leiden door het maanlicht. De stilte doet me denken aan de nachten in Silezië, eenzelfde voorwereldlijke leegte. Enkel de geluiden in mijn eigen lichaam, het snelle, doffe pompen in mijn borst. Een gesuis als van het draaien van de aarde.

Geen driesprong, althans geen zichtbare. Geen mens om het te vragen. De weg loopt uit op een maanlandschap. Onderwaterlicht met schaduwen als kraters. Ik kijk naar de hemel, die bezaaid is met miljoenen stippen.

Het zou me niet verbazen als daar boven opeens de blauwe bol van de aarde verscheen, op een vingerlengte afstand van de maan. Hier zou dan een onontdekte planeet zijn, de planeet van de vlakte.

Het duurt ongeveer een halfuur om de maanachtige akker over te steken. De ijswind striemt me in mijn gelaat. De hele tijd weet ik dat het niet goed is, dat ik terug moet naar de lantaarns en de verlaten huizen. Over enkele uren staan de eerste boeren op, aan wie ik hulp zou kunnen vragen. Doorlopen is niet goed. Ik weet waar ik ben.

Aan de overkant van de vlakte rijst het eikenbos op als een muur. Daar begint op dit uur van de nacht de hel.

In de wand zit een poortje. Een wegwijzer deelt mee waar het paleis van de negentiende-eeuwse tsaren heeft gestaan, dat door de Duitsers is opgeblazen. Dit gebied was ooit het reusachtige jachtgoed van de Russische heersers. Het begint hier, op Poolse grond, en loopt door tot diep in Wit-Rusland. Achter het poortje strekt zich het woud uit, dat meer dan tienduizend jaar oud is, het laatste restant van het oerbos dat lang voor onze beschaving het grootste deel van Europa bedekte. In het licht van een lucifer lees ik het waarschuwingsbord:

TOEGANG TEN STRENGSTE VERBODEN!
LEVENSGEVAAR!

De scharnieren kraken klaaglijk. Duizenden jaren lang hebben de mensen geloofd dat dit woud een mythische plek was, de uitverkoren woonplaats van goden en geesten, waar uitersten elkaar vonden: angst en sereniteit, naaktheid en dichtheid, weidsheid en beslotenheid. De bron van alle leven, waar de oerkrachten van de aarde en van het onderbewustzijn ontstonden. Het is een oud volksgeloof, dat mensen verbood om het hout te kappen of dorpen te bouwen.

Er moet een pad zijn, maar ik vind het niet in het vlekkige licht. Overal torenen metersdikke eiken op, die vernoemd zijn naar Pools-Litouwse koningen. Op de bodem kruipt een web van takken, dat mijn voeten omklemt. Sommige bomen zijn al eeuwen geleden staande gestorven en liggen nu waar bliksems of stormen hen velden.

Ik loop, voorzichtig tastend, in een rechte lijn, met de maan als kompas. In de struiken ritselen opgeschrikte insecten. Er hangt een geur van vorst, verrotting, koude hars. Spinrag kietelt mijn huid.

Het is niet goed wat ik doe, ik moet terug naar de bewoonde wereld, maar de verleiding is te groot, en ik loop verder, steeds verder. De waarschuwing op het hek deert me niet, ik voel geen enkele vorm van angst, alleen bijtende kou over mijn hele lijf. Ik schat dat het zeker vijftien graden vriest.

Op een open plek besluit ik halt te houden. Ik verzamel droog, hard hout en maak een klein kampvuur – een misdrijf waarvoor ik een celstraf riskeer. Ik denk vooral aan mijn verstijfde ledematen. In de half bevroren sneeuw waarin ik ga zitten herken ik verse hertensporen.

De lucifers in mijn hand hebben me op mijn hele omzwerving vergezeld. Nu zijn ze mijn enige toevlucht. Ik heb er de kaart van Polen mee gemarkeerd, als tondelvormige mijlpalen in het land van de Vlaktebewoners, zwavelstokjes in de steppe. Tot mijn verbijstering vernam ik in de loop van mijn reizen dat de geallieerden bij de verkaveling van Europa na de Tweede Wereldoorlog ook lucifers gebruikten om de nieuwe grenzen van Polen aan te duiden; het luisterde niet zo nauw. Waar is Polen? Daar waar de lucifers een hoekige appel vormen. Daar waar ze door de wind van de geschiedenis heen zijn geblazen. Daar waar generaals en presidenten met hun vingers over maquettes schoven. In de loop van tien millennia was dit het Nergensland. In de loop van één millennium Poolse geschiedenis was dit een grensgebied dat vorstelijke legers doorkruisten op weg naar gruwelijke veldslagen. Jagiełło heeft hier gestaan, dromend van zijn wereldrijk. De omgevallen boom, waarachter ik me beschut tegen de ijzige wind, draagt zijn naam, omdat hij hier misschien wel zijn tenten heeft opgeslagen, omringd en beschermd door honderden rekruten. Het mos, dat kraakt als ragfijn glas, bewaart op zijn manier de herinnering aan het verleden. Hier ligt de marge van de geschiedenis, de verzameling verborgen details tussen de grote verhalen, de overgangsverhalen, de schemerzones, de *voering*, zoals Schulz zou zeggen.

Als ik gek genoeg was, als ik werkelijk helemaal wilde opgaan in het verhaal dat ik vertel, zou ik me vlak bij de hitte van het vuur een slaapplek bouwen van rijshout en dorre bladeren, als een verdwaalde soldaat of als een vluchteling in een van de tragische hoofdstukken van de Midden-Europese geschiedenis. Sommigen zijn hier omgekomen van ontbering nadat ze erin slaagden om uit een konvooi krijgsgevangenen te ontsnappen: Poolse, Russische, Duitse konvooien, het ene nog barbaarser dan het andere, maar met één gemeenschappelijk doel: vernietiging. Soms was het bos zelf het doel: in de Tweede Wereldoorlog vormde het een favoriete plek voor standrechtelijke vonnissen.

Het oerbos: een paradijs in de schaduw van de hel. Er is niet eens veel verbeelding voor nodig om in de duizendjarige spoken van het volksgeloof de zielen van verdreven of vermoorde slachtoffers te zien.

Het oerbos: hier werd in december 1991 door de leiders van Rusland, Wit-Rusland en Oekraïne het akkoord ondertekend over de ontbinding van het sovjetimperium, het rijk dat begon in het hart van Europa, onderweg het halve Midden-Oosten meenam en doorliep tot aan de Stille Oceaan. Ook voor politici was deze plek kennelijk symbolisch beladen. Zij zetten hier een streep onder het communisme en gaven de macht vrijwillig uit handen. Althans: de politieke macht. In ruil daarvoor kregen ze economische macht.

Het oerbos baadt vannacht in een buitenaardse stilte, die alleen nu en dan verstoord wordt door het geknetter van een natte tak in het kampvuur. Of door het huilen van een wolf. Een echo van de hel. Een langgerekte, wanhopige schreeuw uit de diepte van de geschiedenis. Een wolf? Misschien was het een lynx? Of een bizon, een wisent? In Europa zitten ze in een dierentuin, maar hier, aan de rand, lopen ze vrij rond.

Wat ik ook hoorde, als het een mens verscheurt, komen ze allemaal mee-eten.

Ik maak een fakkel en trap het kampvuur uit. De kou slaat in mijn gezicht. Het gehuil weerklinkt opnieuw, gedempt. Even later nog eens, maar nu ijzingwekkend dichtbij.

Tot het hek is het een halfuur lopen. Ik steek mijn fakkel hoog in de lucht en trek mijn voeten los uit het web van takken.

Daarachter ligt het maanlandschap, verderop het dorp, waaruit bij zonsopgang, wanneer de eerste boeren opstaan, de geur van houtkachels opstijgt. Ik ben uitgeput, maar de angst houdt me wakker. Ik verlang naar een warme plek, waar ik zou kunnen slapen en waar de angst slechts een droom is, die in een vorige slaap is begonnen en in een volgende zal aflopen. Een van de vele dromen uit de grabbelton van alle dromen, uit de doos van Pandora, die de wereld in haar greep houdt. Ik loop en loop, op de rafels van Europa, als op de rand van een schijf langs een gapend ravijn. Op de bodem van de afgrond ligt het verwoeste verleden, voor me strekt een nieuw land zich uit, dat ik nog niet zie, maar dat ik probeer te begrijpen.

Eén ogenblik zie ik mezelf door de ogen van een ander: een verkleumde nomade, die met een toorts in de hand bij het achterpoortje van het paradijs vertrokken is, daar waar God de al te ijverigen een trap onder hun kont geeft, om in de modder van de eeuwen naar Polen op zoek te gaan.

TIJDTAFEL

1572	Op 23 augustus worden in heel Frankrijk 20.000 protestanten, de hugenoten, vermoord.
1573	Kroning van de eerste gekozen koning, Henri van Valois, die 'zich parfumeert als een vrouw' en zijn dagen liefst in bed doorbrengt.
1596	Warschau wordt de facto de hoofdstad van Polen.
1648	Einde van de dertigjarige oorlog tussen katholieken en protestanten. Vrede van Westfalen.
1654	Bouw van lutheraanse kerken in Jawor, Świdnica en Głogów.
1655	De Zweedse 'Zondvloed'. Het Zweedse leger valt Polen binnen en neemt Warschau en Kraków in. Op de *Jasna Góra*, de Heldere Berg, in de bedevaartsstad Częstochowa behalen de Polen een miraculeuze overwinning.
1683	Overwinning van Jan III Sobieski op de Turken tijdens de Slag bij Wenen. Het Poolse leger bestaat uit huzaren, de beste zware cavalerie van Europa.
1764	Kroning van de laatste koning, Józef Poniatowski.
1772	Eerste Deling van Polen.
1791	Grondwet van 3 mei: na de Amerikaanse de tweede moderne constitutie, en dus de eerste in Europa.
1793	Tweede Deling van Polen.
1794	Tadeusz Kościuszko, die in de Amerikaanse Onafhankelijkheidsoorlog vocht, voert de opstand tegen de Russen aan.
1795	Derde Deling van Polen. Polen verdwijnt van de Europese kaart.
1795-1918	Polen wordt 123 jaar lang bezet door Pruisen, Oostenrijk en Rusland.
1797	Ontstaan van het Poolse volkslied, de Dąbrowski-mars, vernoemd naar de leider van de Poolse Legioenen, die in Italië aan de zijde van Napoleon vochten.
1807	De Poolse Legioenen vestigen al hun hoop op Napoleon om Polen te bevrijden. In plaats van een soevereine Poolse staat wordt een Frans protectoraat opgericht, het Groothertogdom Warschau.
1810	Frédéric Chopin wordt geboren.
1812	100.000 Polen trekken met Napoleon naar Rusland. In deze periode speelt *Heer Tadeusz* van Adam Mickiewicz zich af.
1815	Het Congres van Wenen ontbindt het Groothertogdom Warschau.
1830	Er gaat een golf van revoluties door Europa. In Frankrijk wordt de laatste Bourbon van zijn troon gestoten en bij ons rukt België zich los uit het koninkrijk der Nederlanden van Willem I. De Russische tsaar Nicolaas I, wiens zus Anna Pavlovna getrouwd is met Wil-

lems zoon, de latere koning Willem II, bereidt een expeditie voor om de Belgische revolutie te onderdrukken. Maar door de Poolse novemberopstand wordt de tsaar gedwongen eerst in eigen huis orde te scheppen. Tijdgenoten beweren dat de Polen zo op een indirecte manier de Belgische onafhankelijkheid hebben gered.
Na de mislukte novemberopstand verlaten 20.000 Polen hun land. In Frankrijk verzamelen talrijke emigranten zich rond vorst Adam Czartoryski. Onder hen de componist Frédéric Chopin en de schrijvers Adam Mickiewicz, Zygmunt Krasiński, Juliusz Słowacki en Cyprian Norwid.

1834	Adam Mickiewicz publiceert *Heer Tadeusz*, een werk dat vanaf 1880 zou uitgroeien tot het Poolse nationale epos bij uitstek.
1849	Dood van Frédéric Chopin.
1863	De januari-opstand, de grootste Poolse opstand van de negentiende eeuw.
1867	Józef Piłsudski wordt geboren.
1885	Stanisław Ignacy Witkiewicz wordt geboren.
1892	Bruno Schulz wordt geboren.
1903	Maria Skłodowska-Curie (Marie Curie) krijgt de Nobelprijs voor natuurkunde voor haar onderzoek naar radioactiviteit.
1904	Witold Gombrowicz wordt geboren.
1905	In Rusland wordt een revolutie bloedig onderdrukt. In Polen krijgt Henryk Sienkiewicz de Nobelprijs voor literatuur.
1911	Marie Curie krijgt voor de tweede keer de Nobelprijs voor haar ontdekking van radium. Czesław Miłosz wordt geboren.
1912	Gerhart Hauptmann krijgt de Nobelprijs voor literatuur.
1915	Tadeusz Kantor wordt geboren.
1917	Bolsjewistische Oktoberrevolutie in Rusland. Stichting van de Sovjet-Unie onder leiding van Vladimir Il'itsj Oeljanov (Lenin).
1918	Op 11 november roept maarschalk Józef Piłsudski de onafhankelijkheid van Polen uit. Stichting van de Tweede Poolse Republiek.
1920	Oorlog tegen de Sovjet-Unie over de oostgrens van Polen. Op 15 augustus weet Piłsudski de Russen tot staan te brengen in een slag die 'het wonder aan de Wisła' is genoemd. Karol Wojtyła wordt geboren.
1922	President Gabriel Narutowicz wordt vermoord. Piłsudski trekt zich terug uit de politiek.
1923	Wisława Szymborska wordt geboren.
1924	Władysław Reymont krijgt de Nobelprijs voor literatuur. In de

Sovjet-Unie sterft Lenin en krijgt Jozef Stalin alle macht in handen. Adolf Hitler schrijft *Mein Kampf*.

1926   Piłsudski pleegt een staatsgreep en voert zijn dictatoriale *saneringspolitiek*. Andrzej Wajda wordt geboren.

1927   Günter Grass wordt geboren.

1930   Periode van de Grote Honger in Oekraïne, als gevolg van de collectivisatiepolitiek.

1933   In Duitsland komt Adolf Hitler aan de macht. Jerzy Grotowski wordt geboren.

1935   Dood van Józef Piłsudski.

1938   Op 8 november vindt in Duitsland de *Kristallnacht* plaats: plunderingen, lynchpartijen en boekverbrandingen gericht tegen de joodse bevolking.

1939   De Tweede Wereldoorlog breekt uit in Gdańsk. Duitse troepen vallen Polen binnen, gevolgd door het sovjetleger. Op 18 september pleegt Stanisław Ignacy Witkiewicz (alias Witkacy) zelfmoord.

1940   De Russen executeren meer dan 20.000 Poolse officieren in Katyń, vlak bij Smolensk. Onder de slachtoffers bevindt zich de vader van cineast Andrzej Wajda. Op 27 april geeft Heinrich Himmler bevel Auschwitz op te richten. In juni arriveren daar de eerste gevangenen.

1941   Op 10 juli vindt de massamoord in Jedwabne plaats.

1942   Op 19 november wordt Bruno Schulz doodgeschoten in Drohobycz.

1943   Opstand in het getto van Warschau. In november-december spreken Stalin, Roosevelt en Churchill in Teheran af dat Polen na de oorlog onder de invloedssfeer van de Sovjet-Unie zal vallen. Lech Wałęsa wordt geboren.

1944   De opstand van Warschau. Vorming van de eerste communistische regering in Lublin. Stichting van de Poolse Volksrepubliek. Bolesław Bierut, de Poolse Stalin, wordt president.

1945   Op 30 januari wordt het Duitse vluchtelingenschip de Wilhelm Gustloff door het sovjetleger getorpedeerd. In februari bespreken Stalin, Roosevelt en Churchill in Jalta de oost- en de westgrens van Polen. Op 2 augustus besluiten Truman, Attlee en Stalin in Potsdam dat de Duitsers 'verwijderd' moeten worden uit het nieuwe Poolse grondgebied. Vier dagen later maakt de atoombom op Hiroshima een eind aan de Tweede Wereldoorlog. Veel Poolse soldaten nemen deel aan de bevrijding van Nederlandse en Belgische steden, o.a. Ieper, Gent en Breda.

1946   Grootschalige vervalsing van de resultaten van verkiezingen en referenda. Etnische zuiveringen in de 'gewonnen' en in de 'verloren' gebieden. Op 5 maart houdt Churchill zijn Iron Curtain-rede in Fulton (vs).

1949   Oprichting van de NAVO.

1950   Op 9 mei lanceert Robert Schuman, toenmalig minister van Buitenlandse Zaken in Frankrijk, het idee van Europese integratie, dat zal leiden tot de Europese Unie.

1953   Op 5 maart sterft in de Sovjet-Unie Jozef Stalin. Aanvang van de destalinisatie, de *Dooi*, zowel in Rusland als in de satellietstaten.

1955   Oprichting van het Warschaupact.

1956   Władysław Gomułka wordt Eerste Secretaris. Arbeidersopstanden worden bloedig onderdrukt. De Hongaarse opstand wordt door het sovjetleger neergeslagen.

1968   Conflicten tussen studenten en ordetroepen; antisemitische en anti-intellectualistische incidenten. De Praagse opstand wordt neergeslagen.

1969   In Wrocław creëert Jerzy Grotowski *Apocalypsis cum figuris*. Op dezelfde dag dat Neil Armstrong als eerste mens zijn voet op de maan zet, sterft in het Zuid-Franse Vence Witold Gombrowicz, een van de grootste kanshebbers op de Nobelprijs voor literatuur.

1970   Stakingen en demonstraties in de havens. Edward Gierek wordt Eerste Secretaris.

1975   Tadeusz Kantor verovert de wereld met *Dodenklas*.

1978   Karol Wojtyła wordt tot paus verkozen. Isaac Bashevis Singer krijgt de Nobelprijs voor literatuur.

1979   Eerste bezoek van Johannes Paulus II aan zijn vaderland.

1980   Stanisław Kania wordt Eerste Secretaris. Op 31 augustus worden op de Lenin-scheepswerf de Akkoorden van Gdańsk ondertekend. Czesław Miłosz krijgt de Nobelprijs voor literatuur.

1981   Generaal Wojciech Jaruzelski wordt Eerste Secretaris. Op 12 december kondigt hij de staat van beleg af om een inval van de Sovjet-Unie te vermijden.

1983   Lech Wałęsa krijgt de Nobelprijs voor de vrede.

1984   Priester en Solidariteit-activist Jerzy Popiełuszko wordt vermoord.

1989   Ronde-Tafelconferentie. Compromis met de regering. Overwinning van Solidariteit. Stichting van de Derde Poolse Republiek.

1990   Op 8 december sterft Tadeusz Kantor. Een dag later wordt Lech Wałęsa president. Michail Gorbatsjov krijgt de Nobelprijs voor de vrede.

1991	Op 8 december ondertekenen Rusland, Wit-Rusland en Oekraïne in het Białowieża-oerbos een charter over nieuwe samenwerkingsverbanden. Oprichting van het Gemenebest van Onafhankelijke Staten (GOS). Op 21 december krijgen zij in Alma Ata (Kazachstan) de steun van elf voormalige sovjetrepublieken. Op 26 december wordt de Sovjet-Unie officieel ontbonden. Het vierde bezoek van Johannes Paulus II aan Polen wordt een filippica tegen abortus en tegen de scheiding van Kerk en staat.
1995	Na een woelige tijd wordt de sociaal-democraat Aleksander Kwaśniewski president. In alle Midden-Europese landen (behalve Tsjechië) zijn de ex-communisten weer aan de macht.
1996	Wisława Szymborska krijgt de Nobelprijs voor literatuur.
1999	Polen wordt lid van de NAVO. Dood van Jerzy Grotowski. Günter Grass krijgt de Nobelprijs voor literatuur.
2000	Kraków is Culturele Hoofdstad van Europa. Op de Europese top in Nice wordt een verdrag ondertekend over de institutionele hervormingen met het oog op de uitbreiding van de EU. Polen zou bij stemmingen ongeveer evenveel inspraak hebben als Spanje, Italië, Frankrijk, het Verenigd Koninkrijk en Duitsland.
2001	Polen is gastland op het Belgische Europalia-festival. Op de Europese top in Laken beslissen de regeringsleiders dat de EU democratischer, transparanter en efficiënter moet worden.
2002	De Poolse literatuur staat centraal op de Frankfurter Buchmesse. Op de Europese top in Kopenhagen besluiten de regeringsleiders tot toelating van acht staten uit het voormalige Oostblok plus Cyprus en Malta.
2003	In juni stemmen de Polen bij referendum in met het lidmaatschap van de Europese Unie. De Europese top in Brussel, die een grondwettelijk verdrag moet opstellen, mislukt. Volgens het ontwerp van grondwet zou Polen bij stemmingen veel minder inspraak krijgen dan in Nice was afgesproken. 2500 soldaten vertrekken naar Irak om er het bestuur over te nemen van een van de vier zones waarin het land is opgedeeld.
2004	Op 1 mei wordt Polen lid van de Europese Unie, samen met Estland, Letland, Litouwen, Tsjechië, Slowakije, Hongarije, Slovenië, Malta en Cyprus. Polen is de grootste nieuwkomer met een bevolkingsaantal van bijna veertig miljoen. De EU strekt zich uit 'van Cyprus tot de noordpool' en telt ongeveer een half miljard inwoners, dat is bijna tweemaal zoveel als de VS.

VERANTWOORDING

In de Poolse grote steden heb je aanlokkelijke boekhandels, waar ik vele uren heb doorgebracht. In Warschau heb je de universiteitswinkels. In Kraków is er de handel van uitgeverij Znak. Op de markt van Wrocław staat een boekwinkel van vier verdiepingen, waar je ook allerlei schrijfbehoeften – naast boeken mijn andere stokpaardje – en audiovisueel materiaal kunt kopen. Achterin is een leeshoek waar je een speld kunt horen vallen.

Aan het eind van mijn langste zwerftocht door Polen, toen ik al bijna vierduizend kilometer had afgelegd, met allerlei vervoermiddelen maar voor een niet verwaarloosbaar deel ook te voet, had ik mijn spullen, die ik her en der in Polen in bewaring had gegeven, een voor een weer opgehaald. In het warenhuis tegenover het Cultuurpaleis in Warschau kocht ik een reusachtige reistas met een stevige bodem.

Ik besefte pas wat ik mezelf had aangedaan toen alle liften in het Centraal Station buiten dienst bleken te zijn. Mijn vrachtje woog wel een ton, en wie ooit in het Warschause station de trappen heeft gebruikt, kan zich voorstellen dat ik nadien weken nodig had om van de rugpijn te genezen.

Ik heb mijn boeken vaak vervloekt, maar als ik ze niet had gehad, was dit boek nooit totstandgekomen.

Aan het begin van de lange reeks boeken die in de loop van de jaren door mijn handen zijn gegaan, staan drie auteurs die in veel opzichten juist niet typisch Pools zijn.

De eerste is Stanisław Ignacy Witkiewicz, wiens verzamelde *Dramaty*, toneelstukken, ik al lang geleden in het Pools kocht. Alain van Crugten, hoogleraar aan de universiteit van Brussel en leerling van Marian Pankowski, heeft me in de wereld van Witkiewicz ingewijd. Hij vertaalde alle stukken van 'Witkacy' in het Frans voor *L'Âge d'Homme* in Lausanne. In het Nederlands zijn er nauwelijks stukken beschikbaar, maar wel twee romans: *Onverzadigbaarheid* en *Afscheid van de herfst*, vertaald door Karol Lesman en uitgegeven bij Meulenhoff.

Vervolgens is er Witold Gombrowicz, die in ons taalgebied op een vrij grote populariteit kan bogen. Zijn *Toneel* werd al in 1974 uitgebracht bij Athenaeum–Polak & Van Gennep. In de jaren tachtig en negentig verschenen daar ook zijn romans: de bekendste is *Ferdydurke*, maar de andere zijn ook niet te versmaden: *Kosmos*, *De Pornografie*, *Trans-Atlantisch* en *De beheksten*. Ten slotte is er ook zijn voortreffelijke *Dagboek 1953-'69*. Ik heb zijn verzameld werk ooit in een groezelige en half-clandestiene editie gekocht op een boekenmarkt in Kraków bij twintig graden onder nul. Een vriend heeft me een illegale kopie gegeven van het toneelstuk *Operetka*, Operette: een beduimeld boekje dat in een doorsnee broekzak past, verpakt in karton en slordig samengeniet. Het was door een ondergrondse beweging gedrukt tijdens de staat van beleg.

De derde auteur is Bruno Schulz, van wie ik in Polen vooral de boeken met zijn tekeningen heb aangeschaft. Zijn vertaalde romans *Sanatorium Clepsydra* en *De kaneelwinkels* verschenen in 1995 in één band bij Meulenhoff.

Deze drie auteurs hebben Tadeusz Kantor levenslang geïnspireerd. Met Kantors teksten heb ik kennisgemaakt dankzij de boeken van Denis Bablet en zijn vrouw Jacquie, een fotografe. In de reeks *Les voies de la création théâtrale* verscheen in de jaren tachtig een lijvig kijk- en leesboek over Kantors oeuvre. Bablet maakte ook filmdocumentaires over Kantor. Later las ik Kantors teksten in zijn eigen handschrift in de Cricotheek. Een keuze uit zijn werk heb ik in 1991 uitgebracht bij International Theatre Books Amsterdam onder de titel *Het Circus van de Dood*. Mijn doctoraalscriptie bevindt zich in de universiteitsbibliotheek van Gent. Over Kantor is inmiddels een hele bibliotheek bij elkaar geschreven. Poolse biografieën die ook voor niet-Poolstaligen erg toegankelijk zijn omdat ze zo'n schat aan illustraties bevatten, zijn *Wedrówka*, De Zwerftocht, samengesteld door de beminnelijke, veel te bescheiden Jaromir Jedliński (een uitgave van *Kraków 2000*), en *Kantor*, geschreven door Krzysztof Pleśniarowicz, een docent aan de universiteit van Kraków en een tijdlang de directeur van de Cricotheek. Zijn boek verscheen in de schitterende reeks *A to Polska właśnie*, vrij vertaald: Dit is nou Polen. Deze reeks werd in 1995 opgezet door de Neder-Silezische

Uitgeverij van Wrocław en behandelt heel uiteenlopende onderwerpen: Het Reuzengebergte, De joden, Miłosz, Mickiewicz, De Poolse taal, De Tweede Poolse Republiek, Reformatie – Contrareformatie – Tolerantie, Wojtyła, De grensgebieden, Schulz...
Vervolgens zijn er de Nobelprijswinnaars. Sienkiewicz en Reymont zijn wellicht niet meer zo 'in', net zomin als de negentiende-eeuwse romantische dichters, maar Miłosz, Szymborska en Singer des te meer.

Van Wisława Szymborska verschenen de meeste boeken bij Meulenhoff in een vertaling van Gerard Rasch: de verzamelde gedichten *Einde en begin*, het boek met besprekingen van vergeten boeken *Onverplichte lectuur* en Szymborska's jongste bundel *Het moment*. In Vlaanderen hielden Jeannine Vereecken en Jo Govaerts zich allang voor de Nobelprijs intensief bezig met Szymborska. Zij publiceerden bij Van Halewijck en het Poëziecentrum.

Van Miłosz heb ik in de loop der jaren zoveel gelezen, in diverse uitgaven en talen, dat ik geen volledige lijst kan reconstrueren. In het Nederlands zijn de volgende prozaboeken van groot belang: *De geknechte geest, Geboortegrond, Het dal van de Issa* en *Alfabet*. Uitstekend is ook het boek van Aleksander Wat: *Mijn twintigste eeuw, zoals verteld aan Czesław Miłosz*. Miłosz' literaire productie is gigantisch. Terwijl veel Nobelprijswinnaars hun wereldfaam als *a kiss of death* ervaren (zoals Saul Bellow het uitdrukte), heeft Miłosz na 1980 nog meer geschreven dan ervoor. Zijn poëzie wordt in Polen in fraai gebonden edities uitgebracht. Er zijn ook goedkopere anthologieën met cassettes of cd's waarop de dichter zelf voordraagt. In het Nederlands is zijn poëzie her en der vertaald in bloemlezingen. Begin 2004 verscheen de verzameling *Gedichten* bij Atlas. Ook hier heeft Gerard Rasch de grootste verdienste. Naast Jeannine Vereecken heeft in Vlaanderen Kris van Heuckelom Miłosz vertaald. Een verhelderend boek vond ik *Conversations with Czesław Miłosz*, een uitgave van Harcourt Brace Jovanovich in Californië, waar Miłosz werkte als hoogleraar slavistiek.

Isaac Bashevis Singer wordt niet altijd als een Poolse Nobelprijswinnaar gezien, omdat hij in het Jiddisch schreef. Ook zijn werk is bijzonder omvangrijk. Een greep uit de titels: *Schimmen aan de Hudson, De dood van Methusalem, De duizendkunstenaar van Lublin* (andere vertaling luidt: *De magiër van Lublin*), *De echtscheiding, De familie Moskat, De geschiedenis van de dwazen van Chełm*,

De golem, Jentl en andere verhalen, De Spinoza van Warschau, Simpele Gimpl en andere verhalen, Het hof van mijn vader, De koning van de akkers.

Bij al deze auteurs speelt de geschiedenis van Polen een essentiële rol, zelfs bij Szymborska, al observeert zij eerder het detail dan de totaliteit. Voor de studie van de Poolse geschiedenis heb ik vooral geput uit *God's Playground, A history of Poland I & II* van Norman Davies (Clarendon Press, Oxford, 1981). Dit boek is ook beschikbaar in een verkorte versie onder de titel *Heart of Europe*. Verder gebruikte ik: *De strijd van de witte adelaar, geschiedenis van Polen* van Louis Vos en Idesbald Goddeeris (Acco, Leuven/Leusden, 2000); *Historia Polski w datach* van Stanisław Bogusław Lenard & Ireneusz Wywiał (Wydawnictwo Naukowe, Warschau, 2000); *Najnowsza historia Polski, 1980-2002* van Wojciech Roszkowski (Świat Książki, 2003); en *An outline history of Polish Culture*, Interpress Jagiełłonian University, een al iets ouder boek, uit 1984, maar het ligt mij erg na aan het hart.

Voor een beter begrip van de grenssituaties in Midden-Europa verwijs ik naar Dennis P. Hupchick & Harold E. Cox, *The Concise Historical Atlas of Eastern Europe*, Palgrave 2001.

Een uitstekend boekje, dat ik per toeval heb gevonden, is *Stereotypes and Nations*, uitgegeven door International Cultural Centre Cracow in 1995. Bij mijn weten is het ook uitsluitend daar verkrijgbaar; het kantoor ligt aan de Oude Markt van Kraków, nummer 25, tegenover het beroemde bierhuis/cabaret Pod Baranami, waar Kantor in de jaren vijftig de plafonds beschilderd heeft. De directrice van het centrum heet Anna Gawron. Het boek gaat over hoe Polen en inwoners uit de buurstaten met de clichés over elkaar omgaan.

Onmisbaar voor een beter inzicht in de Europese Unie is Mark Heirmans *De ontdekking van Europa, een geschiedenis van de toekomst* (Houtekiet, 2003).

Wie de Poolse geschiedenis via een romanversie wil leren kennen, kan zich verlustigen in James A. Micheners *Polen*, Van Holkema & Warendorf, 2003.

Voor de geschiedenis van de joden in Polen heb ik uit diverse bronnen geput. Een van de meest fascinerende boeken vond ik *Beelden voor ogen, een fotografisch verslag van het joodse leven in Polen tussen 1864 en 1939*, Amphora Books, 1981. Belangrijk was ook *De laatste der Rechtvaardigen* van André Schwarz-Bart, Meulenhoff, 2003. Het felomstreden verhaal van de genocide in Jedwabne staat te lezen in Jan T. Gross, *Buren*, De Bezige Bij, 2002.

Als onderzoeksjournalist heb ik met veel belangstelling het werk van Ryszard Kapuściński gelezen: *Imperium, ondergang van een wereldrijk* (Arbeiderspers 1993), en *Lapidarium, Observaties van een wereldreiziger 1980-2000* (Privé-domein 2003). Ook het werk van Eva Hoffman, *Verdwijnen in de geschiedenis, persoonlijke ontmoetingen in Oost-Europa*, (Bodoni Baarn 1994). Peter Michielsen, journalist bij NRC *Handelsblad*, verbleef begin jaren negentig een tijdlang in Polen, waar hij met talloze politieke kopstukken praatte. Zijn bevindingen heeft hij gebundeld in twee boeken: *Het eeuwige Polen* (Balans 1991) en *Verworpen en ontwaakt* (Kritak 1992). De buitenlandcorrespondent voor *La Repubblica*, Riccardo Orizio, verzamelde zijn gesprekken met voormalige tirannen, onder anderen met generaal Jaruzelski, in *Als je het over de duivel hebt*, Meulenhoff, 2002.

In de allerlaatste fase van het schrijven heb ik nog dankbaar gebruikgemaakt van *In Europa. Reizen door de twintigste eeuw* van Geert Mak, Atlas, 2004.

Het aantal romans dat ik gelezen heb is te groot om op te noemen, maar de volgende auteurs komen op een al dan niet verdoken manier geregeld terug in mijn boek: Jerzy Andrzejewski, Anna Bolecka, Kazimierz Brandys, Stefan Chwin, Günter Grass, Marek Hłasko, Paweł Huelle, Tadeusz Konwicki, Hannah Krall, Andrej Koerkov, Antoni Libera, Stanisław Lem, Sławomir Mrożek, Stella Müller-Madej, Maria Nurowska, Marian Pankowski, Joseph Pierce, Jerzy Pilch, Jarosław Marek Rymkiewicz, Andrzej Stasiuk, Andrzej Szczypiorski, Olga Tokarczuk en Tomek Tryzna.

Wie in de officiële literatuurlijsten geen plaats krijgt (ook niet op *www.polska2000.pl*, de website met gedetailleerde informatie over Poolse auteurs), is Dorota Masłowska. Zij schreef op negentienjarige leeftijd *Wojna polsko-ruska*, uitgegeven bij De Bezige Bij als *De Pools-Russische oorlog*. Het is een gigantisch succes en werd ook voor het toneel bewerkt. Het geeft een beeld van de leefwereld van de Poolse jongeren, die ik in mijn boek vaak laat 'rondlummelen'.

De dichters dan. Voor mij staan, naast Wisława Szymborska en Czesław Miłosz, Tadeusz Różewicz, Zbigniew Herbert en Ewa Lipska voorop. Maar er zijn er nog veel meer. Een greep: Stanisław Barańczak, Miron Białoszewski, Ernest Bryll, Julia Hartwig, Mieczysław Jastrun, Julian Kornhauser, Bronisław Maj, Edward Stachura, Marcin Świetlicki, Anna Świrszczyńska, Jan Twardowski en Adam Zagajewski.

Wat *Ubu Roi* en *Dybuk* betreft, heb ik geput uit de Pléiade-uitgave van *Histoire des spectacles* en uit *Les voies de la création théâtrale*, Editions du Centre national de la recherche scientifique in Parijs. De ideeën van Jerzy Grotowski heb ik gevonden in *Towards a poor theatre*, een uitgave van Simon and Schuster, New York, ingeleid door Peter Brook en met o.m. een bijdrage van Franz Marijnen en in *Land of Ashes and Diamonds. My Apprenticeship in Poland* van Eugenio Barba, uitgegeven bij Black Mountain in Wales. Over de grote Poolse toneelregisseurs van de twintigste eeuw is in 1979 een prachtig boek verschenen bij Interpress Warschau. Het bestaat in diverse talen, mijn versie heet *Regisseure des Polnischen Theaters*. Auteur is August Grodzicki. Naast Grotowski en Kantor behandelt het boek het werk van Axer, Dejmek, Grzegorzewski, Hanuszkiewicz, Jarocki (die ik in de loop van mijn boek ontmoet), Świnarski, Szajna en Wajda. Als je 't mij vraagt: een voor een coryfeeën. Enkelen zijn nog steeds actief.

De films die ik tijdens de voorbereiding van dit boek heb bekeken, waren in de eerste plaats de klassieken: van Andrzej Wajda o.a. *Het beloofde land, De man van marmer, De man van ijzer, As en diamant, Het riool, De bruiloft, Meisje Niemand* en *Heer Tadeusz*. Van Krzysztof Kieślowski *De Decaloog, La double vie de Véronique* en *Trois couleurs: Bleu – Blanc – Rouge*. Jerzy Hoffman verfilmde, net als Wajda, enkele klassieke literaire werken, zoals *Te vuur en te zwaard* (naar Sienkiewicz). Krzysztof Zanussi maakte filosofische films, o.a. *Het familieleven* en *Schutkleuren*. Bijzonder interessant is het werk van Agnieszka Holland (*Europa Europa, De geheime tuin, Totale Eclips*). Verder ontmoette ik op mijn pad cineasten die bij ons volslagen onbekend zijn: Filip Bajon (met zijn film *Przedwiośnie* naar het boek van Stefan Żeromski), Marek Piwowski (*Rejs*), Jerzy Skolimowski (*Ferdydurke*, naar Gombrowicz), Marek Koterski (*Dzien Świra*), Sylwester Chęciński (*Sami swoi*), Jan Jakub Kolski (*Pornografia*, naar Gombrowicz), Ryszard Brylski (*Żurek*, naar Tokarczuk) en Piotr Trzaskalski (*Edi*).

Ik ben een heleboel mensen dank verschuldigd. Mijn twee werkbeurzen kreeg ik dankzij referenties van Jean-Pierre Rondas, Freddy de Vree, Frans Boenders, Raymond Detrez, Jeannine Vereecken, Hendrik Tratsaert, Guy Poppe, Jan Hunin, Stefan Hertmans, Bart Stouten, Willy Tibergien, Victor Schiferli, Ad van Rijsewijk en Karol Lesman.

Documentaire steun kreeg ik van het Poëziecentrum Gent, de universiteiten van Gent en Warschau, Zofia Klimaszewska, Krzysztof Nienałtowski, Dieter de Bruyn, Jozef Deleu, het Studiotheater in Warschau en de Cricotheek in Kraków.

In de loop der jaren heb ik me vaak kunnen verlaten op mijn mentoren, van wie er ondertussen al enkele zijn overleden: Jean-Pierre de Decker, Franz Marijnen, Frans Vyncke, Jean Lothe, Maja Boejoeklieva, Arent van Nieukerken, Erik de Volder, Jan Fabre, Daniel Gerould, David Willinger, Jaak van Schoor, Luk van den Dries, Raymond Detrez en Jeannine Vereecken.

Verder zijn er tal van mensen die me wegwijs hebben gemaakt in Polen: Ewa Grabowska (PAIZ, Polska Agencja Informacji i Inwestycji Zagranicznych), Joanna Karaśek (cultureel attaché ambassade van Polen in Brussel), Mariola Macherska (ministerie van Buitenlandse Zaken Warschau), Waldemar Dąbrowski (minister van Cultuur), Marta Rosner (Pools bureau voor toerisme Brussel), Michał Rusinek (vertrouweling van Miłosz en Szymborska), Anatol Plewa (boswachter van het oerbos), Wojciech Kapałczyński (directeur van het rijksbureau voor de monumentenzorg in Silezië), Anna Gawron (directeur Internationaal Cultureel Centrum van Kraków), Janusz Makuch (directeur joods cultuurfestival Kraków), Wojciech Krukowski (directeur Centrum voor hedendaagse kunst Warschau), Janusz Marek (theaterwetenschapper), Michał Majerski (journalist), Aldona Figura (regisseur van de *Vagina Monologen*), Karolina Grabowicz, Lidia Majewska en Jadwiga Charzyńska (curatoren van kunstcentrum Het Badhuis in Gdańsk), Anna Szoc (secretaris festival Dialoog Wrocław), Józef Szajna (regisseur), Maciej Nowak (directeur Teatr Wybrzeże), Małgorzata Bocheńska (kunstenares), Kamila Drecka (journaliste), Muriel Waterlot, Agnieszka Chrzanowicz en Zofia Klimaszewska (hoogleraren neerlandistiek), Anna Komierowska, Adrian Krajewski, Eulalia Smuga (studenten).

Voor toevallige of indirecte steun dank ik Mark en Martine Cloet, Janusz Jarecki, Marek en Jola Buś, Jarek (inmiddels overleden) en Iwona Buś, Danuta Bober, Andrej Koerkov, Joseph Pierce, Noortje Wiesbauer, Marc Kregting en mijn collega's bij de Vlaamse Radio en Televisie in Brussel. Dit laatste instituut heeft me bovendien gedurende zeventien jaar de kans en de middelen geboden om, met de microfoon of de camera in de aanslag, Polen te doorkruisen.

Heel bijzondere dank gaat uit naar mijn 'grote broer' Luk alias 'Loek' Vanhauwaert, naar mijn geestdriftige reisgezellin Sylvia Traey en naar journalist/docent Jan Hunin. Verder ook naar Gosia, de huishoudster van 'Loek', die me de Poolse keuken heeft leren kennen, en naar Cezary, de cowboy van Neder-Silezië.

Warme dank voor Harold Polis, redacteur van Meulenhoff in Antwerpen, die me met zijn enthousiasme ertoe heeft overgehaald om dit boek te schrijven, voor Reinjan Mulder, mijn eindredacteur in Amsterdam, die me in de beslissende fase intensief heeft gecoacht en voor uitglijders heeft behoed, voor Maja Wolny, oprichtster van het Slavisch centrum Post Viadrina in Gent en voor Dieter de Bruyn, wetenschappelijk medewerker aan de Universiteit Gent, die mijn boek op het allerlaatste moment heeft uitgevlooid. Ook mijn vader, Robert de Boose, heeft me geholpen om knopen door te hakken.

Ten slotte had ik het boek onmogelijk kunnen voltooien zonder de enthousiaste steun van mijn vrouw Lut, die mijn Poolse avontuur vanaf het allereerste moment heeft gevolgd, en evenmin zonder het geduld van mijn kinderen.

Johan de Boose
1 maart 2004

UITSPRAAKREGELS VAN HET POOLS

ą = 'on' in het Franse 'garçon'
e = 'e' in 'pet'
ę = 'en' in Franse 'chien', vaak vereenvoudigd
    tot korte 'e' of 'en'
i = 'ie' in 'Piet'
i vóór een klinker = 'j', bijvoorbeeld 'Sienkiewicz' spreek uit
    'Sjenkjevitsj'
o = 'o' in 'kort'
ó en u = 'oe'
y = 'i' in 'pit'
c = 'ts'
ć = 'tsj'
cz = 'ch' in het Engelse 'Charles'
g = 'g' in het Duitse 'gut'
h en ch = zachte 'g'
ł = 'w' in het Engelse 'way'
ń = 'nj'
ś = 'sj'
sz = 'ch' in het Franse 'chance'
w = 'v'
ź = 'zj'
ż en rz = dikke 'zj' in het Franse 'mirage'

Klemtoon altijd op de voorlaatste lettergreep.

REGISTER